D0537675

BIG BROTHER

DU MÊME AUTEUR

Il faut qu'on parle de Kevin, Belfond, 2006 ;
   J'ai Lu (n° 8605), 2008
La Double Vie d'Irina, Belfond, 2009 ; J'ai Lu (n° 9367), 2010
Double faute, Belfond, 2010 ; J'ai Lu (n° 9790), 2012
Tout ça pour quoi, Belfond, 2012 ; J'ai Lu, 2014

LIONEL SHRIVER

BIG BROTHER

*Traduit de l'américain
par Laurence Richard*

belfond

Titre original : *BIG BROTHER*
publié par HarperCollins Publishers, New York

Ce livre est une œuvre de fiction. Les noms, les personnages et les événements décrits ici sont le fruit de l'imagination de l'auteur. Toute ressemblance avec des personnes réelles, vivantes ou mortes, des événements ou des lieux serait pure coïncidence.

Retrouvez-nous sur
www.belfond.fr
ou www.facebook.com/belfond

Éditions Belfond,
12, avenue d'Italie, 75013 Paris.
Pour le Canada,
Interforum Canada, Inc.,
1055, bd René-Lévesque-Est,
Bureau 1100,
Montréal, Québec, H2L 4S5.

ISBN : 978-2-7144-5627-4

© Lionel Shriver 2013. Tous droits réservés.

© Belfond 2014 pour la traduction française.

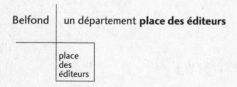

Belfond | un département **place des éditeurs**

place
des
éditeurs

À Greg, qui contre toute attente et sans jamais faillir
s'est réjoui pour moi de tout ce qui m'est arrivé de bien,
et par rapport à qui, comparée à sa vie aussi fantastique
qu'étonnante, une fiction quelle qu'elle soit fait pâle figure

« Une personne sur trois échangerait
un an de sa vie pour un corps parfait »

Titre du *Daily Telegraph*, 24 mars 2011

I
Haut

1

J'EN ARRIVE À ME DEMANDER si les véritables moments forts de mes quarante et quelques années ont le moindre rapport avec la nourriture. Je ne parle ici ni de dîners de fête ni de convivialité, mais de salivation, de mastication et de péristaltisme. Curieusement, pour une activité que je pratique tous les jours, je peine à me souvenir en détail de nombre de mes repas, alors que je peux me remémorer avec bien plus de facilité mes films préférés, des amitiés fortes, des cérémonies de remise de diplôme. D'où il ressort que le cinéma, les affinités et l'éducation comptent davantage pour moi que m'empiffrer. Grand bien me fasse, me direz-vous. Mais si je devais comptabiliser avec honnêteté le temps consacré, repas après repas, à établir les menus, faire les courses, cuisiner, dresser et débarrasser la table, ranger la cuisine, j'en arriverais à la conclusion que, par comparaison avec la nourriture, *Les Saisons du cœur* ne sont pour moi qu'une inclinaison mineure ; idem de mon affection pour les êtres humains, même ceux que je proclame pourtant aimer. J'ai passé beaucoup moins de temps à penser à mon mari qu'à mon déjeuner. Ajoutez aussi les heures gaspillées à me maudire d'avoir cédé à l'appel de la tarte au citron meringuée tout en me jurant de faire l'impasse sur le petit-déjeuner du lendemain, à ouvrir le frigo/m'empêcher de finir le reste de flan à la citrouille/claquer de nouveau la porte, et il semblerait que je ne me sois pas préoccupée de grand-chose d'autre que de nourriture.

Aussi, si j'en déduis, mortifiée, que manger occupe bel et bien une place centrale dans ma vie, pourquoi ma mémoire n'a-t-elle immortalisé aucun de ces sublimes repas ?

Comme la plupart des gens, j'ai de vifs souvenirs de ce que j'aimais, petite fille, et à l'instar de la plupart des enfants mes goûts me portaient vers les aliments simples : le pain de mie, le quatre-quarts, les crackers. Avec l'âge, mon palais s'est éduqué, mais pas ma personnalité. Je suis du riz blanc. Ma fonction a toujours été de rehausser d'autres saveurs plus raffinées. Enfant, je servais de faire-valoir, comme la garniture. Rien n'a changé aujourd'hui.

À ma décharge, même si je doute que cela puisse atténuer mon embarras, j'ai quelques excuses pour avoir accordé tant d'importance à l'aspect mécanique de la nourriture. Pendant onze ans, j'ai dirigé une activité de restauration. On pourrait dès lors penser que j'ai en tête quelques victoires personnelles chez Breadbasket, Inc. À vrai dire, pas vraiment. Exception faite des professeurs d'université, qui se montrent plus aventureux, les habitants de l'Iowa sont conservateurs en matière de nourriture, et me revient en mémoire, en effet, une enfilade monotone de parts de gâteau à la carotte, de lasagnes et de pain au maïs. Les seuls plats dont je garde un souvenir très vif sont ceux que j'ai ratés – le pudding indien à la rose, épaissi à la farine de riz, mué en une substance visqueuse et filandreuse juste bonne à servir de colle à papier peint. Quant au reste – les pavés de saumon et leur garniture de çaouautrechose, les poêlées de ciouça à la pointe de çaenplus –, tout est flou.

Patience, je touche à quelque chose. Je vous livre ma

théorie : par essence, la nourriture est insaisissable. C'est un concept plutôt qu'une substance. La nourriture est l'*idée* de la gratification, bien plus puissante que la gratification elle-même, ce qui explique alors que la diététique parvienne à exercer une emprise similaire à celle de la religion ou du fanatisme politique. Plus que les délices irrésistibles du palais, c'est l'incapacité même de la nourriture à nous combler qui nous pousse à continuer à manger. La plus fabuleuse expérience d'ingestion est un entre-deux : le souvenir de la dernière bouchée et l'anticipation de la suivante. Comme si l'acte proprement dit de manger n'existait pas. Cette quasi-impossibilité à tenir leurs promesses est ce qui rend les plaisirs de la table aussi alléchants, mais également aussi dangereux.

Tiré par les cheveux ? À voir. Nous sommes des animaux ; bien plus que l'enjeu – secondaire – de la sexualité, la pulsion vers la nourriture constitue le fondement de la quasi-totalité des entreprises humaines. Après avoir ostensiblement triomphé dans la course aux ressources, les plus dodus d'entre nous sont au pinacle de la réussite biologique. Mais il vous suffit d'interroger n'importe quel troupeau de cerfs en surnombre : la nature punit la réussite. Cet instinct qui nous pousse à garder une poire pour la soif, à cacher des glands en prévision des longs hivers, qu'il soit l'expression d'une prudence légitime ou de la duplicité darwinienne, voilà ce qui, aujourd'hui, tue mon pays. Raison pour laquelle je doute fort que la pitance, comme sujet, soit sans substance. Certes, je me demande parfois jusqu'à quel point j'aime mon pays. Mais j'aime mon frère.

*

Naturellement, toutes les histoires de fratrie ramènent au passé, mais pour notre propos le chapitre de la vie de mon frère qui mérite le plus d'attention a commencé, fort justement, au déjeuner. Ce devait être un week-end, puisque je n'avais pas encore gagné les locaux de mon entreprise.

À son habitude, Fletcher, mon mari, était remonté tôt. Levé à 5 heures du matin, il avait, à midi, l'estomac dans les talons. Menuisier d'art indépendant, il fabriquait des exemplaires uniques de meubles splendides mais inabordables. Comme il avait pour seul trajet l'escalier menant à la cave, il pouvait se lever quand bon lui chantait. C'était pour la galerie s'il était debout aux aurores. Il en aimait la rigueur implicite et les connotations : dureté, implacabilité, discipline et abnégation.

Ce rigorisme matinal m'exaspérait. À cette époque-là, je n'avais pas la sagesse d'accepter cette manifestation, somme toute mineure, de discorde ; bientôt, en effet, l'heure à laquelle Fletcher se levait serait le moindre de nos soucis. Mais il en va ainsi de toutes les images d'*avant*, qui semblent sereines uniquement a posteriori. À ce moment-là, l'agacement que je ressentais envers l'autosatisfaction avec laquelle il bondissait du lit était bien réel. Voilà un homme qui se couchait à 9 heures du soir. Il avait ses huit heures de sommeil comme tout le monde. Où était l'abnégation ?

Comme avec nombre des excentricités profondément agaçantes de mon mari, je me refusais à cautionner cette habitude, et je dormais tard le matin. J'étais moi aussi mon propre patron, et je détestais me lever aux aurores. Les premières lueurs blafardes m'évoquaient l'imbuvable café filtre cuit et recuit sur la plaque électrique. En allant me coucher à 9 heures du soir, j'aurais eu l'impression d'être une enfant expédiée dans sa chambre pendant que les adultes prenaient du bon temps. À ceci près que les seules personnes à prendre du bon temps, voire un peu trop de bon temps, auraient été Tanner et Cody, des

16

adolescents qui pour rien au monde n'auraient adopté les horaires crypto-agricoles de leur père.

Comme je venais à peine de débarrasser ma vaisselle du petit-déjeuner, je n'avais pas faim pour le déjeuner – bien que, compte tenu du coup de fil de l'heure précédente, différentes raisons aient pu expliquer mon manque d'appétit. Je ne me rappelle pas ce que nous avons mangé, mais il devait probablement s'agir de riz brun accompagné de brocolis. À l'époque, exception faite de quelques variations sans intérêt, c'était toujours riz brun et brocolis.

Au début, nous nous sommes tus. Quand nous nous étions rencontrés, sept ans plus tôt, notre aisance face au silence de l'autre avait eu quelque chose de fascinant. La perspective d'un bavardage incessant avait toujours constitué pour moi l'un des aspects dissuasifs du mariage. Fletcher ressentait la même chose, même si son silence avait une autre texture que le mien : plus épais, plus concentré – bouillonnant et opaque. Cela conférait à son calme une richesse qui s'accordait agréablement à la tonalité plus lisse et froide du mien. Mon silence s'exprimait dans une sorte de bourdonnement saugrenu, bien que je n'ouvre pas la bouche ; en termes culinaires, il s'apparentait à une soupe froide et légère. Plus dense et plus menaçant, celui de Fletcher était comme une sauce marchand de vin. Fletcher *luttait* contre les problèmes, alors que je me bornais à les résoudre. Créatures solitaires, nous ne faisions jamais la conversation pour la conversation. Nous allions bien ensemble.

Ce midi pourtant, le silence était fait de menace et d'atermoiement. Sa texture était molle, comme mon pudding à la rose raté. J'ai répété plusieurs fois dans ma tête ma phrase d'introduction avant de la formuler à voix haute :

— Slack Muncie a appelé ce matin.

— Qui est Mack Muncie ? a demandé Fletcher, d'un ton distrait.

— Slack. C'est un saxophoniste. De New York. Je l'ai rencontré plusieurs fois. Estimé dans le métier, je crois, mais il a du mal à boucler ses fins de mois, comme cela arrive fréquemment dans ce milieu. Ce qui le contraint à accepter des animations de mariages et dans des restaurants, où tout le monde parle par-dessus la musique.

Je faisais la conversation : illustration parfaite de ce que j'affirmais éviter.

Fletcher a levé la tête, circonspect.

— D'où est-ce que tu le connais ?

— C'est l'un des plus vieux amis d'Edison. Un pilier.

— Dans ce cas, a dit Fletcher, il doit être très patient.

— Edison habite chez lui.

— Je croyais que ton frère avait un appartement. Au-dessus de son club de jazz.

Le scepticisme affleurait dans l'inflexion que Fletcher avait donnée à « club de jazz ». Il ne croyait pas qu'Edison ait jamais possédé de club de jazz.

— Plus maintenant. Slack n'est pas trop entré dans les détails, mais il s'est passé… un truc.

— Tu m'en diras tant ! Encore une histoire abracadabrante.

— Edison exagère parfois. Mais ce n'est pas la même chose que mentir.

— Bien sûr. Et la couleur « perle » n'a rien à voir avec la teinte « ivoire ».

— Avec Edison, ai-je répliqué, on doit apprendre à *traduire*.

— Donc il vit aux crochets de ses potes. Ton frère est SDF : ça te va, comme *traduction* ?

Généralement, Fletcher appelait Edison « ton frère ». Expression qui sonnait à mes oreilles comme « ton problème ».

— On peut dire ça, ai-je répondu.

— Et il n'a pas un sou vaillant.

— Edison a déjà eu de mauvaises passes. Entre des tournées.

— Alors, en raison d'une histoire abracadabrantesque – comme ne pas payer son loyer –, ton frère a perdu son appartement, et maintenant il squatte chez les uns et chez les autres.

— Oui, ai-je répondu, sur le gril. Bien qu'il semble ne plus avoir trop d'endroits où aller.

— Pourquoi est-ce ce *Slack* qui a appelé, et pas ton frère ?

— J'ai comme l'impression que Slack a fait preuve d'une incroyable générosité. Mais son appartement est petit : c'est un deux-pièces, où il répète aussi.

— Chérie, crache le morceau. Dis-moi ce que tu préférerais me taire.

Je me suis alors absorbée dans la poursuite d'une fleurette de brocoli, qui n'était pas assez cuite pour être piquée à la fourchette.

— Il dit que son appartement est trop petit. Pour eux deux. La plupart de leurs amis sont déjà en colocation ou sont mariés avec des enfants, et… Edison n'a pas d'autre endroit où aller.

— D'autre endroit que… ?

— On a une chambre d'amis, ai-je plaidé. Personne ne s'en sert, à part Solstice tous les deux ans. Et puis, mets-toi à ma place, c'est mon *frère*.

En homme habitué à se maîtriser, Fletcher avait rarement l'air contrarié.

— Tu dis ça comme si tu jouais ton va-tout.

— Ce n'est pas rien.

— Mais ce n'est pas tout non plus. Pourquoi est-ce qu'il n'irait pas s'installer chez Travis ? Ou chez Solstice ?

— Mon père est impossible, et il a soixante-dix ans

passés. Quand ma sœur est née, Edison n'habitait déjà quasiment plus à la maison. Solstice et lui sont presque des étrangers l'un pour l'autre.

— Tu as d'autres responsabilités. Envers Tanner, Cody, moi. Et même… (Silence appuyé.) … envers Baby Moronic. Tu ne peux pas prendre cette décision sur un coup de tête.

— J'ai vraiment eu l'impression que Slack ne savait plus quoi faire. Je devais dire quelque chose.

— Ce que tu aurais dû dire, a rétorqué Fletcher d'un ton posé, c'est : « Je suis désolée, mais je dois en discuter avec mon mari. »

— Mais je me doutais peut-être de ce que tu dirais.

— À savoir ?

J'ai eu un petit sourire.

— Quelque chose comme : « Jamais de la vie ! »

Il a eu un petit sourire.

— Tout juste.

— Je sais que ça ne s'est pas bien passé. La dernière fois qu'il est venu.

— C'est le moins qu'on puisse dire.

— On aurait dit que vous ne vous supportiez pas.

— Pas besoin du conditionnel. C'était le cas.

— Si c'était quelqu'un d'autre, je ne te le demanderais pas. Mais c'est mon frère. Je te serais tellement reconnaissante si tu faisais un petit effort.

— Ça n'a rien à voir avec le fait de faire des efforts. On apprécie quelqu'un ou on ne l'apprécie pas. Si on « fait des efforts », c'est qu'on ne l'apprécie pas.

— Tu pourrais être plus cool avec lui. Ça t'arrive bien de temps en temps.

En réfléchissant, je me suis rendu compte que cette remarque ne s'appliquait pas vraiment à Fletcher. En règle générale, il se montrait plutôt dur.

— Tu es en train de me dire que tout le temps où ont duré ces tractations, tu n'as jamais parlé directement à ton frère ? Dans ce cas, c'est que son ami essaie de se débarrasser de lui dans son dos.

— Edison est sûrement un peu gêné. Ce n'est peut-être pas facile pour lui de demander un service à sa petite sœur.

— Sa « petite sœur » ! Tu as quarante ans.

Fils unique, Fletcher ne comprenait rien aux fratries, ni à quel point ce différentiel était déterminant.

— Chéri, à quatre-vingt-quinze ans, je serai encore la *petite sœur* d'Edison.

Fletcher a mis la poêle à tremper dans l'évier.

— Tu as de l'argent maintenant, n'est-ce pas ? Même si je n'ai jamais trop bien su combien… (Pas étonnant qu'il l'ignore : j'en faisais un mystère.) Tu n'as qu'à lui envoyer un chèque. Assez pour la caution d'une piaule et quelques mois de loyer d'avance. Problème résolu.

— L'acheter. Le soudoyer pour qu'il reste loin de nous.

— Tu conviendras qu'il n'aurait pas une vie très intéressante ici. On ne peut pas dire que l'Iowa soit réputé pour sa « scène jazz ».

— Il y a des salles de concert à Iowa City.

— Je crains que des concerts au chapeau devant une poignée d'étudiants fauchés ne soient pas du goût de M. le Pianiste-de-jazz-de-renommée-internationale.

— Mais, selon Slack, Edison… n'est pas au mieux de sa forme. Il dit qu'Edison a besoin… « de quelqu'un pour prendre soin de lui ». Il pense que mon frère a beaucoup perdu confiance en lui.

— C'est la meilleure nouvelle de la journée.

— Mon activité marche bien, ai-je insisté d'une voix douce. Autant que ça serve à quelque chose. À faire preuve de générosité.

Générosité dont j'ai fait preuve avec toi, ai-je failli ajouter, *et avec ces enfants qui maintenant sont devenus les miens.* J'ai cependant préféré ne pas enfoncer le clou.

— Mais tu engages aussi la générosité du reste de la famille.

— J'en ai conscience.

Fletcher a pris appui sur l'évier.

— Je suis désolé si j'ai l'air de me montrer insensible. Qu'il me tape ou non sur les nerfs, c'est ton frère, et tu dois être affectée de le savoir dans une mauvaise passe.

— Oui, beaucoup, ai-je répondu, reconnaissante. Ça a toujours marché pour lui. Se retrouver dans la dèche, devoir compter sur l'hospitalité de ses amis – ça semble vraiment injuste. Comme si l'Univers marchait sur la tête.

Je n'avais pas l'intention d'en parler à Fletcher, mais Edison et Slack devaient être en froid, puisqu'à l'insistance du saxophoniste s'était ajouté ce que je devais bien qualifier de… dégoût.

— Mais même si on décidait de l'héberger, a déclaré Fletcher, *et nous n'en sommes pas encore là*, il ne pourrait s'agir d'un séjour à durée indéterminée.

— Il ne peut pas être non plus conditionnel…

Si je devais raisonner dans ces termes, ce que je préférais éviter, il me fallait bien admettre que, ces dernières années, ma réussite m'avait conféré le pouvoir dans notre ménage. Je répugnais à jouer de ce pouvoir, et la plupart du temps j'espérais confusément que si je faisais en sorte de ne pas exercer cette influence qui me déconcertait, elle disparaîtrait d'elle-même.

— … on ne peut pas vraiment parler d'hospitalité si on lui dit « seulement pour trois jours » ou « seulement pour une semaine ». Cela reviendrait à lui faire comprendre que sa présence n'est tolérée que sur une courte durée.

— Mais n'est-ce pas le cas ? a répliqué Fletcher d'un ton sec, en me laissant la vaisselle. Je vais faire un tour.

*

Évidemment, il allait faire un tour. Tous les jours, il partait pendant des heures à vélo, enfourchant l'une de ses bicyclettes – il en avait quatre – qui se disputaient, avec les tables basses non vendues, l'espace restreint de ce sous-sol que nous avions trouvé si caverneux lorsque nous avions emménagé. Aucun de nous n'abordait jamais le sujet, mais c'était moi qui lui avais offert ces vélos. En principe, nous mettions en commun nos ressources. Mais lorsqu'une des deux parties contribue à hauteur d'une pipette et l'autre à celle du lac Michigan, « mettre en commun » ne semble pas tout à fait le terme approprié.

Depuis que mon mari avait commencé à s'adonner de manière compulsive au vélo, il m'était devenu impossible de m'approcher de mon tas de boue à dix vitesses qui, les pneus dégonflés, prenait la poussière. Cette désaffection était de mon fait, mais je ne la vivais pas ainsi. J'avais le sentiment que mon mari m'avait volé mon vélo. Si je l'avais remonté de la cave, si j'avais graissé la chaîne avant de m'aventurer lentement, mal assurée, sur la route, Fletcher se serait moqué de moi. J'avais préféré laisser tomber.

Chaque fois que Fletcher partait à vélo, j'étais contrariée. Comment pouvait-il supporter l'ennui ? Certains après-midi, il rentrait en proie à une vive satisfaction, celle d'avoir amélioré son temps, généralement de quelques secondes. Avaler un chouia plus vite les mêmes kilomètres à travers les champs de maïs jusqu'à la rivière n'avait pourtant pas la moindre incidence sur qui que ce soit. Fletcher avait quarante-six ans, et bientôt la technologie embarquée sur son guidon n'enregistrerait plus que sa déception vis-à-vis de lui-même. Je n'aimais pas l'idée de lui envoyer une chose lui appartenant en propre, mais il avait la fabrication de meubles, qui relevait déjà de son domaine privé. Il se servait de ces sorties à vélo pour m'exclure.

Je me sentais si coupable de cet agacement que je ne ménageais pas mes efforts pour le cacher, allant jusqu'à me forcer à lui *suggérer* de partir en balade, pour évacuer une quelconque frustration à l'égard de Tanner, par exemple, « puisque ça te fait tellement de bien ». Mais l'intonation suraiguë de ma voix me trahissait. Le plus déconcertant est qu'il *jubilait* de me voir agacée par ses sorties à vélo.

À l'évidence, je n'étais pas une bonne épouse. L'exercice au grand air n'allongerait-elle pas son espérance de vie ? Quand Cleo, son ex, était partie en vrille sans que personne n'ait rien vu venir, Fletcher était devenu encore plus obnubilé par le contrôle, et en matière d'obsessions le vélo était inoffensif. Entre le sport et son régime strict, mon mari avait perdu son tout petit ventre, dont les responsables avaient été mes purées et mes muffins maison. Pourtant, j'aimais son petit ventre : il l'avait adouci à plus d'un titre. Parce qu'il invitait au pardon, ce léger excès avait aussi semblé en prodiguer.

Et ce pardon, j'en avais bien besoin. Les trois dernières années, j'avais dû prendre une dizaine de kilos (j'étais réticente à monter sur la balance afin d'affronter le chiffre exact). À l'époque où je dirigeais Breadbasket, j'étais très mince. Dans le secteur de la restauration, on finit par éprouver une sorte de dégoût pour la nourriture ; un bac de fromage à tartiner prend facilement des allures de bac à ciment. Mais dans l'entreprise que j'ai fondée par la suite, le personnel mexicain arrivait sans cesse au travail avec des plateaux de tamales et d'enchiladas. Auparavant, je cuisinais, debout ; désormais, j'étais assise à mon bureau. C'est ainsi que j'en étais arrivée à gaspiller une proportion affligeante de mon espace mental à me promettre vainement de me limiter à un repas par jour, ou à me flageller à propos d'un second poivron farci avalé au déjeuner. Nul doute qu'à un niveau inconscient les autres percevaient en haute fréquence le couinement de cette humiliante roue de hamster, crissement aigu dont l'émission se déclenchait quand je croisais telle ou telle femme dans les allées de mon supermarché Hy-Vee.

Ce n'était pas juste, mais j'en voulais à Fletcher pour ces dix kilos. J'avais beau faire profil bas, je n'étais pas quelqu'un de faible. J'étais le genre de personne qu'on pouvait ouvertement désavouer et montrer du doigt, je ne répliquais pas, je me soumettais à toute forme d'intimidation en accusant le coup en bon petit soldat ; bref, j'étais le genre de personne dont on se disait « que ça lui serve de leçon », alors qu'au fond je n'en pensais pas moins et que je m'appliquais justement à ne pas faire ce que l'on attendait de moi.

Cette tendance à la provocation s'était manifestée sous un jour inattendu quand j'avais commencé à boulotter entre les repas des aliments appartenant à quelque groupe alimentaire que Fletcher venait juste de proscrire. (Le bannissement du fromage avait été terrible. Le lendemain de cet édit, j'étais rentrée du supermarché avec une demi-roue de brie.) Son rejet des mets qui l'avaient pourtant ravi dans les premiers temps de notre relation et de notre mariage – gâteau crémeux à la banane, pizza maison à pâte épaisse – avait blessé mon amour-propre. Je n'aurais pas dû associer amour et nourriture, mais il s'agit là d'une erreur que les femmes commettent depuis des siècles ; en vertu de quoi aurais-je été différente ? Par ailleurs, cuisiner – cette occupation thérapeutique – me manquait. Alors, de temps à autre, je confectionnais un gâteau à étages à la noix de coco, que Fletcher boycottait, et auquel même les enfants évitaient de toucher sous le regard noir de leur père. Pourtant, il fallait bien le manger, ce gâteau. Inévitablement, je me dévouais.

Au bout du compte, nous avions fini par trouver un compromis rituel : à chaque confection de contrebande, je prélevais une petite portion, un amuse-bouche que j'agrémentais d'une bonne couche de chantilly, de feuilles de menthe et de deux innocentes framboises fraîches, avant de la placer sur une grande assiette à dessert en porcelaine avec une fourchette en argent étincelante. Je laissais cette préparation au milieu de l'îlot de cuisine, à l'instar de ces enfants qui déposent des biscuits pour le Père Noël, puis je disparaissais. Fletcher ne mordait jamais à l'hameçon si je me trouvais dans les environs ; pourtant, le fait que cet assortiment illicite d'aliments qu'il qualifiait dorénavant de « toxiques » disparaisse dans l'heure signifiait énormément pour moi, bien plus que je n'aurais su le dire.

À proprement parler, ce fascisme nutritionnel avait rendu mon mari plus séduisant, mais ne l'avait-il pas toujours été à mes yeux ? En outre, son allure n'en était que plus tranchante. Il avait le front haut et un long visage ovale ; avec ses cheveux coupés ras comme un buisson d'ajoncs pour dissimuler sa calvitie naissante, sa tête avait la forme d'une balle de revolver. De profil, son long nez aquilin prenait des allures de coche, et les lunettes à monture métallique lui conféraient une sévérité professorale. Une forme de rigueur et d'austérité s'était insinuée dans la géométrie triangulaire de ses larges épaules et de sa taille nouvellement affinée, de sorte qu'il suffisait que je me trouve en sa présence pour avoir l'impression d'être critiquée.

*

J'ai débarrassé la table, ennuyée à l'idée que Fletcher soit parti sans ranger la cuisine, ce qui ne lui ressemblait pas. Généralement, nous nous répartissions les tâches de nettoyage avec la fluidité bien réglée d'une équipe de natation synchronisée. Nous donnions le meilleur de nous-mêmes en travaillant de concert – l'un comme l'autre, nous ne comprenions ni ne goûtions les « loisirs », et mes souvenirs les plus chers se rapportent toujours à des nettoyages de grande ampleur. Quand nous avions commencé à sortir ensemble, les soirs où je travaillais à l'organisation d'un grand buffet, Fletcher installait Tanner et Cody dans des sacs de couchage, sur le sol de mon salon, afin de m'aider à la cuisine. (Lorsque je l'ai vu pour la première fois secouer ses mains dans l'évier et laisser pendre ses doigts – *floc-floc*, petit geste intuitif qui évite de faire goutter l'eau par terre sur le trajet jusqu'à l'essuie-mains –, j'ai su que c'était l'homme que j'allais épouser.) Laver des plans de travail, emballer des restes, rincer des récipients géants : il ne s'était jamais plaint et n'avait pas besoin qu'on lui dise quoi faire. Il ne s'arrêtait que pour se glisser derrière moi et m'embrasser, tandis que je sortais du lave-vaisselle un nouveau lot de verres. Croyez-le ou non, ces nettoyages et nos tabliers éclaboussés avaient un très grand caractère romantique, bien plus que du champagne et des bougies.

Avec de tels souvenirs en tête, je pouvais difficilement rechigner à laver le cuit-vapeur utilisé pour les brocolis. Je me suis repassé mentalement notre conversation. Les choses auraient pu être pires. Fletcher aurait tout à fait pu déclarer : « Jamais de la vie » ; je m'étais débrouillée pour lui couper l'herbe sous le pied. Je ne lui avais pas demandé : « Tu serais d'accord pour que mon frère s'installe chez nous quelque temps ? » Il ne m'avait jamais répondu « oui » ou « non ».

Chez nous. Bien sûr que c'était notre maison.

Après avoir été locataire la plus grande partie de ma vie, je ne m'étais toujours pas départie de l'impression que cette adresse sur Solomon Drive n'était pas vraiment la mienne ; je gardais le lieu dans un état de propreté fanatique, comme si les véritables propriétaires étaient susceptibles de rentrer à l'improviste. La superficie de la maison excédait nos besoins ; la profusion des rangements de cuisine invitait à l'acquisition de machines à pâtes et à pain que nous n'utiliserions qu'une seule et unique fois. Méritant le libellé péjoratif de « McMansion[1] », notre nouveau foyer était une réaction à l'exiguïté du précédent appartement de Fletcher, l'une de ces locations « temporaires » dans lesquelles les hommes emménagent après leur divorce et desquelles, à moins qu'une femme s'en mêle, ils ne repartent jamais. J'avais été sidérée en prenant conscience que j'avais désormais les moyens d'acheter une maison, à comptant excusez du peu, et dans un certain sens je l'avais achetée simplement parce que je pouvais me le permettre.

Et puis, je souhaitais procurer un espace de travail à Fletcher. Les meubles étaient sa passion, et cette passion, je la lui avais offerte. J'étais si naïve dès qu'il était question d'argent, comment aurais-je pu deviner à quel point il m'en tiendrait rigueur ?

Plus tôt dans notre mariage, Fletcher avait travaillé pour une entreprise agricole qui fabriquait des semences génétiquement modifiées. Sachant qu'il n'était pas un commercial-né, j'étais désireuse de lui donner les moyens de quitter cette entreprise – ce qui n'avait rien à voir avec une aversion écologique à l'égard des manipulations environnementales ou avec une indignation politique vis-à-vis des grandes entreprises américaines s'octroyant le droit de breveter ce qu'auparavant il suffisait littéralement de se baisser pour ramasser. Je n'avais que peu d'opinions. Je

---

1. « McMansion » est un terme péjoratif qui désigne une maison neuve, trop grande et trop luxueuse, tape-à-l'œil. (*Toutes les notes sont de la traductrice.*)

ne voyais pas l'intérêt d'en avoir. Mon éventuelle opposition à la production de maïs non germinatoire résistant aux maladies n'empêcherait pas sa commercialisation. À mes yeux, la plupart des convictions relevaient du divertissement et leur culture d'une forme de vanité, et je n'ouvrais donc que rarement un journal. Être informée d'un assassinat au Liban ne ramènerait pas la victime à la vie ; l'actualité ne servant principalement qu'à accroître notre sentiment d'impuissance, j'étais surprise qu'elle soit aussi largement suivie. Mon refus de me forger des opinions afin de les soumettre à la pâture sociale me rendait insipide, mais j'adorais être insipide. Ne présenter aucun intérêt particulier pour personne, voilà ce qui avait constitué l'objectif de ma vie.

De la même manière, cette maison n'avait aucune personnalité. De construction récente, ses sols en érable étaient impeccables. J'en adorais la neutralité sans histoire. Les prises étaient solidement fixées, et tout fonctionnait. Je n'ai jamais cherché à me forger une personnalité, si ce n'est revendiquer certains principes comme le refus de voler dans les magasins ou de tromper mon mari ; Edison en revanche aspirait à être qualifié de « véritable personnage », et je lui laissais bien volontiers ce qualificatif. Je me délectais de mon anonymat et, à cette époque, j'étais fortement contrariée par le fait que la lumière aussi éblouissante que malvenue d'un projecteur public ait fait de moi quelqu'un de spécial pour les autres. (Par pitié, après m'être délibérément enterrée au milieu de nulle part, le moins que je puisse espérer était de passer inaperçue.) J'avais assez à faire avec mon histoire personnelle, et à l'exception d'Edison, mon attitude face au passé consistait à tirer le rideau dessus, purement et simplement.

La grande maison lobotomisée offrait une toile de fond parfaite et neutre devant laquelle le mobilier de Fletcher pouvait ressortir. À ce stade, les créations artisanales de mon mari avaient remplacé la plupart des pièces commerciales de nos deux foyers réunis. (L'alliance de nos forces domestiques a ainsi représenté pour moi le premier déménagement réalisé avec l'aide d'un tiers. Avec une efficacité redoutable, Fletcher pouvait en un après-midi emballer dans des cartons le contenu d'une pièce, ce qui devait s'avérer encore plus romantique que nettoyer minutieusement le robot ménager de ses minuscules particules alimentaires.) Ses créations étaient si fluides que chaque fois que je pénétrais dans le salon, les meubles me donnaient l'impression qu'ils venaient juste de s'arrêter de paître sur les tapis. Avec ses angles ondulant comme des cornes de cerf et les courbes impatientes de ses pieds courts, le canapé était lesté de coussins, sans lesquels la nerveuse créature aurait risqué peut-être de prendre la poudre d'escampette.

Fletcher aimait penser qu'il progressait dans son art, mais la création que je préférais était l'une de ses toutes premières. Nous l'appelions le Boomerang. Son coussin de cuir rouge était ovale. La barre composant les accoudoirs et le dos s'incurvait très nettement à droite, puis formait un arc en redescendant à gauche jusqu'à l'extrémité de l'accoudoir qui touchait presque le sol. Le fauteuil avait l'air d'avoir été projeté violemment. Les lattes soutenant le dos étaient elles aussi incurvées – ébène stratifié de Macassar, palissandre, et érable que Fletcher avait fait tremper pendant une semaine afin de le courber. Le Boomerang était une sorte de talisman. Parvenus à un tel degré de maîtrise, la plupart des gens chériraient probablement un tel symbole, preuve inaugurale de leur talent. La référence vers laquelle se tourner quand ils peinaient à récolter les fruits de leurs efforts : *Tu vois bien ! Si tu es capable de faire ça, tu peux tout faire.* Pour ma part, je n'avais rien d'équivalent, car je me fichais comme d'une guigne du produit fini. J'aimais avant tout les processus.

Qu'il s'agisse d'un gâteau fourré à la confiture ou des articles absurdes que je commercialisais à l'époque, le produit, dès l'instant où il était achevé, n'avait plus de valeur à mes yeux. Je trouvais la fin d'un projet particulièrement horrible.

Après avoir récuré le dépôt beige de la poêle à riz, j'ai regardé par la fenêtre de devant. Il avait commencé à pleuvoir, ce qui n'avait jamais eu pour effet de ramener mon intrépide mari chez nous. À l'abri dans ma solitude, j'ai gagné mon bureau à l'étage et réservé un billet d'avion entre LaGuardia et Cedar Rapids, optant pour une date de retour arbitraire qu'il nous serait toujours possible de modifier. J'ai établi un chèque de cinq cents dollars et griffonné « divers » sur le talon. J'ai ensuite placé le chèque et le billet électronique dans une enveloppe FedEx au nom d'Edison Appaloosa, à l'adresse que Slack m'avait dictée ce matin-là, puis j'ai loué un pick-up à mon nom.

Le fait d'avoir pu acheter cette maison deux ans plus tôt avec les bénéfices de mon activité pour le moins non conventionnelle aurait pu signifier que j'avais le « droit » d'installer mon frère dans la chambre d'amis sans en référer à quiconque. Mais abuser de mon rang fiscal me paraissait aussi vulgaire que non démocratique. Dans cette maison vivaient trois Feuerbach, et seulement une Halfdanarson.

Non, ce qui m'a poussée à faire fi de l'opposition de Fletcher était d'une tout autre nature. D'ordinaire, je n'étais pas otage des liens familiaux. Plus tard, je ferais la désagréable découverte de la profondeur du lien qui m'attachait encore à mon père, mais pas avant sa mort ; jusque-là, je pouvais tout à loisir le trouver insupportable. Ma sœur Solstice était beaucoup plus jeune que moi, au point que j'avais presque l'âge d'être sa tante, et c'est uniquement du fait de son insistance si je la recevais dans l'Iowa un été sur deux. (Elle a grandi dans les

31

vestiges fracturés d'une famille folle et dysfonctionnelle, sur laquelle elle s'est efforcée pendant longtemps d'apposer une réalité plus glorieuse. Elle était la seule à acheter des cadeaux, à envoyer des cartes, et à venir en visite avec une régularité parfaite qui n'était pas sans suggérer une certaine forme de discipline.) Mon adorable mère, prénommée Magnolia, était morte quand j'avais treize ans. Mes grands-parents, des deux côtés, étaient eux aussi décédés. Solitaire jusqu'à ma rencontre avec Fletcher, je n'avais porté aucun de mes enfants.

Edison était ma famille, le seul parent que j'aimais ouvertement et sans réserve. Ce seul et unique attachement concentrait – en une forme de dévotion qui avait l'intensité du tamarin – toute la loyauté que la plupart des gens répartissent entre les membres d'un clan plus vaste. C'est auprès d'Edison que j'avais d'abord appris la loyauté ; c'était donc d'Edison que découlaient toutes les autres loyautés, et les premiers bénéficiaires de cette forte capacité d'attachement étaient Fletcher et nos enfants. J'avais beau être ambivalente sur notre passé commun, seuls Edison et moi le partagions. En réalité, je n'avais pas même hésité une fraction de seconde quand Slack Muncie avait appelé ce matin-là. Fletcher avait raison : je jouais mon va-tout. Edison était mon frère, et la discussion aurait tout aussi bien pu s'arrêter là.

2

— JE VAIS CHERCHER VOTRE ONCLE à 5 heures à l'aéroport…

Sur ma tarte, les noix de pécan sentaient bon le grillé, alors je l'ai sortie du four.

— … je compte sur vous pour être à l'heure au dîner.

— Oncle par alliance, a corrigé Tanner, debout devant le plan de travail, et occupé à faire tomber par terre des miettes de pain. Soit, à peu de chose près, un total inconnu pour moi. Désolé, j'ai d'autres projets.

— Change-les, ai-je répondu. Le dîner n'est pas négociable. Cody et toi serez présents, un point c'est tout. À 7 heures, si l'avion n'a pas de retard.

Je me sentais toujours un peu mal à l'aise à l'idée de faire preuve d'autorité envers mon beau-fils et ma belle-fille, d'autant plus maintenant que Tanner avait dix-sept ans. Et quand on ne se sent pas à l'aise dans une posture d'autorité, on n'en a pas. Si Tanner se décidait à faire ce que je lui demandais, ce serait par pitié.

— Quand on a un invité, ai-je ajouté, m'accrochant de plus belle à un semblant d'autorité parentale, ce n'est pas une obligation d'être présent à tous les repas, à l'exception du premier.

— Vraiment ?

Je n'étais pas sûre de ce que j'avançais.

— Ce que je veux dire, c'est que j'apprécierais énormément que tu sois là.

— Donc, ce n'est pas un ordre.

— Plutôt une faveur que je te demande.

— Dans ce cas, c'est différent.

De sa manche, il a essuyé le beurre au coin de sa bouche.

— Il est déjà venu ici, je crois ?

— Il y a un peu plus de quatre ans. Tu te souviens de lui ?

— J'ai le vague souvenir d'un type qui se la pétait un peu. Il n'arrêtait pas de délirer sur des groupes dont personne n'avait jamais entendu parler. Il n'était même pas capable de se souvenir de mon prénom.

La description était on ne peut plus juste.

— Edison a un fils, mais son ex a obtenu la garde quand le garçon n'était encore qu'un bébé. Pour ce qui est de parler à des enfants, ton oncle n'a pas beaucoup d'expérience…

— J'ai plutôt eu l'impression que le problème venait de la façon dont il parlait aux *adultes*. Il cassait les couilles à tout le monde.

— C'est un homme qui a beaucoup de talent et qui a mené une vie des plus intéressantes – bien plus intéressante que la mienne. C'est une occasion rare d'apprendre à le connaître.

Je parlais à un mur. Je doutais de réussir à amadouer mon beau-fils. Tanner avait le sentiment que tout lui était dû, la certitude qu'il était destiné à l'excellence. Il avait démarré depuis un mois sa dernière année de lycée, mais n'avait pas encore manifesté le moindre intérêt pour un cursus universitaire en prévision duquel j'économisais expressément les bénéfices de mon activité. Il voulait écrire, mais il n'aimait pas lire. Cet été, il nous avait annoncé qu'il avait décidé de devenir scénariste, comme s'il s'agissait d'une faveur personnelle qu'il faisait à Ridley Scott. Je mourais d'envie de le secouer : avait-il la moindre *idée* des faibles probabilités de percer à Hollywood, ne serait-ce que comme simple coursier ? Incertaine quant à la nature de mon impulsion – gentillesse ou cruauté –, j'avais tenu ma langue, me bornant à souligner que sa grammaire, sa ponctuation et son orthographe étaient épouvantables. Or, Tanner s'imaginait que le rôle d'un traitement de texte était justement de se charger de ces vétilles stylistiques. Quoi qu'il en soit, avait-il déclaré, il était indispensable de savoir comment les gens *parlaient dans la vraie vie*, et dans ce domaine une maîtrise de la grammaire constituait un obstacle. *D'accord*, avais-je pensé, contrariée ; *un point pour lui*. Pendant toute son adolescence, Fletcher et moi avions encensé le moindre de ses poèmes, loué la créativité de ses récits longs d'une demi-page. C'est ce que les parents sont censés faire. Mais, horreur ! Tanner nous avait pris au mot.

Grand, pâle, peu musclé, ce garçon avait cet air malingre qui plaît si souvent aux adolescentes. Ses cheveux noirs étaient ébouriffés avec soin. Les couleurs dissonantes de ses couches de vêtements s'exposaient comme des vestiges d'anciens papiers peints décollés : un sweat-shirt à carreaux par-dessus une chemise rayée dont les pans écartés laissaient voir la bande élastique de son boxer écossais, qui dépassait de son jean taille basse porté sans ceinture. La plupart de ses amis débarquaient chez nous dans le même accoutrement d'arlequin à demi dévêtu. Tanner se tenait le bassin en avant, et depuis peu il avait pris la déconcertante habitude de se toucher pendant qu'il parlait, lissant ses paumes le long de ses hanches ou les laissant remonter sur son torse, sur sa poitrine plate. Rien, ou presque, ne l'impressionnait, mais ce scepticisme ne s'étendait pas à lui, et j'étais stupéfaite de la facilité avec laquelle ses pairs et ses professeurs prenaient son assurance superficielle pour argent comptant.

Je devais me surveiller, avec lui. Quand je disais que les « adolescentes » craquaient pour son look, j'aurais dû préciser qu'à son âge j'aurais été l'une de ces filles. Non que je sois le moins du monde tentée d'être dans un rapport de séduction avec lui ; après tout, je discernais encore des traces du garçon de dix ans méfiant et fermé dont j'avais hérité, et qui, pour s'ouvrir au monde, avait dû être amadoué comme un chat se cachant sous un lit. Je retrouvais néanmoins chez mon beau-fils adolescent le genre de jeune garçon sûr de lui et confiant dont je m'amourachais au lycée, où je rasais les couloirs en priant surtout pour qu'on me laisse tranquille. (À Verdugo Hills, mes camarades de classe s'étaient fait un plaisir d'exaucer mon souhait. À la différence d'Edison, je continuais de me faire appeler « Halfdanarson », mon nom de naissance ; j'avais toujours tu être la fille de Travis Appaloosa.) Mais ce que j'expérimentais alors avec Tanner, c'était la résistance. Il était tentant de m'enorgueillir du fait que, en tant que femme adulte, je ne craquais plus pour ce genre de bonimenteurs, mais je n'avais nulle envie de me laisser aller, avec une détermination trop féroce et légèrement méchante, à voir clair dans son jeu.

Considéré depuis l'impunité du mariage, ce penchant pour les passions non réciproques, qui avait persisté chez moi jusqu'au début de la trentaine, s'était révélé payant. Ceux de la trempe de Tanner ignoraient peut-être mon existence, mais ne pas adresser la parole à ce genre de jeunes hommes, c'est l'assurance de ne jamais découvrir leur passion désabusée pour les Bee Gees. Ayant toujours soigné mes coups de cœur en privé, ceux-ci étaient restés inviolés, et je n'avais donc pas aujourd'hui à me remémorer avec une incrédulité mortifiée une succession d'inclinations ineptes. Ces marathons de dévotion avaient développé mon endurance émotionnelle, qui contrastait avec les sprints de Tanner et ses trois ou quatre petites amies par an. Je craignais que mon beau-fils n'apprenne non à aimer les femmes, mais à nourrir du mépris pour celles qui l'aimaient.

— Si c'est pour étaler autant de confiture sur ton toast, a grogné Fletcher en allant se servir un verre d'eau, autant manger des gâteaux.

— C'est du pain complet ! s'est exclamé Tanner. Et ça ne lui suffit toujours pas !

Désolé, mais je ne mange pas de produits laiiiiiiiitiers ! Notre fille de treize ans, Cody, avait délaissé ses exercices de piano pour tirer sur le cordon de la marionnette traînant sur l'étagère du milieu, dans la salle à manger, rapidement accessible dans les cas où son père avait besoin d'une petite mise en boîte express. Cette marionnette était une première tentative datant d'il y a quatre ans, fantaisie mineure aux allures de cadeau de Noël. Je l'avais fabriquée et cousue de mes mains, peu après l'engouement soudain de Fletcher pour la diététique et la santé. Ce projet artisanal avait aussi fait office de thérapie, témoin de ma tentative pour prendre avec humour le fait que mon mari ne voulait plus entendre parler de mes fameux manicotti.

Le pantin de chiffon portait une version miniature de l'éternelle polaire noire de Fletcher, sur laquelle j'avais collé ces particules de sciure qui étaient sa signature. La marionnette était vêtue d'un jean cigarette noir, et, exception faite de quelques épis, elle était chauve. Les bottines en cuir arrivant à mi-mollets avaient été fabriquées à partir des languettes d'une véritable paire usée ; quant aux semelles, il s'agissait d'une bande de roulement tombée d'un camion sur la E36. J'avais confectionné les montures de lunettes à partir de trombones en aluminium et imprimé au front un pli de désapprobation permanent.

Une main agrippait un burin (en réalité un tournevis de bijoutier), l'autre un carré de caoutchouc mousse dont j'avais dû expliquer qu'il s'agissait de tofu. Le tissu commençait à s'effilocher, mais le mécanisme interne fonctionnait toujours parfaitement, ce qui était d'ailleurs devenu une question importante dans la poursuite de mon activité.

Retire tes pieds de la barre, Tanner ! Il m'a fallu trois mois pour fabriquer le Boomerang !

Dès le début, j'avais impliqué mon meilleur ami, Oliver Allbless, dans la plaisanterie ; c'était donc sa voix que j'avais enregistrée, et il s'était révélé expert dans l'art de reproduire les intonations hachées et critiques de Fletcher. Le mécanisme électronique caché dans le torse comportait une vingtaine d'ordres et exclamations. J'avais été loin de m'imaginer que, bientôt, cette petite création artisanale partie d'une plaisanterie deviendrait un monstre.

La marionnette Fletcher avait rencontré un succès immédiat auprès de nos enfants, et les ordres tyranniques de leur père ainsi enregistrés et tournés en dérision les avaient aidés à mieux apprécier leur belle-mère. Sans s'offusquer de la moquerie, Fletcher avait été touché par l'ampleur de mon effort, celui-ci étant allé jusqu'à engager Oliver pour concevoir une technologie numérique adaptée. (Guère meilleures que des élastiques, les courroies actionnant les disques plastiques et les platines à l'intérieur des anciennes Chatty Cathy des années 1960 avaient tendance à se casser, ce qui explique que peu de ces pièces de collection fonctionnent encore.) Lors de dîners, nos invités ne se lassaient jamais d'actionner le cordon. L'année suivante, Solstice m'avait *suppliée* de confectionner une marionnette représentant son nouveau petit ami, dont les répétitions incessantes d'expressions éphémères comme « faut voir ! » et « c'est pas gagné ! » la rendaient dingue. L'idée ne m'avait guère enthousiasmée.

Je dirigeais toujours Breadbasket. Pour que la magie opère, la poupée devrait réussir à capturer la morphologie et les habitudes vestimentaires du petit ami en question. Ayant senti mon hésitation, Solstice avait proposé de me rémunérer. J'avais alors annoncé un prix suffisamment élevé pour décourager ma sœur, mais elle m'avait envoyé par retour d'e-mail des photos de lui et une liste de ses expressions familières.

Le bouche-à-oreille ne doit plus rien aux conversations anodines devant des portails de maison, et grâce à internet mon activité de création de marionnettes personnalisées avait fait le buzz. À la fin de cette année-là, j'avais mis la clé sous la porte de Breadbasket, et Baby Monotonous – et non *Baby Moronic*[1], comme Fletcher avait rebaptisé avec une pointe de provocation mon entreprise, au point que certains habitants de la ville croyaient qu'il s'agissait de son nom véritable – disposait de locaux à la périphérie de New Holland et d'une équipe de salariés à temps complet. Le ridicule allié à l'affection : la formule était imparable. De fabrication onéreuse, les poupées l'étaient plus encore à l'achat. En fait, meilleur marché, elles n'auraient pas été aussi populaires. Pour un prix avoisinant celui, combiné, d'un robot ménager KitchenAid et d'un Dyson haut de gamme, les marionnettes Baby Monotonous étaient devenues un symbole de statut social, plus gratifiant, de l'avis général, que l'aspirateur moyen.

Fort à propos compte tenu du récent échange père-fils, Cody a actionné le cordon une troisième fois, et la marionnette s'est exclamée sur un ton de moralisateur exalté : « Je veux un toast SANS RIEN DESSUS ! Je veux un toast SANS RIEN DESSUS ! »

Les deux adolescents ont éclaté de rire.

---

1. Littéralement « Baby la barbe », rebaptisé en « Baby Gaga » ou « Baby Débilos ».

— J'aimerais bien comprendre pourquoi ce truc continue de vous faire rire, a déclaré Fletcher.

— On se fiche de savoir pourquoi, a répondu Tanner dans un effort pour se redresser. Ces marionnettes sont toujours drôles ; elles le sont même de plus en plus, et c'est ce qui explique que Pandora soit riche.

— Nous ne sommes pas riches…, ai-je protesté.

Si on laissait de côté l'estimation quelque peu exagérée de mon beau-fils concernant la situation financière de notre famille, « riche » était un terme qui s'appliquait aux autres, et généralement à ceux qu'on n'aimait pas.

— … on vit seulement de façon *convenable*. Et veille à ne rien dire de tel en présence de ton oncle, j'ai recommandé à Tanner, avant de me corriger, en levant les yeux : De ton oncle par alliance.

— Pourquoi ? a demandé Tanner.

— Ça ne se fait pas de parler d'argent. Et ton oncle Edison semble traverser une mauvaise passe. Inutile de le lui rappeler.

Tanner m'a coulé un regard de biais.

— Tu as peur qu'il te tape du fric.

— Ce n'est pas ce que j'ai dit.

— Pas besoin.

Tanner avait peut-être surestimé ses talents littéraires, mais il était sacrément malin.

*

Alors que je roulais en direction de l'aéroport de Cedar Rapids, je me suis demandé comment quatre ans avaient pu s'écouler ; jamais Edison et moi n'avions été séparés aussi longtemps. Nous nous étions parlé au téléphone, même si plus d'une fois son numéro s'était soudain retrouvé non attribué. Edison ne cessait de déménager, sans compter les tournées fréquentes en Europe, en Amérique du

Sud ou au Japon. C'était à moi de retrouver sa trace par le biais d'autres musiciens comme Slack. Il aurait été vain d'éprouver de l'exaspération à l'idée que mon frère aîné ne faisait rien pour entretenir la part qui lui revenait dans notre relation. Il semblait toujours heureux de m'entendre, et c'est tout ce qui m'importait.

Au beau milieu de l'agitation due aux commandes de rouleaux de tissu et de balles de rembourrage en coton, il n'y avait peut-être rien d'étonnant à ce que je n'aie pas revu Edison. Avec l'installation des locaux de mon entreprise, le recrutement d'acteurs pour les enregistrements, l'embauche de personnel supplémentaire pour gérer les commandes et veiller à ce que telle marionnette corpulente coiffée de son casque en plastique et qui demandait « Elle est où, ma bouffe ? » soit envoyée à Lansing dans le Michigan et non dans l'Idaho, il m'avait été difficile de rester attentive à Fletcher, Tanner et Cody, et plus encore de trouver le temps de téléphoner à la famille plus éloignée. Il y avait bien eu ce coup de fil, remontant à trois ans, mais il avait semblé un tout petit peu faux. Mon produit commençait à séduire l'imagination populaire et j'en étais encore tout excitée ; mes marionnettes semblaient faire fureur dans les beaux quartiers de la ville même où habitait mon frère, et elles venaient de faire l'objet d'un article intitulé « Manhattan sur le fil » en une du magazine *New York*, avec en encart les phrases prononcées par les marionnettes de Donald Trump et du maire Bloomberg. Mais le ton avec lequel Edison m'avait félicitée pour avoir fait la couverture du magazine ne m'avait pas incitée à le rappeler rapidement. Tous les mots étaient pourtant à la bonne place, et la pointe de sarcasme ou d'irritation n'existait peut-être que dans ma tête – on n'est jamais tout à fait sûr avec le téléphone.

Depuis, Baby Monotonous était devenue trop florissante – désormais, l'entreprise ne pouvait plus que redescendre la pente. Seule perspective : le point critique au-delà duquel les commandes commenceraient à baisser. Je ne m'attendais pas à ce que les autres « compatissent », mais depuis quelque temps j'étais en proie à une lassitude insidieuse qui découlait du fait que j'avais tout, en tout cas beaucoup plus que ce que j'avais toujours souhaité. Sur le plan personnel, j'avais rencontré Fletcher Feuerbach, tendu et stressé en général, mais plus chaleureux et drôle dans l'intimité que la plupart des gens le pensaient. (Dévêtu, il était d'une étonnante beauté, et il avait dit une fois la même chose de moi : nous possédions cette « séduction discrète[1] » dont on parlait partout.) Je n'avais pas eu d'enfants, mais ceux que j'avais adoptés continuaient à m'adresser la parole, et on ne pouvait pas toujours en dire autant de l'adolescent moyen ; en matière d'éducation, j'avais échappé à la phase bébé braillard pour ne goûter que la meilleure. Sur le plan professionnel, je n'avais jamais eu d'ambition, et soudain je me retrouvais à diriger une activité florissante d'un genre des plus improbables : une activité où le sens de l'humour avait toute sa place. J'avais juste assez d'argent pour que la perspective de continuer à en gagner ne me fasse ni chaud ni froid.

Les ambitieux les mieux inspirés gardent pour eux cette lutte discrète contre la déconcertante monotonie de la réussite. Imaginez l'amertume avec laquelle des hordes de frustrés, de déçus et de dépossédés accueilleraient la plainte de quelqu'un se trouvant trop heureux ou trop riche. Il n'en demeure pas moins que la sensation de ne rien désirer n'est pas agréable. Les espoirs contrariés ne sont pas une partie de plaisir, mais en soi le désir

---

1. Référence à une technique de séduction popularisée ces dernières années sous le concept de *stealth attraction*, littéralement « attraction furtive ».

dynamise. J'ai toujours travaillé dur, et la profusion dont je bénéficiais était débilitante. Pas de doute, il n'existait qu'une seule solution à cette torpeur grandissante, à cette hébétude caractéristique des dîners de Thanksgiving qui contaminait ma vie : *il me fallait un nouveau projet.*

*

Les champs de maïs bruns aux nuances élégiaques de jaune, qu'on laissait sécher en prévision de la récolte d'octobre, défilaient derrière ma vitre. La guirlande des câbles électriques se déroulait sur les poteaux créosotés, tandis que des réservoirs globulaires sur leurs piquets malingres rougeoyaient dans le soleil automnal comme des ampoules incandescentes géantes. L'effet pastoral était gâché par les grandes surfaces et les centres commerciaux – Kum & Go, Dollar General, Home Depot, sans oublier les restaurants mexicains, à l'essor plus récent, tandis que le Super 8, comme toujours, proclamait en noir et or criard sur sa bannière plastique : *ALLEZ LES HAWKEYES ! SOUTENEZ NOTRE ÉQUIPE !* Pourtant, sur des étendues immaculées, la campagne témoignait de cette assise et de cette solidité qui m'avaient fascinée, enfant, quand je rendais visite à mes grands-parents paternels : bardeaux blancs, champs de pommes de terre, et, çà et là, un cheval. Quels que soient les tumultes qui grondaient ailleurs, la campagne semblait toujours en être préservée.

Depuis, l'Iowa avait changé. Une vague d'immigrants illégaux étaient arrivés pour travailler dans les usines de transformation de porc. Sur le plan politique, une frange droitière et fébrile avait fait son apparition. La plupart des terres familiales, comme celle qu'avaient labourée mes grands-parents, avaient été vendues ou louées à l'agro-industrie, et, le long de cette route, d'innombrables corps de ferme, granges et dépendances étaient

43

à l'abandon, délabrés. Les cultures étaient déjà massivement subventionnées, et plus de la moitié du maïs cultivé serait converti en éthanol, engrangeant au passage d'autres subventions fédérales lucratives, comme pour ajouter à ce grain autrefois synonyme de bienfait et de bonhomie une couche supplémentaire de corruption. L'isolement feutré que je trouvais apaisant était soporifique pour les jeunes de la génération actuelle, et ils dépérissaient dans cet anonymat qui, moi, me ravissait. À l'instar de mon père dans sa jeunesse, mon beau-fils n'avait qu'une idée en tête : mettre les voiles.

Fletcher était né à Muscatine, et le fait qu'il soit resté dans son État natal ne soulignait pas chez lui un manque d'imagination, mais plutôt une acceptation satisfaite de son sort, voire une certaine profondeur. « L'Iowa, ce n'est pas nulle part, avait-il déclaré une fois ; comme partout, c'est quelque part. » La modestie du Midwest, cette conscience de soi à la fois confiante et sans prétention, son agriculture utile qui servait à nourrir la population, par opposition à la fourniture de vagues « services », nous parlaient à tous les deux.

En approchant de l'aéroport, je me réjouissais à l'idée de revoir Edison – enfin une compagnie avec de l'*appétit*. Mon frère possédait toute la verve, le talent et le savoir-faire qui me faisaient défaut. Grand, mince, flamboyant, il avait hérité du physique agréable à la Jeff Bridges de notre père sans pâtir de l'aspect huileux dont avait toujours souffert Travis. Jeune, Edison avait les traits fins, presque délicats ; la dernière fois que j'avais vu son visage de quadragénaire, ces traits quelque peu épaissis n'avaient toujours pas effacé ses pommettes hautes. Ses cheveux blond foncé avaient juste la bonne longueur pour s'évaser en couronne indisciplinée autour de sa tête. Le clavier de son sourire frénétique avait dans son éclat un soupçon de cruauté, la voracité rapace d'un gros chat. Quand j'étais adolescente, mes copines un peu marginales s'entichaient toujours de lui. Il avait une énergie, une ardeur, une rapacité ; même à l'âge adulte, il ne me serrait jamais dans ses bras sans me soulever de terre. Edison allait insuffler un peu de vie dans cette vaste maison dépourvue de caractère sur Solomon Drive, une demeure qui, depuis l'avènement de la frénésie cycliste de Fletcher et de son alimentation chagrine, avait glissé dans la morosité.

Pour ma part, j'étais une personne casanière. Je détestais les voyages, et je laissais de bon cœur mon frère agir en mon nom et prendre des vols de nuit pendant que je dormais du sommeil du juste. Alors que l'attention qu'on me portait m'inspirait de la méfiance, Edison, depuis l'enfance, ne semblait jamais en être rassasié. Au-delà de la rivalité évidente qu'il nourrissait à l'égard de notre père, j'étais déconcertée par le fait qu'il désire si ardemment que les autres sachent qui il était. Je comprenais qu'il souhaite voir son talent reconnu, mais il y avait autre chose. Du plus loin qu'il m'en souvienne, il avait voulu être célèbre.

Pourquoi souhaiter vendre à des millions de personnes l'illusion qu'elles vous connaissent ? Les vrais étrangers étaient pour moi comme une fortification ; leur désintérêt insouciant constituait une forme de protection, un glaçage d'apathie doux et oublieux dans lequel je pouvais me cacher, comme un dé de salade de fruits dans de la Jell-O à la fraise. A contrario, quelle expérience violente que celle de s'exposer, de s'entourer d'étrangers qui veulent quelque chose de vous, qui non seulement croient qu'ils vous connaissent, mais aussi qu'ils vous possèdent. Qu'y avait-il d'enviable à ce que des empêcheurs de tourner en rond commentent votre dernière coupe de cheveux, se mêlent de tout ce qui vous concerne, qu'il s'agisse de vos meubles ou de la cellulite de vos cuisses ? Pour moi, rien n'était plus précieux que de pouvoir arpenter les rues sans être reconnue ou dîner tranquillement dans un restaurant.

Cependant, les plaisirs de l'anonymat étaient une découverte toute personnelle. Comme tout le monde à L.A., j'avais été élevée dans la croyance qu'il n'y avait rien de pire que de n'être personne. Mais peut-être avait-il été plus facile pour moi de rejeter cette croyance vu que, dès l'âge de huit ans, la célébrité avait été à portée de main – tout du moins, la célébrité héritée, la pire sorte qui soit : imméritée, facile.

Je n'éprouvais aucun plaisir à m'admirer, et je préférais de loin admirer quelqu'un d'autre. Alors qu'enfant j'avais éprouvé de l'admiration pour nombre de mes professeurs, cette hiérarchie confortable – dans laquelle la plus faible des deux parties n'est pas humiliée par la soumission – s'était faite plus rare à l'âge adulte. Les adultes sont davantage enclins à mépriser leurs patrons qu'à les aduler, et en tant que professionnel indépendant, je n'avais que moi à mépriser ou à aduler. Le temps était bien révolu où les électeurs américains admiraient un Président comme JFK ; nous étions aujourd'hui plus enclins à nous méfier des politiciens. Les stars qui s'étalaient dans les magazines suscitaient moins d'adoration que d'envie. À une époque où la célébrité était une fin en soi, la croyance circulait un peu partout qu'avec un bon agent tout un chacun même dépourvu de talent pouvait récolter les lauriers de la gloire. Autrefois, j'admirais mon père, et le fait que ce ne soit plus le cas me peinait plus que je n'étais disposée à l'admettre. J'aimais les meubles élégants et sinueux de Fletcher, mais je ne l'admirais pas, lui. En fait, nourrir une admiration pour son conjoint est peut-être le signe que quelque chose cloche dans son couple.

J'admirais Edison. Je ne m'y connaissais pas beaucoup en jazz, mais quiconque capable de produire autant de notes compliquées sans verser dans la cacophonie avait un véritable talent. Je n'ai jamais vraiment su le degré de reconnaissance qu'Edison a obtenu dans ses cercles fermés, mais il avait joué avec des musiciens qui semblaient être tenus en haute estime par des spécialistes, et j'en avais mémorisé les noms afin de pouvoir en débiter une liste impressionnante à des sceptiques comme Fletcher : Stan Getz, Joe Henderson, Jeff Ballard, Kurt Rosenwinkel, Paul Motian, Evan Parker, et même, une fois, Harry Connick Jr. Edison Appaloosa figurait sur des douzaines de CD, dont un jeu complet trônait en bonne place à côté de notre chaîne hi-fi – même si nous ne les passions pas beaucoup, puisque aucun de nous n'était très porté sur le jazz. J'étais impressionnée par ses voyages, ses collègues musiciens aux quatre coins du monde, ses apparitions publiques courageuses et son ex-femme sexy – la vaste toile sur laquelle il avait peint sa vie. Il avait souvent pu me donner le sentiment que j'étais insignifiante, inhibée, que je passais à côté de moi-même. Peu importait, en fait, du moment que quelqu'un dans la famille était tout feu tout flamme, menait son existence tambour battant, filait pied au plancher dans les prairies du quotidien. Bien sûr, il fumait trop et menait une vie de bâton de chaise, mais Fletcher et moi étions plongés jusqu'au cou dans le raisonnable : un soupçon d'anarchie était le bienvenu.

C'est néanmoins avec une pointe d'inquiétude que je me suis garée au parking courte durée. Edison n'était plus en tête de peloton comme à l'époque du lycée, mais même s'il avait arrêté la course, il serait toujours l'un de ces hommes (il n'y a pas de femmes sur ce modèle) dont la constitution athlétique naturelle permettait de supporter alcool et manque d'exercice dans toutes leurs déclinaisons. J'étais sûre que mon frère ne manquerait pas de m'asticoter sur mon allure de ménagère de moins de cinquante ans.

L'aéroport de Cedar Rapids est petit et convivial, sa décoration dans les tons beiges comme une toile de fond pour des passagers plus pittoresques. En cette fin septembre, le hall de récupération des bagages était désert, et j'ai été soulagée d'être arrivée avant que l'avion d'Edison ait atterri. Si les gens se répartissaient en deux catégories, ceux qui s'inquiètent d'attendre et ceux qui s'inquiètent de faire attendre les autres, sans la moindre hésitation, ma place aurait été dans la seconde catégorie.

Bientôt, les bagages du vol en provenance de Detroit ont été annoncés sur le tapis 3, et j'ai averti Fletcher par SMS que l'avion n'avait pas de retard. Se frayant un chemin depuis le hall d'arrivée, les passagers se sont massés autour du tapis à bagages, et je suis restée en retrait. Devant moi, un homme grand et maigre en chino beige impeccable, avec une raquette sur l'épaule et les vestiges d'un bronzage estival, conversait avec une brune mince. La jeune femme devait avoir gardé pour plus tard la pomme de la collation servie à bord ; elle la frottait sur son pull en cachemire, comme si le fruit allait lui permettre d'exaucer trois vœux.

— Je n'arrive pas à croire qu'on lui ait attribué un siège au milieu, a déclaré le joueur de tennis.

— Je vous remercie encore de m'avoir proposé d'échanger nos places, a répondu la femme. J'étais complètement écrasée contre le hublot. Mais lui donner le siège couloir n'a pas dû vous arranger beaucoup.

— Ils devraient vraiment faire payer le double et laisser le siège d'à côté vide.

— Mais vous imaginez le grabuge, si en plus de ranger sa crème contre les hémorroïdes dans un sac en plastique transparent, il fallait monter sur une balance ? Ce serait l'insurrection.

— Oui, ce ne serait pas très politiquement correct. Mais je n'avais plus d'accoudoir, et le type était à moitié sur mes genoux. Et vous avez vu comme l'hôtesse a eu du mal à faire passer le chariot à côté de lui.

— Ce qui m'énerve, a murmuré la femme alors que

les premiers bagages arrivaient sur le tapis, c'est que nous ayons tous la même franchise de bagage. Le bagage à main de notre ami à la place 17 devait peser une tonne. Je vous jure que la prochaine fois qu'ils essaient de me facturer un supplément à cause d'une paire de chaussures qui me fait dépasser la franchise autorisée, je les leur fais manger !

L'homme a ricané. Pendant ce temps, aucun signe d'Edison. J'espérais qu'il n'avait pas raté l'avion.

— J'imagine qu'ils vont devoir recalculer le nombre de passagers « moyens » dans les anciens avions, a ajouté l'homme. Mais vous avez raison : les gens normaux sub-ventionnent…

— Quels « gens normaux » ? a murmuré la femme. Regardez autour de vous.

Cherchant toujours Edison, j'ai regardé les autres passagers, à la géométrie desquels j'étais si habituée que je n'ai pas compris tout de suite l'allusion de la pimbêche. Alors que les générations précédentes étaient tout en angles aigus, les Américains d'aujourd'hui sont bâtis en perpendiculaires, et les postérieurs placés le long du tapis roulant étaient uniformément carrés. Avec la popularité déconcertante des jeans taille basse, les ceintures ajustées coupaient les hanches à leur point le plus large et retombaient sous des ventres ronds, que des T-shirts trop courts exposaient dans toute leur convexité glorieuse. J'évitais cette mode fâcheuse, mais avec mes dix kilos de trop je ne me distinguais nullement du reste de la foule. Et je me suis donc sentie personnellement insultée quand le sportif a murmuré à sa voisine : « Bienvenue dans l'Iowa. »

— Oh ! Voilà la mienne.

La femme a glissé sa Granny Smith, désormais bien lustrée, dans son sac à main avant de se pencher vers son compagnon de voyage.

— En fait, vous savez ce qui m'a vraiment dérangée, dans l'avion, avec ce type ? L'*odeur*.

J'étais soulagée que la valise de cette femme soit arrivée, car le paria que son voisin de bord et elle venaient de dénigrer en des termes si cruels devait être le monsieur corpulent qui venait d'arriver dans le hall à bagages dans un fauteuil roulant extralarge, poussé par deux hôtesses de l'air. Un regard curieux en direction de ce passager très fort a déclenché chez moi un sentiment de sympathie si douloureux que je me suis sentie transpercée sur place. Regarder cet homme était comme tomber dans un trou, et j'ai dû détourner les yeux, tant il était impoli de le fixer, et plus impoli encore de me mettre à pleurer.

3

— EH, TU RECONNAIS MÊME PAS TON FRÈRE ?

Lorsque j'ai pivoté en direction de la voix familière derrière mon épaule, j'ai eu l'impression de heurter de plein fouet la vitre d'une porte automatique. Le sourire de bienvenue que j'avais préparé s'est évanoui. Les muscles autour de ma bouche se sont raidis, contractés.

— ... *Edison ?*

J'ai scruté le visage rond, les traits tendus comme s'ils avaient été peints sur un ballon. En fixant ses yeux marron, presque noirs désormais sous les paupières tombantes, je crois que j'essayais de *ne pas* le reconnaître. Les cheveux mi-longs étaient raides, trop ternes. Mais le clavier de son sourire était reconnaissable entre mille, même soufré par le tabac, et son éternelle espièglerie aussi, quoique teintée d'une pointe de mélancolie.

— Désolée, mais je ne t'avais pas vu.

— J'ai un peu de mal à te croire.

Quelque part sous toute cette graisse subsistait le sens de l'humour de mon frère.

— Je n'ai pas le droit à un bisou ?

— Bien sûr que si !

Mes mains se sont rejointes sur son dos arrondi, à la forme douce et chaude, mais étrangère. Cette fois, quand il m'a serrée dans ses bras, il ne m'a pas soulevée du sol. Lorsque nous avons relâché notre étreinte et que j'ai croisé son regard, je n'ai dû lever que très légèrement le menton. Auparavant, Edison mesurait près de huit centimètres de plus que moi, mais plus maintenant. Désormais, d'un point de vue physiologique, il m'était moins naturel de lever des yeux admiratifs vers mon frère.

— Tu as… Tu avais besoin de ce fauteuil roulant ?

— Nan… C'est à cause du personnel de bord ; ils se montraient un peu impatients. Je ne marche plus aussi vite qu'avant.

Edison – ou la créature qui avait avalé Edison – s'est péniblement mis en mouvement en direction du tapis à bagages.

— J'ai cru que tu ne m'avais pas vu.

— Ça fait plus de quatre ans. J'imagine qu'il m'a fallu un petit instant. S'il te plaît, laisse-moi prendre ça.

Il m'a abandonné son sac marron usé. Lorsque je rendais visite à mon frère à New York, j'avais du mal à suivre son pas avide, et j'étais inquiète à l'idée de me retrouver à la traîne dans une ville étrange, alors qu'il se faufilait parmi les piétons plus lents sans jamais entrer en collision avec des cigarettes allumées. Aujourd'hui, en marchant avec lui vers la sortie de l'aéroport, je me suis vue contrainte d'adopter le pas lent et cadencé d'une mariée s'avançant vers l'autel.

— Dis-moi, comment s'est passé ton vol ?

Un peu bateau, mais ma tête bouillonnait. Au fil des ans, Edison avait suscité en moi toute une palette d'émotions : admiration, humilité, frustration (il ne la bouclait jamais). Mais jamais je n'avais ressenti de la peine pour lui, et ce sentiment de pitié était affreux.

— L'avion a réussi à décoller, a-t-il grogné. Même avec moi à bord. Si c'est ce que tu voulais dire.

— Je ne voulais rien dire de spécial.

— Dans ce cas, ne dis rien.

Je ne suis pas censée dire quoi que ce soit. D'ores et déjà, je commençais le rude apprentissage de ces convenances modernes qui m'étaient étrangères. Edison pouvait plaisanter sur lui, et s'il était apparu sous une forme présentant ne serait-ce qu'une ressemblance passable avec le frère dont je me souvenais, il ne m'aurait sûrement pas ratée à propos de mon tour de hanches. Mais quand vous voyez descendre de l'avion votre frère lesté de près d'une centaine de kilos de plus que lors de votre dernière rencontre, vous vous taisez.

Enfin, nous avons atteint la sortie. Sur un ton anodin, je lui ai dit : « Et si je rapprochais la voiture ? », même si je n'étais garée qu'à une centaine de mètres. Une femme d'âge moyen à la coupe de cheveux élégante qui s'était attardée près du comptoir d'informations nous avait suivis à l'extérieur – confirmant mon soupçon qu'Edison et moi étions observés.

— Désolée de vous déranger, a dit la femme. Mais n'êtes-vous pas par hasard Pandora Halfdanarson ?

Pour n'importe qui, j'imagine qu'être sollicitée pour un autographe, ou quoi que ce soit d'autre que voulait cette femme, en présence de son frère ou de sa sœur aînée doit s'apparenter à un rêve devenu réalité. Mais pas aujourd'hui, et j'ai été à deux doigts de nier que c'était bien moi, simplement pour être en mesure de partir. D'un autre côté, expliquer à Edison les raisons de ce mensonge n'aurait fait que compliquer plus encore la situation, aussi ai-je répondu par l'affirmative.

— C'est bien ce que je pensais ! s'est exclamée la femme. Je vous ai reconnue d'après l'article sur vous dans *Vanity Fair*. En fait, il faut que je vous raconte. Mon mari m'a offert une marionnette Baby Monotonous pour notre anniversaire de mariage. Je ne sais pas si vous vous souvenez de cette marionnette – bien sûr que non ! Vous devez en fabriquer tellement ! –, mais elle porte un tailleur sévère et un chapeau un peu snob, et la télécommande de la télé est cousue à sa main. Elle a des expressions comme : « George ! Tu sais que tu dois diminuer le sel ! » et : « George ! Tu sais que je déteste cette chemise ! » et encore : « George, tu sais pertinemment que tu ne comprends rien à la situation politique du Moyen-Orient ! » Parfois, elle pavoise : « J'ai fait mes études à Bryn Maaaaaawr College ! » Au départ, je dois avouer que je l'ai mal pris, puis j'ai fini par en rire. Jamais je n'aurais cru être aussi critique ou vouloir ainsi tout régenter. Cette marionnette a contribué à sauver mon mariage. Je tenais à vous en remercier.

Ne vous faites pas de fausses idées : en général, je suis très aimable avec les clients enthousiastes. Je n'apprécie peut-être pas d'être reconnue en public autant que certaines personnes – autant qu'Edison, pour ne pas le nommer –, mais je ne considère nullement cette forme de célébrité comme acquise. Quand je suis interpellée de la sorte, je ressens surtout de la gêne : cette femme m'avait reconnue, mais la réciproque n'était pas vraie, et cela me semble un peu injuste. D'habitude, je me montre chaleureuse, avenante et reconnaissante, mais pas cette fois. Je me suis débarrassée de cette admiratrice en murmurant : « Eh bien, vous m'en voyez ravie », avant de me diriger vers le passage piéton.

— Est-ce que c'est vrai ? a crié la femme dans mon dos. Vous êtes bien la fille de Travis Appaloosa ?

Contrariée, puisque je n'avais pas mentionné cette information à *Vanity Fair* et que le journaliste avait manifestement réussi à la dénicher, je me suis abstenue de répondre. La voix d'Edison a retenti dans mon dos : « Vous vous mélangez les pinceaux, ma bonne dame. Travis Appaloosa est le père de Pandora Halfdanarson. *Et ce connard, croyez bien que ça le bouffe.* »

Fort heureusement, quand je suis revenue avec la voiture, la femme avait fichu le camp. Tout en soulevant le sac d'Edison pour le déposer dans le coffre, j'ai déclaré :

— Désolée pour cette femme. Honnêtement, ça n'arrive presque jamais !

— C'est la rançon de la gloire, ma belle !

Son ton ne laissait rien paraître.

Il a fallu s'y reprendre à plusieurs fois afin de reculer au maximum le siège passager avant de notre Camry. Pour monter, Edison a dû s'agripper d'une main à la portière ; je me suis demandé si les charnières allaient supporter la tension. Je l'aurais bien aidé, mais je doutais qu'il puisse s'appuyer sur moi sans nous faire tomber tous les deux. Il s'est installé dans le baquet avec la délicatesse d'une grue géante manœuvrant la cargaison d'un porte-conteneurs. Lorsqu'il s'est abaissé sur les derniers centimètres, le châssis a penché à droite. Ses genoux étaient coincés contre la boîte à gants, et j'ai dû claquer la portière avec plus de force que d'habitude pour qu'elle se ferme. Pour une fois, mes hanches épaisses me servaient à quelque chose.

J'ai eu du mal à desserrer le frein à main, avec la cuisse d'Edison appuyée contre le levier, et son avant-bras me gênait pour désenclencher la position Parking. Je ne pensais qu'à une chose : appeler Fletcher et le prévenir, bien qu'un préavis lui signifiant que le beau-frère qui venait d'atterrir avait triplé de volume eût été inutile. Tandis que je sortais du parking, mon téléphone a sonné, et j'ai identifié la personne qui appelait. Après notre rencontre sur le trottoir avec cette admiratrice de Baby Monotonous, c'était la dernière chose dont j'avais besoin, et je n'ai pas pris l'appel.

Edison s'est mis à farfouiller dans les poches de son blouson en cuir noir, une coupe moderne à revers, qui avait dû nécessiter la générosité d'une demi-vache. Je l'ai identifié comme le remplaçant du long trench-coat, aussi doux que la peau d'une aubergine, que mon frère avait porté pendant des années, avec une ceinture, col relevé. Ce manteau de cuir lui donnait un look super, un peu mystérieux comme un mafioso, mais surtout… racé. Je me suis demandé ce qui lui était arrivé, par nostalgie, mais aussi parce que savoir ce qu'Edison avait fait de ses vêtements devenus trop petits aurait pu me donner une indication sur la façon dont il envisageait l'avenir. Ce blouson plus grand et plus large avait une texture de plastique, et rien de la coupe élégante du premier. J'ignorais totalement où on se procurait ce type de vêtements ; je n'en avais jamais vu de cette taille chez Kohl's ni même chez Target.

Il a sorti de sa poche ce qui ressemblait à une brioche à la cannelle écrasée, dont le glaçage blanc avait bavé sur son papier paraffiné. Je me suis abstenue de dire : « Tu sais, je crois que c'est vraiment la dernière chose qu'il te faut. » Je me suis abstenue de dire : « Tu sais, j'ai lu une fois que ces brioches carburent à neuf cents calories pièce. » Je me suis abstenue de dire : « Tu sais, on dîne dans moins d'une heure. » En bref, tout ce que je me suis abstenue de dire aurait facilement rempli la durée d'enregistrement d'une de mes marionnettes.

Pourtant, même la question inoffensive que j'ai posée à la place semblait piégée :

— Alors dis-moi, qu'est-ce que tu as fabriqué pendant tout ce temps ?

Comme si ça ne se voyait pas.

— Quelques CD, a-t-il répondu en mordant dans le glaçage. Surtout des concerts à New York ; ça bouge un max en ce moment à Brooklyn. J'ai pas mal traîné avec ce guitariste, Charlie Hunter, qui commence à se faire un nom. Des nouveaux musicos géniaux : John Hébert, John O'Gallagher, Ben Monder, Bill McHenry. J'ai bien accroché avec Michael Brecker, un soir au 55 Bar, l'année

dernière. Il vient de mourir de leucémie, ça craint. Je t'assure, ensemble, on aurait fait salle comble au Birdland.
Un truc régulier à Nyack – un restau, c'est chiant, mais
avec le nombre de salles qui ferment, on ne peut pas
vraiment faire le difficile. Le Maine Jazz Camp, pour
bouffer, mais aussi, crois-le ou non, parce que ton frère
a quelques *protégés* prometteurs. Mes propres morceaux,
bien sûr. Une longue tournée en Espagne et au Portugal
en décembre. Peut-être le London Jazz Festival l'automne
prochain. Quelques demandes du Brésil, mais rien n'est
encore fait. Le cachet n'est pas assez élevé. J'ai un pote à
Rio qui s'en occupe.

J'étais habituée chez Edison à ces catalogues de noms
inconnus. Les yeux rivés sur la route, j'entendais presque
mon frère tel qu'il avait toujours été : impertinent, prolixe, sûr de lui ; quelles que soient les déceptions du
présent, quelque chose de lucratif, en vue, allait finir par
se présenter. J'ai alors pensé : *Jamais il n'a eu l'air gros au
téléphone.*

— T'as parlé à Travis dernièrement ? a demandé
Edison.

Le nom *Travis Appaloosa* semblait inventé – d'ailleurs,
c'était le cas. « Papa », de son vrai nom Hugh Halfdanarson, avait endossé ce nom de scène débile quand j'avais
six ans et Edison neuf, trop tard pour que cela ne semble
pas artificiel. Nous l'appelions toujours Travis, avec un
coup de coude implicite dans les côtes, du genre « vise-
moi un peu ça ». Pourtant, pendant toute mon enfance
et mon adolescence, le nom *Travis Appaloosa* avait eu
l'inflexion mélodieuse et familière de Bill Bixby, Danny
Bonaduce et Barbara Billingsley. Mais peut-être est-il
impossible qu'un groupe quelconque de syllabes, agencé
de toutes pièces et popularisé le mercredi soir à 9 heures
dans tout le pays grâce à la télévision, paraisse ridicule.
Entre 1974 et 1982, Travis Appaloosa avait fait partie

du paysage, comme Hugh Halfdanarson l'avait toujours espéré.

— Ça fait environ un mois, ai-je répondu. Il est obsédé par son site web. Tu l'as vu ? Il y a un quiz sur *Garde alternée*. Une page « Que sont-ils devenus ? » qui nous dit à quelle drogue Tiffany Kite se shoote…

— Ou quel gamin de dix ans Sinclair Vanpelt se tape…

— Mais tu serais surpris : Floy Newport est maire de San Diego.

— On l'a sous-estimée, celle-là. Il y en a toujours qui se faufilent par-derrière. Des hypocrites qui complotent dans ton dos. Qui profitent du fait que personne ne fait attention à eux pour attendre leur heure et agir au moment où on s'y attend le moins.

Sous le ton joyeux d'Edison, l'agacement pointait. Des trois enfants fictifs de notre père dans la série, Floy Newport était pour moi ce qui s'apparentait le plus à un double, bien qu'Edison confonde Floy l'actrice avec Maple Fields, le personnage qu'elle jouait, alors qu'il était bien placé pour faire la différence. Dans *Garde alternée*, Maple était la cadette, prise en sandwich entre deux prodiges, l'éternelle oubliée, sans talent particulier. Tandis qu'Edison n'avait pas de mots assez durs pour le personnage de la série auquel il ressemblait le plus, Caleb Fields, autant que le beau gosse vaniteux, Sinclair Vanpelt, qui l'incarnait, je m'identifiais pour ma part complètement à Maple Fields.

— Sur ce site web, ai-je ajouté, Travis a aussi répertorié les intrigues de chaque épisode. Tu le crois ? Dans l'ordre. Avec plusieurs paragraphes à chaque fois.

— C'est ça d'avoir du temps pour soi.

— Dommage qu'on n'ait pas filmé cette femme à l'aéroport. « Travis Appaloosa » signifiait quelque chose pour elle. C'est une race en voie de disparition.

— Elle avait quoi ? Quarante-cinq ans ? Pile poil la

bonne tranche d'âge. Elle a probablement regardé toutes les saisons de la série. Ils sont nombreux, petit panda. Ils ne sont pas si vieux, et ils ne sont pas tous morts.

— On ne se rappelle que de quelques acteurs de séries qui ont bercé notre enfance, ai-je répondu. En général, Travis ne fait pas partie du lot.

— Tu serais surprise. C'est parce que tu ne portes pas le même nom. On me pose des questions sur le vieux plus souvent qu'à mon tour.

En fait, à l'université, je m'étais fait appeler Pandora Appaloosa pendant un an. Un peu perdue, je m'étais imaginé que si les autres pensaient savoir qui j'étais, alors je le saurais moi aussi. Mais, très vite, la question que j'attendais – « Tu es parente avec Travis ? » – avait commencé à m'apparaître non seulement comme une tromperie, mais aussi comme totalement contreproductive. À Reed, mes camarades de cours ne voulaient entendre parler que de mon père la star de télé ; en termes contemporains, je m'étais réduite à un lien hypertexte renvoyant vers la page Wikipedia de quelqu'un d'autre. J'ai repris le nom d'Halfdanarson en m'installant dans l'Iowa. Ces dernières années, il était peu probable que même les fans d'anciennes séries reconnaissent le pseudonyme paternel, dont la désuétude en ravivait la niaiserie, celle-là même qui déclenchait l'hilarité chez ma mère. Mais j'étais presque heureuse d'avoir retrouvé les consonances suédoises âpres dont mon père s'était débarrassé, car Halfdanarson était mon *vrai nom*.

D'ordinaire, j'adorais dire du mal de notre père avec Edison, et ce rituel nous reconnectait à notre histoire familiale stupide et complètement tordue. J'évoquais rarement mon enfance avec Fletcher. Ce n'est que bien des mois après le début de notre relation que j'avais fini par lâcher que mon père avait joué dans une série télé très célèbre, et j'avais alors été soulagée d'apprendre que

59

Fletcher ne regardait pas *Garde alternée* quand la série passait en prime time. Pourtant, quelle que soit l'insistance avec laquelle je soulignais que mon enfance excentrique à Tujunga Hills n'était qu'une note dans la marge au milieu d'une vie par ailleurs des plus ordinaires, Fletcher prenait toute référence à la série comme une façon pour moi d'exprimer ma supériorité, et j'avais fini par éviter le sujet. Avec Edison seulement, je pouvais accéder à ce passé dans lequel je répugnais à puiser un quelconque sentiment d'importance, mais que je ne pouvais me résoudre à jeter par-dessus bord. C'était mon passé, quoi que cela puisse bien signifier, le seul que j'avais.

J'ai grandi dans un environnement où un ensemble de parallèles exprimait différents degrés de distorsion et de caricature. Je n'avais pas seulement un père nommé Hugh Halfdanarson, mais un père doté d'un double ridicule dénommé Travis Appaloosa, ce dernier incarnant un autre père nommé Emory Fields, père de contrefaçon qui se révélait être un pater familias plus accompli que le monomaniaque égocentrique que je côtoyais – trop rarement – chez nous. Je n'étais pas seulement Pandora Halfdanarson ; je pouvais choisir d'être Pandora Appaloosa si je le souhaitais, et pendant huit ans, le mercredi soir, j'ai reconnu une version idéalisée de moi-même en Maple Fields, une petite fille plus douce et plus altruiste que moi qui n'avait de cesse d'œuvrer pour que ses parents se remettent ensemble. À son tour, Maple Fields était jouée par l'un de ces rares enfants acteurs à ne pas être insupportables, à l'écran ou dans la vie, même si Floy Newport ne devait probablement pas être son vrai nom non plus. Je l'idolâtrais, en me disant parfois que ce n'était pas la série qu'il aurait fallu interrompre, mais notre vraie famille. Vous saisissez dès lors le caractère presque inévitable de mon activité consistant à créer des doubles moqueurs. Après tout, mon épisode préféré de *Night Gallery* était « The Doll[1] ».

Cette fois, sur le trajet de retour vers New Holland, notre traditionnel échange d'informations – généralement nous parlions de ce que Travis avait bien pu imaginer encore comme stratégie cinglée pour retrouver sa place de favori auprès du public – a eu des allures de diversion malhonnête. Alors que nous continuions d'échanger les dernières nouvelles sur Joy Markle et Tiffany Kite, je parvenais à m'en tenir à ce programme tant que je gardais les yeux rivés sur la I-80. Des regards de côté à la masse inexplicable sur le siège passager suffisaient à rompre le charme. Dès lors, il semblait soudain malvenu de la part d'Edison de railler tous ceux qui, dans leur vie d'adulte, ne s'étaient pas révélés à la hauteur des promesses de leur enfance. Car la peine vertigineuse qui m'avait saisie à l'aéroport en apercevant ce *monsieur corpulent* n'avait fait que s'intensifier, et je n'avais pas la moindre idée de la façon dont j'allais réussir à tenir la soirée sans m'effondrer.

---

1. « La poupée ».

4

« C'EST NOOUUUS ! » me suis-je exclamée dans le couloir, en adoptant une modalité mineure, un avertissement que ma famille ne saisirait pas de toute façon, je le savais. J'avais espéré présenter à Tanner un membre de sa famille élargie envers qui il aurait pu, de façon plausible, « lever les yeux avec admiration », mais la colonne vertébrale de mon frère s'étant tassée de cinq bons centimètres, Tanner était déjà trop grand. Rien dans l'obésité d'Edison ne diminuait sa réussite, mais j'avais le sentiment que Tanner aurait un tout autre point de vue sur la question.

Lorsque Edison m'a entraînée vers la cuisine, le visage de Fletcher a reflété l'expression qui avait dû être la mienne quand je m'étais tournée vers mon frère à l'aéroport : le nez qui s'écrase contre la vitre, le choc de voir ses attentes si pleinement contrariées. Mon mari n'est pas un homme impoli, mais quand il a levé les yeux de la cuisinière, il est resté bouche bée, sans pouvoir articuler le moindre mot. Le temps s'est suspendu. Il mourait d'envie de me regarder, mais détourner les yeux n'aurait pas été une attitude très accueillante.

— Salut ! a-t-il dit d'une voix faible.

— Salut, mec ! C'est cool de te voir, mon pote !

Après avoir administré à Fletcher une tape sur l'épaule, Edison a voulu faire ce salut spécial – lui serrer la main à deux mains avant de le prendre par le coude –, mais mon mari était trop médusé pour faire les choses correctement, et tout s'est conclu en une vague étreinte. Cet accueil n'était peut-être pas du goût d'Edison, mais mon frère devait avoir l'habitude maintenant des retrouvailles avec des gens qui se souvenaient de lui à soixante-quinze kilos ; il devait tirer une satisfaction compensatoire de leur hypocrisie à peine voilée. Comme ils ne pouvaient rien dire, ce qu'ils finissaient alors par articuler était en contradiction totale avec leurs pensées, et ce décalage devait susciter chez Edison un sourire intérieur un peu amer.

— Tanner ?

J'ai laissé Edison gagner la table devant laquelle mon beau-fils était avachi et d'où il suivait la scène tout en tapotant sur son ordinateur. Dans la torsion de sa bouche, je pouvais déjà lire la description impitoyable de notre hôte qu'il avait postée sur Facebook.

— Tu te souviens de ton oncle Edison ?

— Pas vraiment, a répondu Tanner, circonspect.

— Ben ça, mon pote, on peut dire que t'as poussé, a déclaré Edison en lui tendant la main. Je ne crois pas que je t'aurais reconnu dans la rue, Tan.

Personne n'appelait Tanner « Tan ».

Tanner ne s'était pas redressé, et quand il a tendu le bras pour secouer mollement la main d'Edison, ç'a été d'aussi loin que possible.

— Moi non plus, je ne crois pas que je t'aurais reconnu, Ed.

Personne n'appelait Edison « Ed ».

— Alors, comme ça, t'as dix-sept ans ? Je crois que mon fils Carson doit avoir à peu près ton âge, a supposé Edison.

— Tu n'en *es pas sûr* ? s'est exclamé Tanner.

À cet instant, Cody est apparue sur le seuil. Avec ses cheveux rebelles et son attitude réservée, c'était une fille timide, comme je l'avais moi-même été. Parce que j'avais trouvé un écho dans sa modestie et son zèle naturels, je m'étais efforcée pendant des années de ne pas marquer de préférence pour elle par rapport à son frère, plus arrogant. Sans être un prodige du piano, elle faisait preuve d'une sensibilité précoce qui soit signerait sa singularité, soit la condamnerait pour le reste de sa vie. Et ce moment a été l'un de ceux où elle se distinguait, car son intuition était sans fausse note. Après avoir évalué la situation un court instant, elle s'est précipitée vers mon frère en s'écriant « Bonjour, oncle Edison ! », avant de le serrer dans ses bras sans la moindre réserve.

À son tour, Edison l'a serrée dans ses bras, très fort. Je me suis demandé à quand remontait la dernière fois où quelqu'un l'avait serré ainsi dans ses bras – avec joie, affection, sans marque de dégoût. J'aurais aimé le serrer dans mes bras de cette façon.

— Alors, qu'est-ce qui mijote ? a demandé Edison en s'approchant de la cuisinière.

— Des crevettes à la ratatouille et à la polenta, a répondu Fletcher.

— Je crains que les crevettes viennent tout droit du supermarché, ai-je précisé. Nous sommes en plein dans les terres du Midwest, et Fletcher a décidé que les fruits de mer sont les seules protéines animales qu'il mange.

— *No problemo !* Ça sent super bon.

Edison a pris une grosse poignée de cacahuètes dans le bocal tout près et a demandé une bière. Je lui ai versé une lager et je l'ai suivi, inquiète, jusqu'à la table. Fletcher avait fabriqué la table et les chaises, et celles-ci avaient de délicats accoudoirs courbés, entre lesquels mon frère ne pourrait jamais loger.

— Tu es sûrement épuisé après le voyage, me suis-je

empressée de dire, mais tu risques de ne pas être… très à l'aise sur ces chaises.

Je me suis livrée à un rapide inventaire : le salon était meublé avec les créations rigides de Fletcher et celles-ci convenaient à des personnes de corpulence normale. Mais il restait dans la chambre un fauteuil relax datant de l'époque où je vivais seule ; j'avais refusé de me séparer de ce fauteuil, certes immonde mais dans lequel c'était un bonheur de se lover pour lire. Les fabulations en chêne, cèdre et frêne de mon mari étaient plus sensuelles pour l'œil que pour le postérieur.

J'essayais de prendre les choses de façon désinvolte. Fletcher est resté stoïque, il a éteint la ratatouille et Cody s'est proposée pour nous aider. Une fois à l'étage, mon regard a finalement croisé celui de mon mari. Après avoir attendu des heures de pouvoir lui parler, je n'ai pu que secouer la tête en signe de désarroi.

— Maman, a murmuré Cody tandis que nous nous baissions pour soulever le fauteuil par l'un de ses côtés, Fletcher se chargeant de l'autre. Qu'est-ce qui est arrivé à oncle Edison ?

— Je ne sais pas, ma puce.

— Il est malade ?

— D'après les derniers avis sur la question oui, ai-je répondu alors que nous nous redressions.

Même si je doutais personnellement que qualifier l'obésité de « maladie » change quoi que ce soit.

— Est-ce qu'il mange trop ?

— Je le crains.

— Pourquoi il n'arrête pas ?

— C'est une bonne question.

Nous avons marqué une pause en haut de l'escalier.

— Ça me fait de la peine, a déclaré ma belle-fille.

— À moi aussi…

Pour elle, je me suis efforcée de maîtriser le tremblement de ma voix.

— … beaucoup, beaucoup de peine.

J'étais déterminée à ne pas en faire toute une histoire, mais le fauteuil était lourd, et pour qu'il puisse prendre le virage du palier, nous avons dû le pencher sur le côté. Notre respiration haletante ainsi que les instructions aboyées par Fletcher ont dû porter jusqu'à la cuisine. Quand nous avons fini par arriver avec le fauteuil, Edison, appuyé au plan de travail, tenait la jambe à Tanner. Je m'en suis voulue de l'avoir obligé à rester debout aussi longtemps ; ça avait dû le fatiguer. Il n'y avait plus de cacahuètes.

— Je ne critique pas Wynton Marsalis, faisait remarquer Edison. Il gagne du fric, à défaut d'autre chose. Mais le problème avec Wynton, c'est qu'il alimente tout le courant de nostalgie, comme si le jazz était du passé, tu vois ? Comme si tout était dans un musée, dans des vitrines. Il n'y a rien de mal à continuer à faire vivre les standards, tant qu'on ne présente pas les choses comme un documentaire chiant. Car ça évolue, pigé ? D'accord, il y a pas mal de trucs nazes en free, que le public déteste. Et ça ne fait que pousser le peu de gens qui écoutent encore du jazz vers des trucs ringards. Les musicos qui se lâchent au sax ou à la trompette l'ont un peu mauvaise, d'autant que maintenant même Ornette se met à faire des riffs sur une *structure sous-jacente*. Mais heureusement, d'autres musicos post-bop *déchirent*. Même certains contemporains de Miles continuent de jouer, d'inventer : Sonny, Wayne…

— En parlant de « trucs ringards », a coupé Tanner, les yeux rivés sur son clavier. C'est quoi ces expressions ? « Musicos », « pigé ? », « mon pote » ? Ça devait déjà être pas mal ringard quand tu étais gosse.

— *Yo*, tout métier a son jargon, a répliqué Edison.

— C'est vraiment leur façon de parler, suis-je intervenue,

après que nous avons déposé le fauteuil dans la cuisine pour faire une pause. Je suis allée voir ton oncle plusieurs fois à New York, et tous les musiciens de jazz parlent de la même façon. C'est comme voyager dans le temps. C'est à mourir de rire.

Quand Edison a sorti ses cigarettes, je l'ai poussé vers le patio. Nous interdisions de fumer dans la maison.

— C'est dingue ! On dirait qu'il essaie de se faire passer pour un musicien de jazz, a maugréé Tanner, une fois qu'Edison était sorti en traînant les pieds. Comme, dans un film ou un docu, la caricature du musicien jazz qui ne se lave pas. Ne me dis pas, Pando, qu'il parle *jive*[1] depuis qu'il est né ?

— Ce n'est pas parce qu'on découvre quelque chose à l'âge adulte que c'est nécessairement de la frime, ai-je répliqué d'un ton sec. Tu pourrais faire preuve d'un peu plus de courtoisie. Et, par exemple, nous filer un coup de main, parce que je crois qu'on va devoir déplacer la table.

Coincer le fauteuil en bout de table n'a pas été chose facile ; il était impossible de le placer devant la marche menant au salon sans déplacer la table d'une trentaine de centimètres vers la porte du patio – ce qui signifiait que Tanner devait repousser sa chaise tout contre la vitre. Une fois rassis, à l'étroit, mon beau-fils n'était pas très à son aise, et il a dû se relever pour laisser rentrer Edison. Alors que mon frère s'effondrait sur le coussin en cuir craquelé avec un soulagement évident, j'ai surpris le regard critique de Fletcher autour de la pièce. Mon mari était fier de son intérieur. Maintenant, la pièce était décentrée, et l'horreur bordeaux foncé ne mettait pas à proprement parler sa table en valeur.

— Au fait, Pando, j'ai failli oublier, a dit Tanner, qui

---

1. Le « jive » est une forme d'argot typique du Harlem des années 1940, à la grande époque du jazz.

tapotait sur son clavier avec la frénésie que j'avais redoutée. Un photographe a appelé pendant ton absence, pour planifier la séance photo du *Bloomberg Businessweek*. Tu aurais pu décrocher ton fichu iPhone. Noter un message sur un calepin, c'est comme graver sur les parois d'une caverne.

— Oh non ! Encore un reportage photo ! ai-je répliqué avant de me rendre compte de l'effet produit. Je les ai en horreur, ai-je poursuivi, l'utilisation du « les » empirant davantage les choses, puisque le pluriel était le cœur du problème. Je ne supporte pas d'avoir à choisir les vêtements qui conviennent, et à quoi bon de toute façon puisque j'ai toujours l'air affreuse.

Le « toujours » a continué de creuser ma tombe. En plus, dans ma hâte à trouver quelque chose d'autodévalorisant qui viendrait contrer l'embarras de la séance photo elle-même, j'ai failli ajouter – avant de m'arrêter in extremis – que dernièrement tout ce à quoi je pensais en voyant des photos de moi dans la presse était que je me trouvais grosse.

— Les photos ne sont pas si mal, a déclaré Tanner. La une du magazine *New York*, où ils ont ajouté un fil de marionnette dans ton dos ? Elle était marrante.

— Mais quand même un peu nunuche, a proclamé Edison depuis son nouveau trône, avant de finir sa bière. Ce canard n'est plus qu'un torchon. Il ne vaut guère mieux qu'*Entertainment Weekly*.

Pourquoi m'avait-il fallu aussi longtemps pour comprendre qu'aux yeux d'Edison il s'agissait d'une forme d'invasion ? New York était son territoire.

— Et toi, t'as déjà eu un article dans le magazine *New York* ? a riposté Tanner, attaquant Edison de front.

— Nan. Ma lecture, ça serait plutôt *Downbeat*.

Alors que je me penchais vers Tanner pour récupérer des serviettes, je l'ai entendu murmurer : « Ouais, tu m'as l'air passablement *down*, comme mec. » J'ai espéré qu'Edison n'avait rien entendu.

J'aurais dû être heureuse de voir Tanner prendre ma défense, mais je ne voulais pas être celle qu'il admirait. La réussite de Baby Monotonous avait été un coup de chance extraordinaire. Je n'avais rien planifié ni même désiré, et encore moins travaillé dur pour en récolter les fruits. J'avais l'impression de donner le mauvais exemple.

— Je crois qu'il faut battre le fer pendant qu'il est chaud, ai-je déclaré en posant les assiettes. Les marionnettes Baby Monotonous sont une mode. Et les modes passent. Comme les Pet Rock, ces cailloux qu'on pouvait adopter – le cadeau stupide par excellence, mais vous, les enfants, vous êtes trop jeunes pour vous en souvenir. La mode a duré, quoi ? Cinq minutes. Sauf que, pendant ces cinq minutes, quelqu'un a ramassé un gros paquet. Mais si ce quelqu'un a manqué de jugeote, il a dû se retrouver avec des stocks entiers de cailloux dans des petites boîtes ridicules. J'ai eu beaucoup de chance, et vous devriez tous vous préparer au fait que cette chance va tourner. Les commandes commencent déjà à stagner, et je ne serais pas étonnée de voir ces marionnettes apparaître par centaines sur eBay.

(En fait, les commandes ne stagnaient pas.)

— Jamais on ne mettra la marionnette de papa sur eBay ! s'est exclamée Cody.

— Pando, c'est quoi, cette manie que tu as de descendre systématiquement ton entreprise ? a demandé Tanner. Pour une fois que quelqu'un, dans cette famille, lance une affaire qui marche ! Arrête de t'excuser.

— Merci beaucoup, Tanner, a commenté Fletcher près de la cuisinière.

— Un sous-sol rempli de meubles, c'est bien la preuve qu'il n'y a dans cette maison qu'*une seule affaire qui marche.*

— Aujourd'hui, plus personne n'achète de la qualité.

— Merci beaucoup, Fletcher, ai-je déclaré.

C'était un pâle fac-similé de nos taquineries familiales – ce ping-pong verbal joyeux et frénétique auquel nous quatre nous adonnions parfois et qui était pour moi l'apanage de la télévision. J'avais une telle habitude de ces reparties familiales stupides rédigées à l'avance qu'on aurait pu penser que ce petit jeu n'avait plus de secrets pour moi. Mais depuis que j'étais rentrée, Edison sur mes talons, nos échanges avaient été forcés.

Pour une fois, quand j'ai demandé aux enfants de se laver les mains avant de dîner, il n'y a eu aucune protestation. Ils ont échangé un regard entendu qui m'a rappelé ceux de mon enfance, puis ils ont filé, délaissant tous deux la salle de bains la plus proche pour celle à l'étage. J'ai laissé passer un petit moment avant de les rejoindre. Je n'avais pas encore décidé comment j'allais leur faire la leçon, même si j'avais en réserve tout un tas de banalités sur l'importance de la courtoisie. Une fois devant la porte de la salle de bains, je me suis aperçue qu'ils ne s'étaient pas même donné la peine de faire couler l'eau.

— Après, il a fait tomber les cacahuètes, expliquait Tanner dans un murmure rauque, et il s'est penché pour les ramasser. Sauf qu'il a perdu l'équilibre, à cause de son bide de grosse baleine, et il s'est retrouvé à quatre pattes ! Je te jure, Code, ce con arrivait même pas à se relever ! J'ai dû l'aider à lever son gros cul, et j'ai bien cru qu'on allait se casser la gueule tous les deux. Même sa main est énorme. Et moite.

— Il est dégueu, a surenchéri Cody. Quand il se penche, sa chemise est trop petite et remonte, et là, on aperçoit la raie de ses fesses avec des poils noirs, et son cul énorme dépasse de sa ceinture.

— Lui aussi, il pourrait avoir son émission de télé-nostalgie, comme grand-père, a affirmé Tanner ; il nous

70

ferait un remake d'*Aux frontières de l'étrange*. Et t'as vu ses nichons ? Ils sont plus gros que ceux de Pando.

— Je préférerais mourir plutôt qu'être comme lui. Ses chevilles sont plus grosses que tes *cuisses*. Dis, tu crois que maman savait qu'il était devenu un gros tas ?

— Je crois pas. Mais t'as remarqué comme elle fait semblant que tout est normal ? Comme si personne n'est censé faire remarquer qu'« oncle Edison » passe à peine dans l'encadrement de la porte.

J'en avais assez entendu. Après m'être éclairci la gorge, je suis entrée dans la salle de bains.

— Vous feriez mieux d'arrêter ça *tout de suite*. Ce n'est pas parce que quelqu'un est en surpoids qu'il n'a pas de sentiments.

Même après avoir refermé la porte derrière nous, l'atmosphère est restée conspiratoire.

— Mais combien de temps il va rester chez nous ? a demandé Tanner. En une journée, il pourrait tout casser dans la maison. Et si jamais il cassait les toilettes en s'asseyant dessus ?

— J'ignore combien de temps il va rester, ai-je répondu d'un ton calme. Mais pendant toute la durée de son séjour, je veux que vous vous imaginiez ce que vous ressentiriez si vous étiez adultes et que toi, Tanner, tu viennes voir ta sœur, mais qu'à la suite d'une période difficile, tu aies, mettons, forcé sur les Häagen-Dazs. Tu n'aimerais pas que ta sœur continue à te traiter comme avant ? Tu ne te sentirais pas blessé si sa famille se moquait de toi ?

— Tanner ne sera jamais gros ! a affirmé Cody. Il doit faire attention à sa ligne s'il veut pouvoir continuer à tripoter ses petites copines.

— C'est aussi ce que je pensais de mon frère, ai-je répliqué.

Cette remarque les a calmés. Alors que nous redescendions, Cody a laissé sa main s'attarder dans la mienne.

— Je suis désolée, a-t-elle murmuré. Je ne pensais pas ce que je disais.

Elle était au bord des larmes. D'une pression de la main, je lui ai assuré que tout allait bien. Encline à l'auto-récrimination, elle était capable de ruminer toute la nuit sans trouver le sommeil et de s'en vouloir de s'être ainsi moquée de son oncle, quand bien même cela ne lui était pas revenu aux oreilles. Les seules fois où je l'avais vue essayer d'être méchante, c'était pour impressionner Tanner, et elle était nulle. À l'école, inévitablement, sa compassion la poussait à se lier d'amitié avec les laissés-pour-compte, dévaluant au passage son statut social de plusieurs crans.

Nous nous sommes installés autour de la table pour dîner. Fletcher a fait passer le plat de crevettes et sa rata-touille de tomates, courgettes et aubergines, servis sur de la polenta au four. Concession exceptionnelle, il nous a autorisés à saupoudrer le plat d'un peu de parmesan. Notre hôte, Edison, s'est servi le premier, après quoi le plus grand de nos moules rectangulaires était à moitié vide. Je me suis servie une portion ridicule pour m'assurer qu'il y en aurait assez pour tout le monde, et Cody a fait de même – à moins qu'en bout de table le totem de l'excès qu'incarnait mon frère lui ait ôté l'envie de manger. Quant à moi, j'avais encore de l'appétit, mais il m'était impossible de croiser le regard de mon frère ; le simple fait de le regarder me paraissait cruel. Alors je lui jetais des coups d'œil à la dérobée quand il était occupé à manger, terrifiée à l'idée qu'il me surprenne… les yeux fixés sur le bourrelet de son cou, les endroits où la che-mise trop ajustée bâillait, laissant entrevoir la peau, les doigts boudinés qui rappelaient des bratwursts dans une poêle dont la peau était sur le point d'éclater.

J'ai annoncé que Cody apprenait le piano, et qu'elle se considérait comme « nulle », mais qu'elle apprécierait qu'Edison lui donne quelques cours. Mon frère a joué le jeu – « *No problemo*, la puce » –, mais son ton était étonnamment froid : d'ordinaire, il ne laissait jamais passer une occasion de se mettre en avant. J'ai encouragé Fletcher à montrer plus tard à mon frère ce sur quoi il travaillait au sous-sol, même si Edison n'a rien trouvé d'autre à demander que : « Sur quoi travailles-tu ces temps-ci ? » (encore une table basse) et : « Avec quels matériaux ? » (bien que Fletcher ait réalisé des créations saisissantes en os blanchis de vache, il s'en est tenu à une réponse laconique : « Du noyer »). Il n'y a rien de plus pesant que ce type d'échange, et voyant qu'Edison se fichait comme d'une guigne des réponses à ces questions foireuses, Fletcher s'est fermé, dans une attitude de protection.

Pourtant, mon frère s'est un peu animé quand j'ai pressé Tanner de parler à son oncle « par alliance » de son désir de devenir scénariste.

— L'industrie du cinéma, c'est la grande loterie, a déclaré Edison en s'adossant au fauteuil. La moitié du temps, quand, après des années de frustration, le projet finit par avoir une distribution, une équipe et tout, un connard ne trouve rien de mieux à faire que de retirer son fric. À Hollywood, la plupart des scénaristes ne font que réécrire ce que d'autres ont déjà réécrit, et ils ne voient jamais la queue d'une feuille de script. Tu devrais plutôt viser la télé, mec. Ils produisent à tour de bras. Travis, notre père… – j'imagine du coup qu'il est un peu de ta famille, pas vrai ? Mais, bon, à ta place, je ne compterais pas trop sur un type qui vend des cannes à pêche de poche sur la chaîne Nick at Nite pour te filer des contacts. Mais va savoir ; il connaît peut-être encore quelqu'un qui connaît quelqu'un… C'est comme ça que ça marche. Moi, j'ai des potes qui ont réussi à se faire une place dans le milieu, et j'ai notamment un pote chez HBO. Je te filerai le contact avec plaisir.

73

Si j'avais pu le faire impunément, j'aurais bien volontiers mimé le geste de me trancher la gorge avec la main. Les attentes de Tanner étaient déjà irréalistes. La dernière chose à faire était de l'encourager.

— Merci, a grommelé Tanner, sceptique.

— Tanner a rencontré son grand-père, ai-je précisé. Un contre-exemple édifiant.

— Qu'est-ce que ça veut dire ? a demandé Tanner.

— Que c'est plutôt un exemple à ne pas suivre.

— Qu'y a-t-il d'*édifiant* au fait que mon grand-père soit une vedette de la télé ?

Cette fois-ci, j'ai remarqué que Tanner avait laissé tomber le qualificatif « par alliance ».

— *Ait été* une vedette de la télé, ai-je rectifié. Il passe le plus clair de son temps à inaugurer des concessions de voitures d'occasion et à assister à des déjeuners du Rotary Club...

— À faire des conférences sur l'*écologie*, tu le crois, ça ? a dit Edison en riant. Alors qu'il n'a jamais recyclé la moindre cannette de Coca de sa vie.

— ... ou, ai-je poursuivi, à faire imprimer des quantités astronomiques de T-shirts anniversaire, alors que Travis Appaloosa est le seul être humain sur la Terre à savoir, ou à se soucier de savoir, quand le premier épisode de *Garde alternée* a été diffusé sur NBC. De temps à autre, TV Land lui confiait la tranche de la nuit, mais il s'est grillé en harcelant la chaîne pour qu'ils diffusent des soirées marathons de *Garde alternée*, comme ils le font pour *La Quatrième Dimension* et *The Andy Griffith Show*. La dernière fois que je lui ai parlé, on lui mettait la pression pour qu'il organise une émission de retrouvailles comme ce qui a été fait pour les acteurs du *Brady Bunch*. Le problème, c'est qu'en grandissant les enfants qui jouaient dans *Garde alternée* ont mal tourné, à l'exception d'une seule, mais la maire de San Diego a d'autres chats à fouetter. Édifiant, comme je le disais.

Je savais que j'en rajoutais un peu, mais quelqu'un se devait de contrer la funeste proposition d'Edison. J'étais réticente à l'idée que nos enfants se sentent exceptionnels pour de mauvaises raisons, et deviennent ainsi la proie de ce sentiment injustifié d'importance dont j'avais souffert, enfant. En dépit de mon apparence effacée, garder cette parenté secrète à l'école s'était peut-être révélé en définitive plus nocif que l'étalage incessant qu'Edison faisait de l'identité de son père. Au fond, je tirais une certaine satisfaction du fait que mon père soit *Travis Appaloosa*. Je m'en prévalais comme d'un fétiche, d'une amulette pour éloigner le mal, quand en réalité la célébrité paternelle ne valait guère mieux qu'un Pet Rock.

Encore plus réticent que moi à l'idée de faire étalage de mes liens avec la télé, Fletcher a changé de sujet, optant pour le seul susceptible de nourrir les conversations jusqu'à la fin du repas : *all that jazz*.

— J'ai joué avec des sacrés pointures, pigé ?

Après avoir raclé le reste de la polenta, Edison a vidé par-dessus le bol de parmesan. Ensemble, Tanner et Cody l'ont fixé en roulant des yeux.

— Stan Getz m'a fait travailler pendant trois ans ; il payait mieux que Miles, qui l'aurait cru ? Mais c'est bien ma veine, les concerts auxquels j'ai participé ne sont pas sur les enregistrements incontournables. Et personne ne se souvient que, ouais, Edison Appaloosa a joué avec Joe Henderson, parce que je ne suis pas sur *Lush Life*. Pareil avec Paul Motion, mais qu'est-ce que j'y peux si ce mec a quasiment arrêté de jouer avec des pianistes ? Et le pire, ce qui me fout vraiment les boules, c'est que personne, *personne*, n'ait pensé à enregistrer la jam-session avec Harry Connick, Jr., au Village Gate en 1991. *Harry Connick !* On l'entend plus trop chanter aujourd'hui.

Un pianiste génial, qui m'a dit que j'avais le « toucher magique ». OK, il était pas encore célèbre. Mais, putain de bordel, ça m'aurait ouvert toutes les portes.

Une pensée déplaisante m'a traversé soudain l'esprit : *il parle comme Travis*. J'étais ennuyée de constater que mon frère débitait toujours la même liste de musiciens, celle que j'avais apprise des années plus tôt pour impressionner les aficionados. Manifestement, c'était une liste qu'il se récitait à lui-même.

— Le truc qui me tape vraiment sur les nerfs à New York en ce moment, a-t-il poursuivi, un peu de parmesan collé au coin des lèvres, c'est cette obsession de la « tradition ». En fait, certains jeunes musicos jouent comme des vioques. Ils bossent tous les accords et les intervalles comme ces débiles dans des medersas qui apprennent par cœur le Coran. Ornette, Trane, Bird – c'étaient des iconoclastes ! Eux, ils ne suivaient pas les règles, ils les faisaient exploser ! Personnellement, je crois que c'est la faute aux formations musicales. Sonny, Dizzy, Elvin…, ils ont jamais passé de diplômes. Mais tous ces bons élèves qui sortent de Berklee et de la New School, putain, qu'est-ce qu'ils sont respectueux ! Et *sérieux* avec ça. C'est pervers, *man*. C'est comme passer un doctorat dans l'art de laisser tomber ses études…

D'ordinaire, nous ne buvions pas de vin à table, mais ce soir-là était une occasion spéciale. Edison avait ouvert la deuxième bouteille – j'ai vu la mâchoire de Fletcher se contracter –, ce qui explique en partie pourquoi mon frère laissait tomber les consonnes, articulait péniblement les voyelles et adoptait une élocution traînante, comme cet Afro-Américain honoraire qu'il considérait être. La plupart des pères fondateurs du jazz étaient noirs, et Edison affirmait qu'être blanc était un inconvénient dans le métier, surtout en Europe, où les « vrais » musiciens de jazz devaient avoir la tête de l'emploi.

— … En fait, en créant le Jazz at Lincoln Center, Wynton a rendu le genre élitiste. Il en a fait de la culture *avec un grand C*, de l'art *noble*. Le jazz, élitiste ? C'est du délire, *man*. Le jazz, un truc pour les Blancs ? Mais c'est comme ça, maintenant. Des quinquas se mettent à taquiner la note bleue quand ils sont trop largués pour suivre le hip-hop ; ils s'imaginent qu'ils doivent laisser tomber la pop pour quelque chose de plus sophistiqué. C'est un genre qu'ils se donnent, *man*…

Je laissais mon esprit errer, et j'ai commencé à imaginer les phrases d'une marionnette Edison :

« J'aurais cartonné, *man*, si seulement j'avais été noir ! »

« J'ai joué avec des grosses pointures du jazz. »

« Prodige du jazz, mon cul ! Sinclair Vanpelt était incapable de jouer "Chopsticks". »

« Ouais, en fait, Travis Appaloosa est bien mon père. »

« Je le crois pas que personne ait enregistré ma jam-session avec Harry Connick ! »

« *Yo*, passe le fromage ! »

La dernière phrase aurait été un ajout récent. J'ai débarrassé les assiettes, tandis qu'Edison s'est – encore – extrait du fauteuil bordeaux pour aller fumer dans le patio. Tanner a donc dû se lever lui aussi, pousser sa chaise et faire en sorte de ne plus se trouver dans le passage. Il faisait frais en cette fin septembre, et chaque entrée ou sortie laborieuse abaissait la température d'une bonne dizaine de degrés. Le chauffage central n'arrivait pas à fournir, et Cody a dû monter à l'étage nous chercher des pulls. Je m'étais résignée à l'idée que Tanner et Cody doivent évoluer dans un monde de fumeurs. Mon frère étant lui-même une *grosse pointure* affligée de problèmes respiratoires, les enfants ne prendraient probablement pas Edison comme modèle. Mais Fletcher se crispait chaque fois que nous devions nous lancer dans ces grandes manœuvres pour une Camel sans filtre. Il ne voulait pas qu'on fume autour des enfants.

J'ai dévoilé ma tarte aux noix de pécan. Dégoulinante de sirop de maïs, elle était déjà cuite. Fletcher n'en prendrait pas, mais c'était le dessert préféré de mon frère quand il était enfant. Au point où il en était, ai-je pensé, quelle différence cela pouvait-il bien faire qu'il en mange ? Même si je soupçonnais que c'était ce qu'il ne cessait de se dire.

*

Allongée sur le dos dans notre lit, je regardais Fletcher plier ses vêtements que, en l'absence du fauteuil bordeaux, il devait maintenant empiler sur sa commode.

— J'étais loin de me douter, ai-je fini par dire.

Fletcher s'est glissé sous les draps. Les yeux écarquillés, lui aussi était dans un état de stupeur indicible. C'était comme si nous subissions un stress post-traumatique domestique, comme si nous commencions à peine à nous remettre du choc causé par un engin explosif improvisé placé à notre table.

— Je meurs de faim, a dit Fletcher.

Un peu plus tard, il a déclaré :

— J'ai parcouru quatre-vingts kilomètres à vélo aujourd'hui.

Je lui ai laissé le temps de formuler ce qu'il avait sur le cœur. Au bout de quelques minutes, il a ajouté :

— Le plat de polenta était énorme. Je croyais qu'il allait nous en rester des tonnes.

J'ai soupiré.

— Tu aurais dû prendre un peu de tarte. Avant qu'Edison la termine.

Je me suis blottie contre lui, la tête sur son torse. Pour une fois, sa silhouette ne me faisait pas l'effet d'un reproche ; je m'en émerveillais.

— Qu'est-ce qui lui est *arrivé* ?

J'ai laissé la question de Fletcher en suspens. Il me faudrait des mois pour formuler ne serait-ce qu'un début de réponse.

— Je suis désolé, a dit Fletcher en me caressant les cheveux. Je suis vraiment, vraiment désolé.

Je lui ai été reconnaissante d'avoir privilégié l'empathie au jugement. De l'empathie envers qui ? Avant tout envers moi, sa femme. Mais aussi envers Edison, manifestement. Et peut-être aussi – devant cette situation dans laquelle je nous avais involontairement plongés et qui, horriblement et par ma faute, serait d'une durée indéterminée – envers nous tous.

5

LE LENDEMAIN ÉTAIT UN DIMANCHE, et en descendant l'escalier, j'ai trouvé Edison dans la cuisine. Alors que Fletcher et moi, la veille au soir, avions nettoyé laborieusement la pièce, celle-ci ressemblait de nouveau à un champ de bataille, débordant de bols et de récipients.

— Bonjour, petit panda ! Je me suis dit que j'allais payer mon écot. Le petit-déjeuner est pour moi.

Il a allumé notre gril en fonte, sur lequel il a, depuis une hauteur impressionnante, versé lentement de la pâte. Quand celle-ci a commencé à grésiller, il a sorti du four une plaque de cuisson débordant de pancakes – aux pépites de chocolat, comme j'allais le découvrir.

D'habitude, je me faisais griller un toast.

— Merci, Edison, c'est très… généreux.

Tanner n'était pas encore levé, et Fletcher avait fui au sous-sol. Je me suis donc assise à côté de Cody, installée devant une pile de cinq pancakes. Elle avait coupé un bout du pancake du dessus, qu'elle avait placé sur le rebord de son assiette. Par politesse, elle en a alors pris une bouchée microscopique et s'est employée à la mâcher avec application. Outre les nombreux accompagnements pour les pancakes – confitures et chantilly –, il y avait un saladier entier d'œufs brouillés en train de refroidir, et assez grand pour avoir englouti les deux boîtes d'œufs. Et si je voulais des toasts, il y en avait aussi, en pile et prébeurrés. J'ai mordillé dans un triangle de pain. Il dégoulinait.

— Eh bien ! me suis-je exclamée d'une voix faible tandis que la pile qui m'était destinée arrivait, encore plus dégoulinante de beurre et trempée dans du sirop d'érable.

Débrouillard, mon frère avait terminé le flacon déjà entamé et trouvé notre réserve dans le garde-manger.

— Il y a du café ?

— Il arrive !

Il a rempli mon mug d'un breuvage d'un noir d'encre. Je me suis levée pour ouvrir le frigo. Je prenais mon café avec du lait. Sur le plan de travail, la bouteille en plastique de près de quatre litres était vide.

— Tu cherches un truc ?

Edison avait déjà adopté une attitude de propriétaire vis-à-vis de notre cuisine.

— Le *half and half*.

D'ordinaire, j'ajoutais une goutte de ce mélange de crème et de lait dans mon café, mais aujourd'hui je me contenterais de le prendre noir.

— Désolé, a dit Edison. J'avais besoin moi aussi d'une bonne dose de café pour tenir entre les pancakes. Il n'en restait plus beaucoup, et je l'ai liquidé.

J'en avais ouvert un demi-litre le matin précédent.

— Ça ne fait rien. Je le prendrai noir.

Je suis retournée aux pancakes dont je ne voulais pas, luttant contre un accès d'irritabilité. Tout ce que je désirais, c'était le café au lait que je prenais chaque matin, et non cet ulcère à vif dans une tasse. Je me suis dit qu'Edison essayait de se montrer gentil, mais ça ne marchait pas.

— Tu crois que je devrais en porter quelques-unes à Fletch ?

— Non, il n'y toucherait pas. Pas avec de la farine blanche, et encore moins avec des pépites de chocolat.

Mon ton était légèrement saccadé.

— Je vais en préparer d'autres avec de la farine de sarrasin et des noix, pas de souci. Il nous faut juste du lait.

— Non, *je t'en prie*, n'en fais pas d'autres !

La louche que tenait Edison s'est figée dans l'air. On aurait dit que je l'avais giflé. Le reproche résonnait encore à mes oreilles, et j'ai rougi, honteuse. Mon frère venait d'arriver, et son apparence devait le mettre terriblement mal à l'aise ; je voulais qu'il se sente accueilli et aimé. C'était le seul moyen pour qu'il se reprenne en main.

Attrapant mon café, je me suis approchée de la cuisinière et j'ai passé mon bras autour de ses épaules. Le mouvement de dégoût, léger mais manifeste, que j'ai éprouvé en touchant mon propre frère m'a choquée.

— Tout ce que je voulais dire… c'est que tu as déjà suffisamment travaillé comme ça et que tu devrais te joindre à nous pour le petit-déjeuner. J'ai à peine commencé, et ces pancakes sont excellents.

Le contact, plus que le réconfort verbal, a fait la différence.

— Arôme de vanille, a-t-il expliqué. Et il faut vraiment surveiller la cuisson de près, sinon le chocolat brûle.

Il a insisté pour terminer la pâte, et au même instant Tanner a fait son apparition.

— Putain de merde ! C'est génial !

À rebours de toutes les recommandations nutritionnelles de son père, Tanner jubilait : toute cette farine blanche et ce chocolat au petit-déjeuner ! Ni vu ni connu, six pancakes allaient disparaître dans son gosier de maigrichon, et l'enthousiasme de mon beau-fils a contribué à faire passer la vague d'émotion. Edison se délectait des compliments de Tanner sur son petit-déjeuner. J'en ai peut-être avalé plus que je n'en avais l'intention, mais c'était un bien petit sacrifice pour que mon frère se sente apprécié ; Cody quant à elle a fini par manger la moitié d'un pancake. C'est comme s'il nous était finalement possible de passer du bon temps ensemble, à condition de ne jamais nous arrêter de manger.

À 11 heures, mis à part un autre nettoyage de la cuisine, la journée bâillait.

— Alors, Edison, me suis-je risquée, as-tu réfléchi à ce que tu aimerais faire pendant ton séjour ?

— Aller regarder les vaches ?

— On ne regarde pas les vaches ici !

— Ouais, que tu le croies ou non, on a l'électricité maintenant dans le Midwest, a surenchéri Tanner. Il est même question d'apporter jusqu'ici un truc appelé le « haut débit » pour qu'on puisse entrer en contact avec la civilisation directement par les airs – mais perso, je ne crois pas à cette rumeur dingue.

— Tanner a raison, ai-je insisté. Il y a plein de choses à faire en Iowa, espèce de snob de la côte Est.

Cela dit, je n'avais jamais été très portée sur les « activités ». Je préférais le travail au loisir – trait de caractère dont j'avais pris conscience en rencontrant Fletcher Feuerbach. En charge du buffet de la fête du 4-Juillet organisée par Monsanto, j'avais aperçu un commercial taciturne et un peu décalé s'extraire d'un groupe de convives et de son bavardage pour venir s'occuper du barbecue. Il m'avait aidée à nettoyer, puis à emballer la nourriture, me donnant à voir sans la moindre ambiguïté que nouer des sacs-poubelle et emballer le reste d'œufs à la diable dans des boîtes en plastique était sa conception d'un bon moment. Il n'était guère étonnant que je l'aie ramené chez moi, où il avait lavé tous les plateaux de service avant de m'embrasser. Pour nous deux, le travail *était* un loisir.

— Tu peux toujours t'entraîner au piano, ai-je ajouté. Cody ne l'utilise pas plus d'une heure par jour.

— Eh ! Je croyais que j'étais en congé !

Ce n'était pas la réponse que j'attendais.

— Je pourrais te montrer Baby Monotonous.

— Cool, a répondu Edison sur un ton évasif, tout en attaquant sa pile de crêpes dégoulinantes. Mais j'ai bossé comme un dingue. Les concerts, les bœufs, mon travail perso et, jusqu'à dernièrement, le club. Me tenir au courant de ce qui se fait, brûler la chandelle par les deux bouts. Je suis assez claqué. Ça me ferait pas de mal de rien foutre pendant un petit moment. J'ai été content qu'un trou dans mon emploi du temps me permette de venir vous voir. De passer un peu de temps ensemble. Et apprendre enfin à connaître un peu les gosses.

La version trépidante qu'Edison donnait de sa vie contrastait avec les propos de Slack, desquels il ressortait que mon frère n'avait pas le moral, avertissement que j'interprétais désormais en rapport avec sa corpulence. J'étais habituée à l'opacité de l'existence d'Edison. Je n'avais pas la moindre idée de la façon dont s'organisait une tournée en Europe. Tous ces noms qu'il lançait, Dizzy, Sonny et Elvin, ne me disaient rien, et je me gardais bien de demander « C'est de qui ? » quand il jouait un morceau ; il pouvait se mettre dans tous ses états juste parce que je ne me souvenais jamais si « Trane » jouait du saxophone ou de la trompette. Mis à part la – seule – fois où, par courtoisie, j'avais écouté ses disques, avant de glisser les boîtiers dans la partie de notre discothèque destinée à prendre la poussière, je n'écoutais pas de jazz, et je n'arrivais pas à imaginer qui pouvait bien aller dans ces clubs si le pianiste n'était pas son frère.

— Qu'est-ce que tu as de prévu ? ai-je demandé. Dans les mois à venir ?

— Une tournée en Espagne et au Portugal. Trois semaines entières sur la route. C'est plus fatigant pour moi qu'avant. J'ai pas pris de congé sabbatique depuis mon arrivée à New York en 1980. Dans un sens, être dans l'Iowa me donne une bonne excuse pour refuser des

concerts au Village – un trajet de deux mille cinq cents kilomètres, c'est long. Recharger les batteries. Savourer mon café.

(Avec des tonnes de *half and half*.)

— Dis-moi, cette tournée en Espagne et au Portugal,
c'est prévu pour quand ? ai-je demandé d'un ton neutre.

— Début décembre.

Sa réponse a été assourdie par un pancake.

C'était dans un peu plus de deux mois. Si je comprenais correctement son concept de *congé sabbatique*, et à
supposer qu'il envisage de séjourner chez nous jusqu'au
début de sa tournée, il s'agirait d'une « visite » terriblement longue, mais elle ne serait donc pas à durée indéterminée. Il allait simplement falloir qu'on tienne tous la
distance sans prendre vingt kilos.

— À ce que j'ai compris, tu n'as pas d'appartement en
ce moment, ai-je déclaré sur un ton qui manquait d'assurance. Où sont toutes tes affaires ? Ton piano ?

— Au garde-meubles.

Là encore, il avait répondu la bouche pleine de chocolat.

— Je dois faire face à un bête problème de trésorerie,
pigé ? Les droits d'auteur de « Steeple Chase » sont dans
les tuyaux. Et j'ai pas mal de boulot en vue, bien sûr.
Mais, euh…

Il a essuyé le sirop d'érable de sa bouche.

— … tu sais, j'ai apprécié ton petit coup de pouce.

— Oh, ce n'était rien !

Le dire avait été difficile pour lui.

— Et si tu as besoin…

— En fait, maintenant que tu en parles, un peu de
liquide…

— Bien sûr. Dis-moi combien…

Les enfants étaient sur leur ordinateur, mais ils écoutaient. Je ne voulais pas le mettre mal à l'aise.

— On en reparle dans la journée.

Même si j'étais ravie de lui donner ce dont il avait besoin

pour se maintenir à flot, je ne m'étais jamais retrouvée dans cette position parentale qui consistait à aider financièrement mon frère aîné. Edison avait toujours dépensé sans compter. Lorsque j'allais le voir à New York, il ne me laissait jamais rien payer : il me mettait sur la liste des invités à ses concerts, m'entraînait dans des clubs où je ne payais pas l'entrée parce qu'il était connu, il distribuait des billets de cent dollars aux serveurs et aux chauffeurs de taxi. Désormais, j'étais celle qui avait de l'argent, et je ressentais un sentiment de perte qui devait être réciproque. Il avait aimé payer pour moi. Il avait aimé être mon protecteur. J'avais aimé qu'il le soit.

Pourtant, accorder un « prêt » à Edison n'était pas ce qui me turlupinait tandis que je récurais la cuisinière afin d'enlever les gouttes de pâte brûlée. Jusqu'à présent, personne, pas même mon beau-fils, peu adepte du politiquement correct, n'avait abordé de front la question de la corpulence de mon frère. Moi-même, pas une fois je n'avais fait allusion devant lui à son poids, et j'avais l'impression que toute cette situation avait quelque chose d'insensé. J'étais venue le chercher à l'aéroport, et il était tellement ÉNORME qu'en le voyant je ne l'avais même pas reconnu, et tous, nous agissions maintenant comme si tout était parfaitement normal. À respecter les convenances, à faire comme si de rien était, j'avais l'impression d'être dans la supercherie, d'être une menteuse ; la diplomatie ressemblait à de la complaisance. Et maintenant, juste pour qu'on passe un bon moment ensemble ce matin, j'avais pris un petit-déjeuner cinq fois plus riche qu'à l'accoutumée. En m'empiffrant de la sorte, avec Tanner, j'avais fourni une excuse à Edison pour se gaver encore plus. Ce n'était plus, comme le disait l'adage, un arbre qui cachait la forêt, mais un éléphant. Au sens littéral.

6

EDISON DEVENAIT TRÈS CHATOUILLEUX quand on sous-entendait que Caleb Fields lui avait soufflé l'idée de se mettre au piano jazz. Pour ma part, je ne me souvenais jamais si mon frère avait commencé à prendre des cours avec un vieux musicien noir – un poème à lui tout seul – de South Central (et *non* de Melrose – notre chauffeur n'avait jamais divulgué à nos parents l'adresse malfamée de Jack Washington, et j'en avais fait autant) avant ou après la diffusion de la première saison de *Garde alternée*. Travis avait toujours cru qu'Edison se comportait comme un personnage de série télé, et il ne cessait de reprocher à son fils aîné de singer des ambitions factices – l'allégation ne manquait pas d'intérêt, dans la mesure où ses enfants fictifs lui avaient toujours semblé plus réels que nous.

Travis qualifiait sa série de « culte », mais au bout du compte le culte ne portait que sur une seule et unique personne. En réalité, *Garde alternée* n'avait rien à voir avec certaines séries emblématiques comme *Star Trek*, qui sur la durée dégageaient de généreux dividendes. Cette femme à l'aéroport, par exemple, n'avait pas été une « fan » de *Garde alternée*. Elle avait simplement regardé la série. Je ne nourris aucun sentimentalisme envers la plupart des conneries qu'on regardait, même si je suis un peu gênée d'admettre que je peux encore fredonner le générique de *Love, American Style*, et que je continue d'éprouver un faible nostalgique pour feu Bob Crane.

Il aurait été exagéré de qualifier *Garde alternée* d'« avant-gardiste », néanmoins, les producteurs avaient bien fait leur travail. Il suffit de regarder les séries qui l'ont précédée. *L'Homme à la carabine :* un propriétaire de ranch, veuf, qui lutte pour élever seul son fils affligé d'une fâcheuse tendance tourettienne à s'écrier « P'pa ! » à la moindre occasion. *Family Affair :* un veuf élève ses deux gosses insupportables avec l'aide d'un majordome anglais collet monté dépourvu du moindre charme. *Mes trois fils :* un ingénieur aéronautique, veuf avec trois fils, finit par se remarier au bout de dix saisons, pour épouser une autre malchanceuse victime de la mortalité conjugale. *Flipper le dauphin :* les mésaventures d'un veuf et de ses deux fils sont totalement éclipsées par un grand dauphin. *The Andy Griffith Show :* un shérif veuf et père célibataire parvient à convaincre la plupart des habitants de Caroline du Nord qu'il existe bel et bien une ville nommée Mayberry. *The Beverly Hillbillies :* un péquenaud se fait des couilles en or grâce à des *flots de brut jaillissant… de l'or noir*[1] ! *Bonanza :* un patriarche du Nevada gère un ranch avec ses trois fils adultes, nés de trois femmes différentes, toutes mortes. *The Brady Bunch :* un veuf et (d'après ce que la série laisse entendre sans pathos) une veuve, avec chacun trois enfants, ont raison de se fier à leur intuition[2] : la série sur cette famille recomposée vivra éternellement grâce à la vente des droits aux chaînes de télévision, pour le plus grand agacement de Travis. *The Courtship of Eddie's*

---

1. Traduction littérale des paroles du générique de la série ; « … *bubbling crude… oil, that is… black gold !* »

2. Le générique de la série est également devenu célèbre, avec sa dernière phrase : « *It's much more than a hunch !* » (littéralement, « ce n'est pas qu'une intuition ») et la rime sur *hunch* et *bunch*.

Father : un petit garçon assez ronchon cherche une femme à son père veuf, auquel la domestique japonaise donne des « M. le père de M. Eddie » à tour de bras, appellation dont les scénaristes ont cru qu'elle conserverait son caractère exotique même après avoir été répétée huit cents fois.

Des extraterrestres qui auraient capté les émissions produites aux États-Unis dans les années 1960 et au début des années 1970 en auraient conclu que notre espèce était semblable aux saumons : une fois que les femelles avaient mis bas, la nature n'avait plus besoin d'elles, et ainsi mouraient-elles rapidement. D'un autre côté, si on ajoutait les veuves qui menaient tambour battant *L'Extravagante Lucie*, *Petticoat Junction*, *La Grande Vallée*, *The Partridge Family*, *Julia* et *Doris Comédie*, les époux ne faisaient pas à proprement parler de vieux os non plus.

Ainsi, les producteurs de *Garde alternée* ont mené une croisade. Aux États-Unis, presque la moitié des mariages se soldaient par un divorce, et dans ce domaine le déni télévisuel relevait de l'hypocrisie. (Dans le pilote de *The Brady Bunch*, la mère, Carole, était divorcée, mais la chaîne de télé a opposé son véto, et par la suite les scripts n'ont plus fait référence à la façon dont son mariage s'était terminé. Le public a adhéré massivement à cette omission par défaut. Seule une série concurrente, *Huit, ça suffit !*, avait une excuse : un journaliste père de huit enfants y perdait sa femme au bout de quatre épisodes.) Pire, soutenaient les producteurs de *Garde alternée*, ce portrait faussé faisait du tort aux légions d'enfants de divorcés. Ceux-ci avaient bien le droit de se voir proposer des émissions qui traitaient des problèmes survenant dans des familles fracturées comme les leurs. Tout cela paraît un peu ringard maintenant, avec ces séries télé qui s'évertuent à fourguer le maximum d'homos, de travestis, de demi-frères et sœurs et de troisièmes mariages, le tout en une demi-heure, mais en 1974 c'était assez radical.

Hélas, convaincre mon père qu'être une vedette de la télé relevait d'une mission de service public pour la nation n'était pas un service à lui rendre, et il en a conçu une attitude de propriétaire. Et de fait, quand a été diffusé *Au fil des jours*, série dans laquelle l'actrice Bonnie Franklin assume pleinement son rôle de femme divorcée, mon père, aigri, a accusé les producteurs de lui avoir volé son idée. Au temps pour sa défense du réalisme social.

A posteriori, *Garde alternée* a bel et bien constitué un trait d'union culturel entre le glamour des années 1960 et le pragmatisme des années 1980. Le point de départ est le suivant : la mère, Mimi (jouée par Joy Markle), en a assez de son mode de vie hippie. Elle quitte son idéaliste de mari, Emory Fields, reprend son nom de jeune fille, à savoir Barnes, et rejoint un cabinet d'avocats familial à Portland (la série s'ouvre sur quelques plans du pont Fremont, mais elle a été tournée à Burbank). Bloqué dans le passé, Emory est un éco-guerrier, il vit dans un chalet qu'il a lui-même construit dans les Cascades, sans eau courante ni électricité et avec les toilettes à l'extérieur ; il fait pousser des légumes biologiques qui meurent. À la lumière d'obsessions plus récentes concernant la préservation des ressources et le changement climatique, ce rôle semble posséder une vertu anticipatrice, mais les scénaristes ne présentaient pas de façon très positive l'obstination d'Emory à tout faire à la dure. Dans un épisode, Mimi se désespère même qu'à cause de la marotte de son mari, à savoir préserver les ressources et ne pas polluer l'environnement, leurs enfants soient persuadés que « leur aspiration la plus haute se résume à ne pas être toxiques ».

Mais, dans l'ensemble, la série traite surtout de la façon dont les trois enfants essaient de se dépatouiller avec deux parents qui se détestent, ainsi que de la logistique inhérente aux déplacements entre leurs deux foyers, compte tenu des dispositions juridiques éponymes. Mimi est autoritaire, moins intéressée par l'expression créative de ses enfants que par leurs perspectives de carrière. Emory, lui, adhère à la réalisation de soi prônée par la contre-culture, et sa permissivité est souvent source de problèmes pour ses enfants. Tout aurait pu à peu près fonctionner, s'il n'avait fallu que deux de ces trois enfants soient des prodiges.

Oh, ce n'est que l'une des raisons pour lesquelles on détestait autant ces deux-là. Néanmoins, un don fictif est chose aisée, au même titre qu'une prouesse athlétique sous stéroïdes. Un scénariste peut glisser dans un dialogue quelques phrases dans une langue étrangère, et *ecco* : son personnage parle couramment huit langues. Sinclair Van-pelt jouait un pianiste de jazz précoce sans maîtriser les septièmes mineures. Quant à savoir pourquoi le jazz : en 1974, tous les gosses voulaient devenir des stars du rock, et l'équipe de développement de la série était désireuse de voir Caleb Fields emprunter une route moins fréquen-tée. Ainsi, l'association entre Caleb Fields, personnage super branché, et ce genre musical toujours très populaire au début des années 1970 a peut-être donné à Edison l'impression erronée que le jazz constituait la voie royale pour avoir son nom en haut de l'affiche. C'est sans doute là qu'il convient de chercher l'explication à ses diatribes amères sur la marginalisation du jazz, et sur la part de marché ridiculement congrue que ses confrères et lui représentent, « la plus grande revenant à Norah Jones ».

Âgé de quatorze ans dans la première saison, Caleb est, des trois enfants, le rebelle ; il mène une vie parallèle de *musicos branché* dans les clubs interlopes de Old Town et du Pearl District, où il doit faire profil bas étant donné qu'il est mineur. L'aîné des trois, il ne supporte plus ses parents, et les adolescents qui regardaient la série s'iden-tifiaient à son désir de fuite. Il porte un feutre rond et un col roulé, et le fait qu'il ait commencé à fumer constitue l'un des fils rouges de la série. Quant à Sinclair, son allure dégingandée rappelait celle d'Edison – du moins à l'époque –, et tous deux possédaient le même genre de beauté. Sinclair avait les cheveux bruns, ceux d'Edison étaient blond foncé, mais les deux tignasses avaient tendance à boucler, sans compter une similitude que mon frère aurait eu du mal à nier : toute sa vie, il a coiffé ses cheveux, qui devenaient électriques par temps humide, comme ceux de Caleb Fields.

Pour le reste, Sinclair n'était qu'un snob hautain à l'attitude mielleuse qui faisait copain-copain avec notre père chaque fois qu'Edison et moi assistions aux répétitions, nous reléguant à des rôles de simples figurants. Je me souviens parfaitement de la fois où Sinclair a compris que Travis/Emory avait vraiment un fils dans ses âges. Edison et moi traînions dans les coulisses du studio, car notre famille était censée participer à un pique-nique organisé par NBC dans Griffith Park après le tournage. Entre les prises, Edison avait décidé de montrer à Sinclair comment jouer correctement mains croisées – et mon frère avait dû affirmer que, oui, il savait *vraiment* de quoi il parlait : eh oui, le vrai fils prenait pour de vrai des cours de piano jazz.

— Ça alors, s'était exclamé Sinclair, c'est vraiment *trop drôle* !

L'éclat de rire de l'acteur allait lui assurer à jamais l'inimitié d'Edison. Mais ni la condescendance triomphale de Sinclair Vanpelt ni sa lassitude affectée ne lui seraient d'une grande aide à l'arrêt de la série, lorsqu'il ne se verrait plus proposer aucun rôle majeur. (Il a fait une apparition dans *Family*, mais l'homosexualité assumée n'a pas été un atout avant le milieu des années 1990, et à ce moment-là son allure de débauché et sa calvitie galopante n'ont plus fait recette.)

Teensy, la plus jeune, n'a que quatre ans dans la

première saison, et c'est une crack en maths. Je veux bien croire qu'il est assez impressionnant de voir un acteur si jeune débiter tous ces nombres à la manière d'un chien savant ; les scénaristes étaient très à cheval sur l'exactitude des réponses que donnait leur calculette humaine aux équations à plusieurs chiffres. Mais je serais étonnée que Tiffany Kite ait réussi à maîtriser les tables de multiplication à la fin de la série huit ans plus tard. Elle avait des boucles noires et le regard expressif d'une réfugiée. À ma grande consternation, Tiffany s'est embellie en grandissant, et ressemblait encore plus à une princesse. Dans la série, Teensy est un petit génie au caractère joyeux, mais elle est aussi une petite fille, et tout un épisode est consacré à son évitement phobique des toilettes en extérieur : lorsqu'elle est confiée à la garde de son père, elle refuse d'aller aux toilettes, et quand Mimi récupère sa fille, elle doit chaque fois administrer des laxatifs à la pauvre gamine.

Enfin il y a Maple, le seul personnage en trois dimensions de la série – elle transmet des messages entre ses parents en guerre, sans se priver de les modifier au passage (« Ton père a *vraiment* dit ça ? », « Ta mère a *vraiment* dit ça ? »). Étant la seule des trois enfants à ne pas être dotée de pouvoirs magiques, c'est ce qui la rend sympathique. Prise en sandwich entre un frère et une sœur hors du commun sollicitant beaucoup d'attention, Maple n'a pas de don providentiel qui lui conférerait d'emblée une forte personnalité ; en outre, elle n'a pas la moindre idée de ce qu'elle aimerait faire plus tard. À ce propos, il m'est arrivé d'entendre des gens de ma génération critiquer des femmes consciencieuses, honnêtes mais ordinaires, de celles à qui personne ne fait attention et dont on profite parfois, en concluant : « Tu sais, c'est une Maple Fields. » Devant ou hors caméra, Floy Newport avait cette beauté sans prétention à laquelle L.A. ne prête pas attention.

Maple Fields était le seul personnage de *Garde alternée* qu'Edison ne mentionnait presque jamais.

Je continuais de nourrir des sentiments ambivalents envers la série de mon père. Bien évidemment, pour Edison et moi, se moquer d'elle était devenu un sport de prédilection, mais la dénigrer devant les autres, c'était autre chose. Sur l'insistance de Tanner et de Cody, j'avais cédé quelques années plus tôt et commandé l'intégrale des huit saisons en DVD. Habitués à la patte sophistiquée de HBO, on oublie facilement à quel point la télévision, autrefois, était fruste et manquait d'élégance et de subtilité, y compris dans ses aspects techniques. Moi, bien évidemment, je me souvenais des décors en tant que tels, mais c'était bien ainsi aussi qu'ils étaient apparus à Tanner et à Cody, et ceux-ci n'en étaient pas revenus à quel point la série était « nulle ». J'en avais été mortifiée. J'avais essayé d'en rire avec eux, mais j'en avais été incapable, et j'avais mis de côté les DVD avant qu'on ait fini de regarder la première saison.

Pour moi, tout du moins, revoir Travis avait été une révélation, comme cela se produit quand on regarde des photos de ses parents sur lesquelles ils sont plus jeunes que soi aujourd'hui. Soudain, toute la caution et l'autorité qu'on leur avait conférées s'envole, et voir ces icônes démesurées comme des personnes ordinaires, perdues, sans carte, sans accès particulier à la vérité, à la justice ou à quoi que ce soit d'autre, eh bien… en réalité, de telles épiphanies sont tendres, douces et effrayantes à la fois. Sur le moment, je me suis même temporairement adoucie en songeant qu'Edison et moi nous étions montrés trop durs envers Travis. Rien de plus normal qu'il se flatte d'être encore bien conservé ou qu'il exagère son importance, comme la plupart des gens. Autre révélation : alors que notre père s'enorgueillissait de sa sophistication, c'était clairement sa présence très terrienne qui avait séduit le directeur de casting ; Travis Appaloosa jouait, mais c'était Hugh Halfdanarson qui avait eu le rôle. En fait, à l'origine, Travis avait auditionné pour *Apple's Way*, série dans laquelle un père quitte la jungle de L.A. pour retourner dans sa ville natale de l'Iowa, sauf que la transition entre ville et campagne s'avère traumatique. Or, Travis ne détonnait pas assez pour le rôle. Dans l'Iowa, de l'avis des producteurs, il était à sa place.

Dans la série de mon père, je continuais d'admirer sincèrement l'image qu'elle donnait des fratries, monde distinct de celui des parents, ces derniers n'étant, pour les enfants, guère plus que de simples figurants. *Garde alternée* saisit cette forme de connivence et de créativité intenses qui existe entre les frères et sœurs, et Mimi et Emory n'y voient que du feu. Souvent honteux d'essayer de gagner chacun la loyauté de leurs enfants, les parents passent à côté de ce qui constitue le salut de leur progéniture : la loyauté suprême des enfants va à leurs frères et sœurs.

Mon mari nourrissait un véritable ressentiment à l'égard de ce lien mutuel qui, avec toute son intensité, nous avait permis à Edison et moi de survivre à notre enfance en nous raccrochant l'un à l'autre. À mon sens, ce ressentiment n'avait pas lieu d'être, compte tenu de notre mariage ; quand Edison est arrivé à Solomon Drive, je pensais encore que le dévouement dont je faisais preuve en tant que sœur n'entamait nullement mon allégeance d'épouse. Mais Fletcher était enfant unique et il devait envier cette intimité qu'il n'avait jamais connue. Sans frère ni sœur pour maintenir l'égalité, nous sommes coincés avec ceux qui s'occupent de nous, et cette alliance fait de nous un traître, une sorte de mouchard envers soi-même, avec la personnalité schizoïde d'un agent double. S'il nous arrivait de temps à autre à Edison et à moi de retourner notre veste, il ne s'agissait que de sorties stratégiques ponctuelles s'intégrant dans la dynamique complexe de nos jeux – dynamique dont nos parents ignoraient tout. Dans la relation bien plus centrale qui nous unissait l'un à l'autre, nous utilisions nos parents comme des armes. Avec Tanner et Cody, j'essaie de ne jamais l'oublier : les enfants connaissent vos secrets. Vous ignorez les leurs.

De façon ironique compte tenu du caractère avant-gardiste de la série *Garde alternée*, notre famille a viré au cliché véhiculé à l'époque par les chaînes de télé. J'avais alors treize ans. Un jour que je rentrais de l'école, devinez qui j'ai trouvé, attendant mon retour ? Joy Markle. A posteriori, le fait que Travis ait choisi la covedette de la série pour annoncer la nouvelle – sans compter l'implication physique que désormais la fausse mère avait remplacé la vraie – était d'un extrême mauvais goût.

Lorsqu'elle n'incarnait pas Mimi, Joy n'attachait plus ses cheveux blond métallique en chignon, métaphore d'une sévérité qui avait dû lui faire mal au cuir chevelu. Je suppose qu'elle était jolie, à défaut d'être belle. Un manque qu'elle tentait de compenser quand elle jouait à être elle – et, à l'instar de tant de personnes auprès de qui j'ai grandi, Joy Markle jouait *vraiment* à être elle – avec une touche de vulgarité, par exemple en laissant apparaître la dentelle de son soutien-gorge bien avant que cette pratique soit à la mode. Cet après-midi-là, elle portait une robe courte d'un fâcheux rouge carmin – qui signifie et rime avec *putain* –, et quand elle s'est penchée pour me parler, j'ai su qu'il s'était passé quelque chose. Je n'étais pas beaucoup plus petite qu'elle, et cette façon de se pencher pour me donner du « oh, ma pauvre petite chérie ! » ne servait que son goût du mélodrame.

Travis était à l'hôpital, jouant lui aussi son rôle jusqu'au bout, même si son affliction n'était nullement feinte. Loin s'en faut, et l'expérience doit être troublante, celle qui consiste, des années durant, à donner à voir l'émotion de manière professionnelle pour finir soi-même touché de plein fouet par le cruel manque d'éloquence de la réalité.

Edison et moi avons des versions divergentes, car mon frère se considérait malin, tandis que moi, je me trouvais naïve. Ainsi, Edison soutenait qu'il avait su depuis des années que Travis et Joy entretenaient une liaison, alors que j'affirmais qu'aucun de nous ne s'en était douté jusqu'à ce que Travis, après la mort de notre mère, commence à fréquenter ouvertement Joy. (Leur liaison n'avait pas duré. Nombre d'aventures se terminent quand le partenaire trompé déclare forfait, comme une chaise à trois pieds qui perdrait l'un de ses points d'appui. Ils avaient besoin de la crédulité de mon adorable mère originaire de l'Ohio pour prendre plaisir à leurs magouilles showbiztiques par trop prévisibles. Néanmoins, la brouille qui s'en était suivie entre Travis et Joy avait conféré une authentique aigreur aux personnages d'Emory et de Mimi, au point que les deux dernières saisons ont été les meilleures de la série.) La seule raison pour laquelle je me préoccupais de savoir si Edison avait été au courant des aventures de notre père était la suivante : si tel était le cas, je ne pouvais supporter l'idée qu'il ne m'en ait rien dit.

Originaire d'Oberlin, notre mère, à la complexion délicate et avenante, avait grandi dans une ancienne famille d'industriels respectables, non dépourvue d'un certain standing : pendant des décennies, son père avait été l'éditeur du journal local. Quand elle avait rencontré Hugh lors d'un concours hippique à Dubuque, je doute qu'elle ait pris au sérieux son désir de devenir comédien : elle avait dû supposer qu'il mettrait de côté son rêve utopique pour reprendre la ferme de ses parents. Après tout, faire refroidir des tartes sur les rebords de fenêtre et attendre de voir enfin tomber la pluie tant espérée lui aurait parfaitement convenu comme mode de vie. Pendant longtemps, ma mère a été pour moi un modèle en matière d'authenticité, et ma migration vers le Midwest a été une façon de lui rendre hommage.

Lors des fêtes à L.A., elle n'avait pas la moindre idée de ce qu'elle devait porter, et elle m'avait confié une fois qu'elle avait souvent guetté la fin d'une soirée un peu trop arrosée derrière la porte d'une salle de bains fermée à clé, attendant que les convives finissent par partir d'un pas chancelant. Détestant les nouveaux amis prétentieux de son mari rompus à l'autopromotion, Magnolia Halfda-narson pleurait en secret chaque fois que *Garde alternée* était prolongé pour une saison de plus. (Elle ne prenait le nom d'« Appaloosa » qu'en public, pour faire plaisir à notre père ; sur ses chéquiers figurait le nom de l'homme qu'elle pensait avoir épousé.) Il est possible qu'elle ait souffert de dépression, auquel cas son état avait empiré après la naissance de Solstice trois ans plus tôt. Mais je n'avais eu qu'elle ; comment aurais-je pu savoir s'il était ou non normal pour une mère de dormir des après-midi entiers ? Qui plus est, je n'étais pas en mesure de faire la distinction entre une « dépression causée par une carence en sérotonine » et une « dépression pour une bonne rai-son ». Si la question était de savoir si elle était au courant que Travis la trompait, je dirais probablement « oui », ne serait-ce que parce que, dans ce genre de situation, la réponse est presque toujours oui.

Edison s'était arrangé pour retirer un certain avan-tage du fait que sa mère s'était tuée ; ça faisait bien dans les clubs de jazz de New York. Souvenez-vous : il avait adopté le nom ronflant d'Appaloosa, qui, même pour ceux n'ayant pas subi le lavage de cerveau grâce auquel ce patronyme avait acquis une légitimité le mercredi soir à 9 heures, faisait inévitablement sourciller, car il évoquait moins un véritable nom de famille qu'une race de che-vaux. Comme je ne cherchais nullement à me distinguer par une biographie singulière, je n'ai jamais cru que la mort de ma mère était un suicide. Bien que j'aie été évidemment anéantie en la perdant aussi jeune, je ne considérais pas la mort d'une mère décédée de causes naturelles comme une déception narrative, et encore moins comme une insulte personnelle.

Elle se trouvait à l'intersection de Foothill Boulevard et de Woodland Avenue, et elle est descendue du trottoir. C'est là toute l'histoire, même si le fait est qu'une camionnette de livraison UPS a déboulé une fraction de seconde plus tard.

Edison soutenait que notre mère avait aperçu la camionnette et s'était délibérément livrée à ses pare-chocs, variation latérale du saut depuis le haut d'un pont. Magnolia était désespérée par la trahison de son mari, et la perte de notre timide et attachante mère alors que nous n'étions que des enfants était donc la faute de Travis. Cette construction simple et durable a longtemps servi de fortification à l'opinion préconçue de mon frère selon laquelle Travis était un connard fini.

J'avais beau avoir peu d'opinions, j'étais pourtant attachée à certaines, notamment celle qu'il existe une différence entre un fait et une croyance, et que la plupart des gens confondent les deux. Quand votre mère meurt, vous voulez que cette perte ait un sens, qui vienne temporairement soulager le chagrin sous sa forme la plus pure et la plus intolérable, à savoir qu'il n'y a que la perte, sans compensation, sans rien à comprendre. Poussés par ce besoin irrépressible d'y trouver, à défaut d'une morale, du moins une accusation susceptible de faire office de prix de consolation à la mortalité, même les gens généralement honnêtes s'adonnent à un charcutage de la vérité visant à lui conférer un peu plus de glamour. Voici la façon dont, *moi*, j'ai reconstruit les choses :

Des centaines, si ce n'est des milliers de fois par jour, nous prenons de petites décisions élémentaires tout en pensant à autre chose. Quand je monte les marches du perron, jamais je ne me dis : *Lève ta jambe droite ; pose fermement le pied, lève le talon gauche et pousse.* Non, je me demande si je peux ajouter en douce un peu de crème fraîche au plat du dîner sans que Fletcher le remarque. Je ne suis pas neurologue, mais il doit exister dans notre cerveau un centre de l'attention qui effectue les tâches routinières et libère le reste de notre cerveau pour qu'il réfléchisse aux traîtres effets pastélisés des produits laitiers.

Si tel est le cas, ce centre de l'attention n'est pas parfait. J'en ai fait nombre de fois l'expérience : ces instants où le superviseur saute comme un CD abîmé. Quand la partie permettant au reste de votre esprit de penser à autre chose se met elle aussi à penser à autre chose.

Ma mère est descendue d'un trottoir. C'était une bonne mère, au sens traditionnel, et elle avait inculqué à ses enfants l'importance qu'il y a à regarder à droite et à gauche. Ce qu'elle n'a pas fait cette fois-là.

Vous pourriez arguer que cela me laisse avec une perte sèche et donc intolérable. Pourtant, j'ai retiré quelque chose du destin de Magnolia. Un après-midi, j'avais alors dans les vingt-cinq ans, je circulais à vélo dans une rue à double sens de New Holland quand je suis rentrée dans une voiture en stationnement. Tandis que je me relevais et que j'inspectais le cadre tordu de mon vélo, j'ai pensé à ma mère. J'ai retiré de son instant d'inattention une gratitude incrédule : je ne rentre pas constamment dans des voitures en stationnement alors que je roule à vélo. J'invente, depuis des dizaines d'années, des recettes de sauce tout en redoutant, coupable, les visites imminentes de Solstice ; j'imagine les expressions que je pourrais prêter à la marionnette de mon mari tout en procédant à d'innombrables et incessantes négociations cruciales avec ce monde périlleux. Et je ne suis pas encore morte.

Cela me suffisait. Mais jamais Edison n'éprouverait de gratitude envers cette aptitude multitâche du cerveau humain 99,9 % du temps ; pour lui, les intrigues devaient toujours s'écrire en capitales. Peut-être était-ce tiré par les cheveux, mais à mon sens tout se tenait : son appétit pour les brioches à la cannelle et pour le suicide, son obstination à construire sa vie en fonction de lignes si radicales que son corps lui aussi s'était mis à « penser en grand ». Si le poids de mon frère était symptomatique d'un malaise, il était également emblématique d'une vanité. Mon frère n'était pas du genre à se soumettre aux flèches de l'adversité en ne prenant au passage qu'un peu de bide. Il échouerait de la même façon qu'il avait voulu réussir : dans les grandes largeurs.

7

DANS LES DIX JOURS QUI ONT SUIVI, j'ai proposé plusieurs fois
à Edison de venir visiter Baby Monotonous, mais chaque
fois il s'est excusé, prétextant qu'il devait regarder des
interviews de jazzmen sur internet. Puis j'ai fini par me
montrer assez insistante. Si *Vanity Fair* et *Forbes* s'intéres-
saient à mon entreprise, mon frère pouvait faire preuve
d'un minimum de curiosité vis-à-vis de l'activité grâce à
laquelle je gagnais ma vie.

Edison avait dormi tard, et je m'étais donc organisée
pour repasser par la maison en milieu d'après-midi pour
le prendre et le conduire jusqu'aux locaux de Baby Monotonous. Mis à part la préparation des repas – sujet épineux
s'il en est que je préfère laisser de côté pour le moment –,
j'ignorais ce que mon frère fabriquait pendant que j'étais
au travail. Il devait passer pas mal de temps sur le web – ce
passe-temps génial ou comment remplacer l'attitude pas-
sive devant la télévision par une séduisante illusion de pro-
ductivité –, même si Fletcher me disait que, depuis la cave,
il entendait des heures durant le raffut du petit écran. Ce
que Fletcher *n'entendait pas*, sauf si Cody travaillait « Bridge
Over Troubled Water », c'était le piano.

J'accorde peut-être trop de valeur à l'activité, et je ferais
sûrement mieux d'apprendre à me détendre davantage,

mais l'idée qu'on puisse, notamment grâce aux nouveaux médias, passer un temps qui semblait extensible à ne rien faire du tout me perturbait au plus haut point. J'aimais l'idée que j'étais moi-même incapable de ne rien faire pendant des après-midi entiers, mais ce qui me dérangeait peut-être, c'était justement d'en être bel et bien capable. Je craignais qu'on puisse devenir vite accro à cette « chose », et maintenant elle rôdait chez moi, attendant que je l'attrape comme on attrape la grippe.

Vers 4 heures de l'après-midi, quand je suis repassée à la maison chercher Edison pour le conduire à mes locaux, je l'ai trouvé en pleine dispute avec Fletcher dans la cuisine, les plans de travail chargés de courses. Le visage cramoisi, Edison avait le souffle court, et il avait sorti les mains des poches de son jean, prêt à dégainer. Fletcher lui faisait face, droit comme un I, l'expression aussi dure que de l'acier. S'il s'était agi d'un duel, mon mari aurait été le shérif et mon frère le hors-la-loi.

— Edison ? ai-je demandé. On peut y aller ?

— Il vaudrait mieux, a-t-il répondu d'un ton bourru, en plissant les yeux.

J'ai regardé avec attention les plans de travail, sur lesquels s'empilaient des chips au maïs, des crackers soufflés au bacon, du chili en conserve, des croissants, du soda, des biscuits fourrés, des chaussons fourrés au goût pizza, des frites surgelées et des quatre-quarts. J'étais sûre qu'il m'en parlerait dans la voiture, mais en découvrant les courses à ranger au réfrigérateur – trois plaquettes de beurre, de la mozzarella fumée et deux *litres* de *half and half* – j'avais déjà saisi l'idée générale.

— Ça t'embête si on prend ton pick-up ? ai-je demandé à Fletcher, pressée de ficher le camp.

Je ne voulais pas prendre parti.

— Je crois que c'est plus confortable pour Edison, ai-je ajouté.

— Vas-y. Il s'en est déjà servi pour rapporter chez nous toutes ces cochonneries de chez Hy-Vee.

Edison a saisi le sachet de crackers soufflés au bacon, avant de prendre sa veste et de sortir, le dos voûté. Après s'être hissé sur le siège passager, il a tiré la ceinture de sécurité à son maximum, tandis que je rétrécissais d'une bonne cinquantaine de centimètres la longueur de la mienne, côté conducteur. Il a croisé les bras et baissé le menton, lequel a triplé au passage. L'air renfrogné, il avait réduit ses yeux à une mince fente. Ce qu'il était au plus profond de lui se trouvait ramassé en une boule compacte et dense au centre d'une couche de graisse protectrice ; je sentais qu'il voulait se faire le plus petit possible, et que son périmètre de sécurité ne serait jamais suffisamment étendu pour qu'il se sente à l'abri des forces hostiles. Comme s'il voulait démontrer que, pour se protéger, il ne pourrait jamais grossir assez vite, le temps que je sorte de l'allée en marche arrière, il avait ouvert les crackers au bacon et les engloutissait à travers le portail crispé de ses lèvres plissées, mâchant dans un esprit de représailles les biscuits salés dont la texture rappelait la mousse isolante. Je me demande s'il avait conscience qu'il était lui-même l'objet de sa vengeance.

Nous n'avons pas échangé un mot jusqu'à ce qu'il ait fini le sachet.

— Ne le prends pas contre toi, a-t-il déclaré dans un grognement en froissant le sachet, mais ton mari est un connard.

— Qu'est-ce qu'il a dit ?

— Je n'ai pas l'intention de le répéter.

Je me suis imaginé mon mari en train de choisir soigneusement ses mots. C'est ce qui rendait ses rares invectives aussi cinglantes : il ne perdait pas son sang-froid. J'étais bien placée pour savoir combien de temps la morsure d'un affront soigneusement choisi pouvait continuer de faire souffrir – comme se faire traiter de *langue de carpette* à Verdugo Hills High School, et aggraver son cas en répliquant du bout des lèvres : « C'est un mélange de métaphores. »

— J'imagine que vous vous êtes disputés, ai-je déclaré. À propos des courses.

— Je cherchais simplement à *rendre service*. Pour ne pas être un poids.

J'ai attendu que se dissipe la gêne liée à l'expression qu'il avait choisie.

— Tu sais qu'il est très pointilleux dès qu'il s'agit de nourriture.

— Qui ne l'est pas ? Mais personne ne l'oblige à manger ce que j'ai acheté.

— J'imagine, ai-je avancé délicatement, que le problème concernait les enfants ?

— Ce sont des adolescents. Si vous n'avez que des boulettes de pois chiches à la maison, ils finiront direct au McDo. Merde ! Fletch n'était pas un ayatollah de la bouffe la dernière fois que je suis venu. Qu'est-ce qui s'est passé ?

— Euh… la cuisine croulait sous les restes de Breakbasket – gâteaux aux graines de pavot ou sacs alimentaires remplis de salade de pommes de terre, qu'il nous fallait manger ou jeter. C'est un piège, quand on a été élevé avec l'idée qu'il ne faut pas jeter la nourriture.

— D'autant que ta cuisine, elle déchire, a dit Edison.

— Merci. Mais c'est aussi un piège.

— Ça fait beaucoup de pièges pour une simple salade de pommes de terre !

— Tu ne crois pas si bien dire. C'est à se demander s'il y a eu une époque où les gens mangeaient sans se poser de questions. Chaque fois que j'ouvre le frigo, j'ai l'impression d'avoir sous les yeux une bibliothèque de développement personnel avec l'air conditionné. Enfin bon, quand Fletcher s'est rendu compte que les restes avaient l'effet prévisible, il a un peu pété les plombs. Il faut que tu comprennes : sa première femme est devenue accro au crystal meth. C'est ce qui explique qu'il ait obtenu la garde de Tanner et de Cody. Elle a commencé à en sniffer pour perdre du poids. Mais, rapidement, elle est partie en laissant les enfants tout seuls, a disparu pendant des jours. Elle a perdu plusieurs dents… Elle a eu toutes ces plaies qu'elle n'arrêtait pas de gratter, et ça s'est infecté… Et avec la drogue, pendant la descente, elle ne faisait que dormir. Un cercle vicieux, assez traumatique. C'est à ce moment-là que Fletcher est devenu un peu obsédé du contrôle.

— Ce genre de choses n'arrive pas en un après-midi. Ce type-là, a grommelé Edison, il a toujours été un « obsédé du contrôle ».

— C'est dans sa nature, ai-je concédé. Quoi qu'il en soit, quand il a décidé de perdre du poids, il est devenu littéralement obsédé par le sport et l'alimentation. Et puis, Tanner ne cesse de répéter à ses copains que sa *vraie* mère est une droguée. Un peu comme toi, qui n'arrête pas de te faire mousser en disant que maman s'est suicidée. Tout ça le rend plus morose et plus compliqué.

— *Man*, l'Iowa de nos grands-parents n'est plus ce qu'il était.

— La face cachée n'est pas très reluisante, ai-je répondu, alors que le paysage bucolique qui défilait par la vitre n'en laissait rien paraître.

Dans les champs de maïs labourés, la glume séchée faisait gonfler la terre. Les parcs d'engraissement étaient pleins de bétail sain. Des silos photogéniques perçaient l'horizon plat.

— Aujourd'hui, l'Iowa a un sérieux problème de méth-amphétamine.

— Les Mexicains, a supposé Edison.

— Au départ seulement. Tu peux te procurer tous les ingrédients chez Walmart, à l'exception d'une forme d'ammoniaque dont on se sert comme engrais dans les fermes. Désormais, on la fabrique ici, comme on cultive les tomates et les poivrons verts. Ce qui est pire : la drogue fabriquée localement est plus pure. La glace en provenance du Mexique…

Edison a gloussé.

— La *glace* ! Qui aurait cru que ma petite sœur, dans le fin fond du Midwest, connaissait l'argot des toxicos !

— Dans cet État, même les petites vieilles connaissent l'*argot des toxicos*. Les agriculteurs prennent de la meth pour rester éveillés, quand ils doivent rentrer les récoltes la nuit. Idem pour les camionneurs. Ils l'appellent le *high speed chicken feed*[1]. Et parce qu'elle augmente le métabolisme, les femmes, par ici, sont intéressées au premier chef : elles en prennent pour maigrir.

— Je peux *peut-être* concevoir qu'on se montre plus prudent avec une ex qui est devenue toxico, a concédé Edison en croisant de nouveau les bras. Mais ce type n'a aucune raison de se montrer injurieux envers *moi*.

De façon probablement un peu brutale, Fletcher devait enfin avoir abordé directement le sujet que j'évitais depuis l'arrivée d'Edison. J'en ai eu assez de me sentir lâche. J'aimais penser que mon tact était une expression de ma gentillesse, mais peut-être avais-je simplement voulu ne pas trop me compliquer la vie.

— Écoute…

J'ai fixé mon regard sur la route.

— On n'a pas encore parlé de ça, mais je n'ai pu m'empêcher de remarquer… que depuis la dernière fois qu'on s'est vus… tu as un peu forci.

---

1. Un des surnoms du crystal meth aux États-Unis et au Canada, littéralement « grain à poules ultrarapide ».

Edison s'est esclaffé en se tapant le genou.

— « Oh, mais dites-moi, monsieur Quasimodo, *je n'ai pu m'empêcher de remarquer que vous êtes un peu* voûté. » « Excusez-moi, monsieur le loup-garou, mais *je n'ai pu m'empêcher de remarquer que vous êtes un peu* velu. » J'imagine que tu as finalement « remarqué » que l'Empire State Building est *un peu* haut, que le Soleil est *légèrement* lumineux et que la Terre est un *chouia* arrondie.

J'ai ri moi aussi, ne serait-ce que de soulagement.

— D'accord, d'accord ! Je ne savais pas comment aborder la question.

— Et pourquoi pas : « Ben ça alors, qu'est-ce que t'as grossi ! » Tu crois que j'ignore que je suis gros ? Il y a des miroirs à New York, tu sais.

— D'accord.

M'armant de courage, j'ai cessé de fixer le volant.

— Quand je t'ai aperçu à l'aéroport, j'ai été secouée. Je le suis encore. Je ne comprends pas comment tu as pu prendre autant de poids en quelques années à peine.

— T'as qu'à essayer. Tu verras, c'est pas si dur.

Il avait raison. Il suffisait d'ajouter quatre brioches à la cannelle par jour à une alimentation équilibrée pour prendre cent soixante-cinq kilos en une seule année.

— Mais…, ai-je demandé d'une voix faible. Pourquoi ?

— Sans déc' ? J'aime la bouffe.

— Comme tout le monde.

— Alors, il n'y a pas de mystère ? Tout le monde, ça veut dire moi aussi, et j'aime beaucoup manger.

J'ai soupiré. Je ne voulais pas me le mettre à dos.

— Tu aimerais maigrir ?

— Bien sûr, s'il suffisait d'appuyer sur un bouton.

— Qu'est-ce que tu veux dire ?

— Que *j'aimerais* avoir dix millions de dollars. *J'aimerais* avoir une épouse magnifique – une autre, j'entends. *J'aimerais* la paix dans le monde.

— C'est toi qui contrôles ton poids.

— C'est ce que tu crois.

— Oui. Parfaitement. C'est ce que je crois.

— Toi aussi, tu as pris quelques kilos. Est-ce que tu *aimerais* les perdre ?

— En fait, oui.

— Alors, qu'est-ce que t'attends ? Ou qu'est-ce que t'as attendu ?

J'ai froncé les sourcils.

— Je ne sais pas trop. Depuis que Fletcher a viré au modèle de vertu, on dirait qu'il m'incombe d'être le mauvais élève. Quand je rentre du supermarché avec un paquet de biscuits, c'est comme si j'offrais à tout le monde une soupape de sécurité. Si on n'avait que des edamame dans les placards, tu as raison : Burger King aurait depuis longtemps gagné la bataille auprès de nos enfants.

— Plutôt compliqué pour apprendre à sauter le déjeuner, ma belle.

— C'est peut-être compliqué, en effet.

— Pour moi, ça l'est encore plus, pigé ?

Il devenait agressif.

— T'es pas capable de perdre quinze kilos, et moi, je devrais en perdre... je ne sais pas combien.

— Je n'ai pas besoin d'en perdre *quinze*, merci bien. Neuf, tout au plus.

— T'en fais pas, si c'est un concours, tu auras un bon point.

— Ce n'est pas un concours. Mais on pourrait se mettre d'accord tous les deux pour ne pas empirer les choses. Ce serait déjà un bon début, tu ne trouves pas ? Avec ce que tu manges en ce moment, tu ne vas faire que continuer à grossir.

— Seulement, il y a un petit problème : j'en ai strictement rien à foutre.

Ce qui, naturellement, n'était pas un problème, mais bien le problème.

*

Alors que je me garais devant Monotonous, Edison a demandé :

— Quoi, c'est à toi tout ça ? C'est vachement grand.

Ce n'était guère plus qu'un entrepôt, avec les bureaux au bout, mais il m'appartenait. Mon idée, mes employés : mon projet.

— Je n'ai rien vu venir, ai-je expliqué à Edison qui se soulevait péniblement du siège, mais une des raisons du succès du produit est qu'il suscite la compétition. Non entre les entreprises, mais entre mes clients. C'est à qui aura la marionnette la plus drôle. Ou la plus grossière. On a reçu plusieurs commandes de marionnettes masculines qui ne font que roter, grogner, éternuer, se racler la gorge, cracher. Qui ont le hoquet ou toussent. Un client voulait même que ça pue quand la marionnette pétait, mais c'était au-dessus de nos capacités techniques.

Avec Edison, le court trajet jusqu'à la réception n'a rien eu de court.

— Il y a aussi les modèles pornographiques, ai-je poursuivi. Il a fallu d'abord que je décide si j'acceptais ce type de commandes, mais elles sont si nombreuses… Si une femme veut offrir à son mari une marionnette qui aboie « Suce-moi, salope ! », en quoi ça me regarde ?

J'ai présenté Edison à Carlotta, notre réceptionniste, que j'avais prévenue de l'arrivée de mon frère. Je n'avais rien mentionné d'autre, et j'ai été heureuse que le manque évident de ressemblance familiale ne la fasse pas sourciller.

— C'est un vrai plaisir de faire votre connaissance, a-t-elle dit en lui serrant chaleureusement la main. Votre

110

sœur est le meilleur patron qu'on puisse espérer. Et ce n'est pas de la flatterie pour obtenir une augmentation.

J'ai escorté Edison dans le grand espace ouvert, où vrombissaient deux douzaines de machines à coudre. Le long des murs étaient empilés des centaines de tissus, tandis que dans un coin s'entassaient les sacs de coton de rembourrage.

— Toutes les marionnettes sont personnalisées, mais nous avons néanmoins introduit un peu de standardisation, ai-je expliqué en haussant la voix pour couvrir le bruit des machines, avant de l'entraîner vers les piles de poupées sans vêtements ni cheveux ni expression. Ici, tu peux voir que nous disposons de trois morphologies de base pour chaque sexe : mince, moyen et corpulent. Trois couleurs de tissu correspondent aux types raciaux. Ce sont les éléments que nous produisons en masse. Angela produit à tour de bras des jeans et des vestes en jean, auxquels nous ajoutons souvent un détail caractéristique, comme une broderie, un badge politique. C'est la touche personnelle que les gens apprécient.

— Alors quoi, il suffit de t'envoyer une photo ?

— On travaille parfois à partir d'un jpeg ; certains clients en envoient cinq ou six. Ainsi qu'une liste d'expressions. Nous en recommandons un minimum de dix. On peut en accepter jusqu'à vingt, mais le poème – car, franchement, c'est une forme de poésie – est généralement meilleur avec un nombre plus restreint d'expressions.

Edison a froncé les sourcils.

— Ce sont les trucs que le mec de la photo répète tout le temps dans la vraie vie ?

Manifestement, mon frère n'avait ni lu mes interviews ni consulté mon site web. Est-ce que cela me blessait ? J'étais étonnée que ce ne soit pas le cas. En revanche, j'ai senti s'accroître la tristesse que j'éprouvais à l'égard

d'Edison. Si elle augmentait encore, je risquais de m'évanouir.

— Exactement, ai-je répondu. On a tous des expressions fétiches, mais certaines deviennent une forme de
signature. La plupart des gens n'ont pas la moindre idée
de ce qu'ils répètent constamment, à moins qu'on attire
leur attention dessus. Les répétitions sont révélatrices.
Nos marionnettes sont chères. Mais comme substitut à la
thérapie, c'est une bouchée de pain.

J'ai présenté Edison à mes employés. J'étais fière de
mon équipe. Une activité commerciale fondée sur un
concept humoristique induisait une certaine forme de
jovialité, et tant que les commandes continuaient d'arriver, on s'amusait bien. C'étaient des gens gentils, alors
pourquoi mon premier mouvement a-t-il été de vouloir
protéger mon frère ? Au départ, la façon que j'ai eu de le
présenter contenait une pointe de défi, une façon de dire
« Quoi ? Qu'est-ce que vous regardez ? » qui pouvait leur
faire baisser la tête. Certains pouvaient même avoir effectivement lu dans mon regard : « Vous savez, vous n'êtes
pas si mince que ça. » J'étais consternée de voir que tout
le monde s'arrêtait à la corpulence de mon frère. J'avais
envie de protester : « Mais son esprit n'est pas gros, son
âme n'est pas grosse, son passé n'est pas gros et sa façon
de jouer du piano non plus. »

Mais je n'accordais pas suffisamment de crédit à mes
employés. Il faut aux habitants de l'Iowa de bonnes raisons pour ne pas faire preuve d'amabilité, sans compter
que le penchant de mon nightclubber de frère pour les
crackers au bacon le faisait paraître bien de chez nous.

— Ne croyez pas une seconde les conneries que raconte
cette femme quand elle dit que Monotonous est sur la
pente descendante, a déclaré Brad, le type chétif chargé
d'installer les enregistrements. Les affaires marchent du

tonnerre. C'est pas demain la veille que les gens dans ce pays n'auront plus personne de qui se payer la tête.

J'ai expliqué qu'Edison était pianiste de jazz à New York.

— Comme *doo-doo-doo-BAM-doo-BAM-doo-doo-doo-dum-dum-DIDLE-DIDLE-dum-doo-dum…* ?

Brad s'était lancé dans un récital sonore assez drôle.

Edison a éclaté de rire.

— Plutôt quelque chose comme : *Dit. Du-dit. Du-dum-doodly-doo…*

Il a terminé sa petite improvisation au rythme entraînant, et tout le monde a applaudi.

— Tout ça me dépasse ! s'est écriée Angela tout en retournant les manches d'une veste en jean miniature. J'ai bien peur qu'ici on écoute plutôt Barry Manilow, mon chou. Quel dommage que vous ayez raté la récolte du maïs ! Mais pendant que vous êtes ici, demandez à votre sœur de vous faire goûter les côtes de porc grillées à la paysanne. Et filez au Herbert Hoover Presidential Museum. C'est formidable.

— Dès que nous aurons visité le monument à Enron.

Comme Angela ne relevait pas, Edison a ravalé d'autres plaisanteries sur cet État qui commémorait Herbert Hoover, un natif de l'Iowa que le reste du pays tenait pour un modèle d'incompétence. Quand il a plaisanté sur la façon dont sa petite sœur jouait de son autorité, je me suis empressée d'en faire une démonstration : il était temps de se remettre au boulot !

— Nous sous-traitons toute l'électronique, ai-je expliqué, une fois que nous nous sommes retirés dans mon bureau. Mais nous nous chargeons de l'audio. Au départ, je demandais aux clients d'envoyer leurs propres enregistrements pour que les marionnettes aient la voix des victimes – c'est ainsi que nous les appelons ici, comme dans les séries policières. Mais des clients se sont plaints que, même si la victime répétait « Ça me prend la tête ! » cinquante fois par jour, c'était la croix et la bannière pour réussir à l'enregistrer. En plus, les clients étaient mal à l'aise à l'idée de rôder autour de leur conjoint avec un enregistreur numérique dans la poche. Alors, nous avons décidé d'engager des acteurs, et je trouve la satire plus réussie avec une autre voix, sans compter que cela adoucit un peu la moquerie. Trouver le bon acteur relève aussi d'un savoir-faire. Entre autres choses, je suis aussi directrice de casting.

— Tu reconnaîtras quand même, a déclaré Edison en prenant place dans le fauteuil de mon bureau, que tout ça est super bizarre.

— Je sais que c'est dingue, ai-je admis sans difficulté. Mais on fabrique des produits bien plus débiles encore.

— Quoi, par exemple ?

— En Chine, des usines entières sont consacrées à la fabrication de jouets horribles, laids et inutiles destinés aux enfants américains, qui les cassent après avoir joué avec une seule fois. Je fabrique des jouets attrayants pour adultes, dans des matériaux naturels, et qui sont chéris comme des membres à part entière de la famille. Et ces marionnettes ne sont pas uniquement un moyen pour les gens de se dire ce qu'ils ne supportent plus chez l'autre. Elles sont aussi un moyen de dire à l'autre qu'on l'aime.

— Tu crois ? Pour moi, c'est plutôt le genre de truc qu'on achète quand on a la haine envers quelqu'un.

— Curieusement, ce n'est pas si simple de piéger les tics de langage. Certains clients passent des mois à étudier leur proche et à prendre des notes. Ce niveau d'attention est un compliment. Et pour nous, chez Monotonous, ça a été comme un cours de psycho en accéléré. Tu devrais lire certaines listes d'expressions.

J'ai fouillé parmi les papiers de mon bureau tout en ajoutant :

— Ce sont de véritables études de personnalité en

abrégé. Tiens, prends celle-ci. Louisa travaille en ce moment sur la création du costume ; elle a baptisé la marionnette « M. Ça-vaut-pas-le-coup ».

J'ai tendu à Edison la photo d'un type grand et mince aux cheveux roux ébouriffés, les mains suspendues en l'air dans un geste désespéré, ainsi que le script correspondant :

« On n'y arrivera pas. »

« J'arrête pas de la journée. »

« C'est pas à moi qu'il faut demander ! »

« C'est pas possible. »

« J'ai pas le temps. »

« C'est une catastrophe ! »

« J'ai trop de choses sur le feu. »

« Ça n'arrivera pas. »

« Laisse tomber. »

« On trouvera jamais à se garer. »

« Ça marchera pas. »

« Je parie que c'est déjà complet. »

« J'peux pas ! »

« Qu'est-ce qu'on doit faire ? »

« Je lâche l'affaire. »

— Un optimiste de première, a commenté Edison.

— Inhibition et défaitisme chroniques. Révélateur, tu ne trouves pas ? Tiens, celle-ci aussi est marrante.

Sur la photo, une petite femme ronde, jeune, vêtue d'une jupe en lycra pailleté, levait son verre en direction de l'appareil. Quelqu'un de l'équipe allait s'amuser avec tous ces bijoux. L'e-mail joint répertoriait les expressions suivantes :

« Je n'ai pas *tant* de cartes de crédit. »

« Jusqu'à l'année prochaine, ça ne fait que cinquante cents par jour ! »

« Pas de souci, on peut prendre un second prêt immobilier. »

« Cette maison vaut une fortune ! »

« Hors de question que je te dise le prix. »

« Mais ce sac était soldé à 50 % ! »

« Tout ce qui t'intéresse, c'est le fric. »

« On a juste quelques petits problèmes de trésorerie. »

« Je mérite d'avoir de belles choses. »

« *[Sur un ton humble]* Je crois que j'ai explosé mon for-fait texto. »

« Hors de question que je te réponde si tu me parles sur ce ton ! »

— On en a eu plusieurs comme ça. Tiens, celle-ci est plus subtile.

Je lui ai tendu la photo d'une femme d'âge moyen, à l'air tout à la fois satisfait et contrarié, vêtue d'une robe marron à la coupe stricte. Probablement un membre de la belle-famille ou une grand-mère, avec cette habitude de toujours passer après les autres.

« Pour la glace, je prendrai le parfum qui reste. »

« N'arrêtez surtout pas la clim pour moi ; je peux mettre mon manteau. »

« Ne vous souciez pas de moi ; c'est ce que les enfants ont envie de faire qui compte. »

« Non, non, si Betsy veut regarder "The Voice", je peux aller lire. »

« Que Doug prenne la chaise pliante, je peux m'asseoir par terre. »

« Hors de question ! On dit qu'il n'y a rien de mieux pour le dos qu'un matelas dur. »

« Si tout le monde veut qu'on ferme la fenêtre, je ne vais quand même pas m'y opposer. On est en démocra-tie. »

« L'eau du robinet m'ira parfaitement. »

« Allez-y sans moi ! Je vous gênerais. »

« Chérie, prends la dernière gaufre. Je mangerai du pain. »

— Cette bonne femme est flippante ! a déclaré Edison, surpris de trouver mon entreprise plus intéressante que la plupart des usines de jouets.

— Nous l'avons baptisée « Pauvre de moi ». En théorie, la personne « chiante » n'a pas conscience d'être passive-agressive. Mais si cette femme est un tant soit peu en phase avec elle-même, la prochaine fois, elle commandera de la glace à la fraise, point barre. Parce que c'est ce qu'elle veut, et qu'elle peut avoir ce qu'elle veut si elle le demande directement… Tiens, il y a aussi celle-ci. Elle est arrivée ce matin. C'est ma préférée du moment.

La photo représentait un homme à l'air prétentieux et dominateur, vêtu d'une chemise de bowling et soulevant une hache. Il était aisé de l'imaginer aboyer sans relâche :

« Reprends-toi ! »

« Tu n'as qu'à te faire une raison. »

« Arrête de te plaindre. »

« Bouge-toi ! »

« À l'armée, on n'accepterait jamais une excuse pareille. »

« [Fredonné sur un air de Cat Stevens] Oh, baby, baby, it's a hard world. »

« Tout le monde s'en fout, capisci ? »

« Tiens le coup, mec. »

« En selle ! »

« Laisse tomber. »

« T'es une vraie gonzesse. »

« Boucle-la. »

« Tu dois garder le contrôle. »

« À d'autres ! »

« Je fais cent pompes tous les matins ; tu pourrais au moins en faire cinq. »

J'ai souri.

— Tu t'imagines avec un connard pareil comme père ?

— Ouais, enfin, dans le genre on avait ce qu'il fallait.

— On devrait vraiment faire une marionnette de Travis.

— J'ai comme l'impression que je n'aurais pas de quoi la payer.

— Gratuitement. Tu connais la patronne. « Dans les années 1970, j'ai ajouté en adoptant le ton bourru et la virilité exagérée de notre père, on ne respectait pas les acteurs de télé ! »

— Mais c'est un produit haut de gamme. Des jouets pour les riches.

— Pas exclusivement. Et puis, quand tu as joué à l'Irridiated…

— À l'*Irridium*.

— Là-bas, l'entrée est à trente dollars. Et deux consommations minimum. Toi aussi, tu cibles une clientèle qui a les moyens.

Quelque part sur le panneau qu'était devenu le visage de mon frère, j'ai détecté une grimace. Comme par réflexe, Edison a extirpé une barre chocolatée d'une veste dont j'aurais souhaité qu'elle n'ait pas de poches aussi volumineuses. J'ai lancé :

— Pourquoi crois-tu que ça va t'aider à te sentir mieux ?

Edison a froncé les sourcils avec circonspection.

— La plupart des gens se sentent mieux en mangeant du chocolat. Et qu'est-ce qui te fait croire, sœurette, que j'ai besoin de « me sentir mieux » ?

L'atmosphère devenait électrique dès qu'on abordait la question de la nourriture avec Edison.

— Je me disais simplement qu'on allait bientôt dîner. Et que tu n'allais plus avoir d'appétit.

— De l'appétit, j'en ai à revendre, a-t-il répliqué comme s'il pointait une arme.

J'ai reculé. Depuis que l'obésité était devenue un enjeu social en plus d'une problématique personnelle, les personnes obèses devaient avoir l'impression que tout le monde se mêlait de ce qu'elles mangeaient. En toute franchise, parce qu'il s'agissait de mon frère, j'avais vraiment l'impression que cette barre chocolatée était mon affaire. Dès qu'Edison mangeait des aliments caloriques ou sucrés en ma présence, je m'agitais, comme s'il était sur le point de s'ouvrir les veines avec une lame de rasoir à la vue de tous.

D'un pas tranquille, nous nous sommes dirigés vers la voiture. Edison avait encore du caramel dans la bouche, et je n'ai pas compris ce qu'il m'a dit.

— Plutôt *impressionnant*, a-t-il répété, irrité, en s'arrêtant pour me regarder dans les yeux. Je parle de ton entreprise. Je n'arrivais pas à me représenter les choses. Ton entreprise de restauration, je voyais bien ce que c'était. Je trouvais ça cool, tu bossais beaucoup, sans parler du reste. Mais ce truc, Monotonous… c'est autre chose. On boxe dans une autre catégorie. Ne le prends pas mal, mais je n'aurais jamais cru que tu pouvais le faire. Et je ne te parle même pas de l'organisation. Cette usine, ça me fout une claque, *man*. Tu parles d'une réussite, et je… (Sa voix a tremblé alors qu'il posait sa main tachée de chocolat sur mon épaule.) … je suis vraiment fier de toi.

Pour lui, c'était une chose difficile à dire, et je l'ai admiré pour l'avoir fait. Quand, à mon tour, j'ai répondu : « Moi aussi, je suis fière de toi », je le pensais.

8

CODY ADORAIT SON ONCLE. Elle continuait d'exprimer physiquement l'affection simple qu'elle avait ressentie d'instinct, en devinant qu'il avait souvent dû être tourné en ridicule et mis à l'écart. Bien qu'il n'ait jamais particulièrement aimé les enfants, Edison était incapable de dire non à ma belle-fille. Seule son insistance a fini par le pousser vers le piano, à l'égard duquel il avait développé une sorte de phobie.

Cody travaillait toujours « Bridge Over Troubled Water », après avoir découvert le 33 tours dans ma discothèque fatiguée ; elle avait commandé sur internet un recueil des chansons de Simon and Garfunkel. Grâce aux recommandations d'Edison, elle apprenait à jouer le morceau sans en souligner la sentimentalité.

— Ne rajoute pas de pathos, lui conseillait mon frère par-dessus son épaule. Sois cool.

— Et si tu me montrais plutôt ? a-t-elle insisté un soir.

J'ai différé le moment de mettre la table pour assister, curieuse, à leur échange. Que mon frère refuse de jouer dépassait mon entendement. Quand j'avais un peu moins de trente ans, j'avais déniché pour Edison ce Yamaha droit d'occasion auprès d'un voisin qui me l'avait cédé pour le prix de l'enlèvement, car mon frère conditionnait ses visites dans l'Iowa au fait de pouvoir travailler le piano. Lors de ce séjour mémorable, l'un des points de friction entre Fletcher et Edison avait donc été le piano. Du piano matin, midi et soir : Fletcher en avait eu marre. Jamais je n'aurais pu imaginer le contraire, à savoir qu'Edison refuse d'approcher l'instrument.

— *S'il te plaît*, a supplié Cody. Tu es venu nous voir quand j'étais petite, et tu jouais tout le temps. Tu étais génial !

— Quoi, tu t'en souviens, ma puce ? a demandé Edison.

— C'est en partie pour ça que j'ai décidé d'apprendre le piano. Tu m'as inspirée.

Je doutais que cela fût vrai, mais elle a noué ses bras autour du pull noir miteux d'Edison, de la taille d'un mouton afghan, en répétant :

— *Oh, s'il te plaît, s'il te plaît !*

Il a posé les mains sur les épaules de Cody, avant de les retirer précipitamment, comme s'il craignait qu'on lui demande d'arrêter.

— Bon, d'accord.

Ils ont échangé leur place, et la banquette a craqué. La disproportion inquiétante entre le musicien et l'instrument m'évoquait Schroeder, martelant du Beethoven sur un piano jouet.

Edison a interprété la première strophe telle qu'elle était écrite. Il y avait une drôle d'hésitation dans sa façon de jouer – comme s'il lui fallait du temps pour trouver les accords. Mais au moment où il a attaqué le refrain, il avait repris une certaine assurance. Je l'avais rarement entendu jouer un air familier sans – comment dire ? Je sais que je vais passer pour une ignorante –, à mes oreilles, le bousiller. Admirative, j'ai arrêté ce que j'étais en train de faire – à savoir plier la nappe devant le vieux fauteuil bordeaux. J'avais toujours trouvé cette chanson un peu trop « mélo », avec, sur le disque, les cordes qui ressortaient trop. Mais le jeu d'Edison était sobre et mélancolique. C'était magnifique. J'ai eu un pincement au cœur. Ce n'était que lorsqu'il jouait de façon fidèle un morceau connu que je me rendais compte à quel point il était un pianiste talentueux.

Peut-être était-ce la façon dont, cette fois, il a commencé à jouer, sans rien changer à la partition… Lorsqu'il a attaqué la strophe suivante en altérant peu à peu les accords, je n'ai pas lutté dans ma tête contre ces changements ; j'ai entendu la logique de la progression, le morceau était reconnaissable et même… meilleur. Il a continué à pousser les accords vers plus de dissonance, jusqu'à ce que le morceau perde toute trace du pathos qui contaminait la chanson mièvre dont mon enfance avait été bercée. Et au moment où je commençais à résister, lorsque le morceau risquait de basculer dans une sorte de cacophonie, toute trace de la mélodie d'origine perdue, Edison l'a réintroduite, jouant un dernier refrain normalement – avec douceur, tristesse, sans violons. Je me suis dit alors, pour la première fois je crois, que cette chanson, dans son essence, était vraiment bonne.

Cody a applaudi à tout rompre, et j'ai joint mes applaudissements aux siens.

— Mais pourquoi tu ne joues pas plus souvent ? ai-je demandé d'une voix douce.

Edison m'a lancé un regard opaque.

— Tu as toute la nuit ?

Puis les pieds de la banquette ont de nouveau crissé sur le parquet, et rien, pas même les louanges de Cody, n'ont pu le convaincre de se réinstaller au piano.

*

En évoquant ce souvenir, loin de moi l'idée de laisser entendre qu'à cette époque l'harmonie régnait à la maison. Les dîners étaient des champs de bataille. Depuis qu'il avait été ébloui par la lumière dans les allées de Hy-Vee, Fletcher s'était chargé de préparer la plupart de nos dîners (une invasion de mon territoire dont j'aurais dû lui être reconnaissante, compte tenu du travail qu'il m'épargnait). Or, après l'arrivée d'Edison, les repas préparés par mon mari avaient donné prétexte à une application encore plus stricte des dogmes de la nutrition. Nous nous noyions dans le boulgour et le quinoa. Mais Fletcher ne pouvait empêcher Edison d'ajouter du beurre dans les céréales ou de faire disparaître son tempeh sous des couches de fromage au poivre ; mon frère était un invité, ainsi qu'un adulte.

Et puis il y avait les autres soirs, ceux où Edison cuisinait. Il préparait des bacs de chili et se vantait de confectionner ses lasagnes – trois plats – avec cinq variétés de fromage. En dépit des quantités industrielles englouties par Edison à table, nous étions submergés par les restes, et bientôt le congélateur a commencé à déborder de boîtes en plastique et de portions emballées dans du papier aluminium. Les soirs où Edison était aux fourneaux, pour concocter la version non casher des repas de Fletcher, mon mari se préparait un repas à part ; il enfournait un filet nature de lieu décongelé et se débrouillait pour faire cuire son riz brun à grain court dans une casserole posée sur le seul brûleur qu'Edison n'avait pas réquisitionné. Le refus de Fletcher ne serait-ce que de goûter ce qu'Edison avait passé la journée entière à préparer rendait ce dernier furieux. Sans compter que Fletcher, juché en bout de table devant son petit filet de poisson spécial et son petit riz spécial avait l'air snob et froid.

Je me montrais reconnaissante envers Edison pour ses repas gargantuesques, qui lui donnaient l'impression de ne pas être un pique-assiette. Cependant, avec le temps qu'il passait à cuisiner, sa vie tournait encore plus autour de la nourriture. Il était facile de piocher allègrement dans les poêles où mijotait du bœuf, et, par comparaison, la taille des plats faisait paraître dérisoires les portions généreuses que le chef se servait à table. C'était notre cuisine, et seuls l'argent que je lui glissais et le pick-up que lui prêtait Fletcher lui permettaient de se procurer tous ces ingrédients. En fournissant le lieu et le matériel, j'étais complice. Bien que j'évite la balance de la salle de bains avec la même constance qu'Edison fuyait le piano, j'étais sûre d'avoir pris un kilo ou un kilo et demi.

La générosité de mon frère transformait la cuisine en Tchétchénie, mais elle n'incluait pas le nettoyage. Ces soirs-là, je me retrouvais à récurer des casseroles et à nettoyer des plans de travail, tandis qu'Edison picorait le dessus gratiné de la moussaka dont les aubergines frites avaient absorbé près d'un litre d'huile d'olive extra-vierge. Fletcher étant parti se coucher, nous ouvrions alors une bouteille de vin et veillions tard, nous remémorant ensemble certaines tentatives aussi désespérées que mémorables de Travis pour conjuguer au présent sa gloire passée.

— Tu as déjà pensé à reprendre le nom d'Halfdanarson ? ai-je demandé un soir à Edison en basculant ma chaise pour poser un pied sur la table. L'association avec Appaloosa commence à être gênante.

— *Edison Halfdanarson*, ça le ferait pas sur une affiche. En plus, je me suis fait connaître sous le nom d'Appaloosa. Je le garde.

— Maman avait trouvé ça très drôle que tu prennes le pseudonyme un peu gnangnan de Travis. Elle croyait que ça ne serait que temporaire.

— Et c'est devenu permanent. Appaloosa attire l'attention. Halfdanarson – le prends pas mal, sœurette –, c'est nul, comme nom. Un nom de loser.

— Plus maintenant, ai-je riposté d'un ton brusque.

À la moindre allusion à Baby Monotonous, l'air se

figeait, aussi j'ai préféré revenir au combustible qui alimentait nos conversations.

— Tu te souviens de l'épisode où Mimi tentait de manipuler ses gamins pour qu'ils prennent son nom de jeune fille ? Je me souviens qu'elle disait : « Maple *Barns*, ça sonne très bien », et elle parlait de son « inestimable » ascendance. L'un des meilleurs épisodes. C'est marrant, tu crois que les noms ont été choisis au hasard ? *Barns*, les « granges », sont des structures civilisées, construites de la main de l'homme, tandis que *fields*, les « champs », relèvent de la nature, comme le penchant d'Emory pour l'écologie. Mais en même temps, il ne peut y avoir de *barns* sans *fields*, comme si Emory et Mimi étaient faits l'un pour l'autre après tout…

Edison a pouffé.

— Tu accordes bien trop de crédit à ces gens. Tu as remarqué comme tu prends toujours le parti de cette série ?

J'ai éclaté de rire.

— Je ne veux peut-être pas croire qu'elle était à ce point affligeante.

— Mais tu l'as revue dernièrement ? Dans la vraie vie ?

— Malheureusement oui. Elle a mal vieilli. Et pourtant, on ne ratait pas un épisode ! Tous les mercredis soir, c'était le même cinéma : on faisait semblant de ne pas s'en souvenir ou d'avoir autre chose à faire, mais on finissait toujours devant la télé à 9 heures. J'aimais bien cette série, quand j'étais plus jeune, et Travis aussi la regardait avec nous.

— C'est ça qui nous a rencardés. Quand il a arrêté. C'est là que ça a commencé avec Joy Markle.

— On ne peut pas vraiment lui en vouloir. Maman avait toujours la migraine. Elle a dû voir tout au plus une poignée d'épisodes. Il a dû se sentir rejeté.

— Qu'est-ce qu'elle détestait cette série ! Sans parler de

ce que la célébrité avait fait de Travis. Elle détestait L.A. Elle détestait tous les faux jetons que Travis entraînait dans son sillage. Toute sa vie, tout ce qu'elle voulait faire, comme chanter par exemple, tout a été écrasé.

— De ce point de vue, sa mort est peut-être une métaphore, ai-je ajouté d'un ton mélancolique. Est-ce qu'il t'arrive parfois de te dire qu'on se moque de Travis pour la simple et bonne raison qu'il est toujours en vie ? Là où je veux en venir, c'est que maman est morte avant qu'on puisse porter un regard critique sur elle, en tant qu'adultes. Ça la protège.

Edison a eu un petit grognement.

— Si elle était encore en vie aujourd'hui, elle nous rendrait peut-être complètement dingues. Et ce disque, le seul, qu'elle a autoproduit, *Magnolia Blossoms* ? J'ai piqué le dernier exemplaire à Travis. Je doute qu'elle aurait pu faire carrière. Sa voix était trop fragile.

— Tout chez elle était trop fragile. N'empêche : sa voix avait une pureté rare. J'adorais quand, pensant être seule à la maison, elle attaquait « I Am a Poor Wayfaring Stranger » près de la piscine. C'était encore mieux quand tu l'accompagnais – et tous ces standards de Cole Porter que vous aviez travaillés tous les deux, comme « Ev'ry Time We Say Goodbye » ? C'est ainsi que je me souviens d'elle, debout derrière toi au piano, en train de chanter : *I di-ie a little…* Elle aurait été heureuse de savoir que tu es devenu pianiste. Si elle te voyait maintenant…

J'ai détourné les yeux.

Edison n'a pas paru vexé.

— Dis, est-ce que tu te souviens des paroles ? De la chanson du générique ?

— Ah ! Je ne m'y suis plus essayée depuis des années.

— *Emory Fields* est *un père modèle,* a commencé à fredonner Edison de sa voix grave et solide.

Il était 2 heures du matin, et j'aurais dû lui dire de ne pas faire de bruit, mais j'ai joint ma voix à la sienne, j'étais trop curieuse de découvrir si je me rappelais encore les paroles.

Les personnes qui ont reçu une éducation chrétienne n'oublient peut-être jamais les paroles de « Peuple fidèle ». D'autres sont en mesure d'attaquer *Marguerite, pleures-tu/ Sur l'or du bois dévêtu ?* des décennies après avoir appris par cœur le poème de Gerard Manley Hopkins pour obtenir un A en littérature. Je ne sais pas s'ils signifient quoi que ce soit, ces marquages permanents dans nos cerveaux, comme autant d'inscriptions sur une tombe. Quoi qu'il en soit, l'un de ces épigraphes mentaux serait bel et bien le dernier souvenir à s'éroder en maison de retraite. Car le jour où je ne me souviendrai plus des paroles du générique de *Garde alternée*, il ne me restera plus qu'à tirer le rideau :

Emory Fields est un père modèle,
Sa vie de hippie n'est pourtant pas si belle,
Peace and love, tu parles d'un quotidien,
Vivre à la dure, l'hiver, ça craint.
Les toilettes dehors, au secours ça craint,
Sans le confort urbain, sa dame se plaint.

Refrain :
Ga-ar-de alternée !
Fa-a-mille fracturée !
Maman déteste papa qui déteste maman,
Ce n'est pas le refrain qu'on te chantait enfant.
Ils disent tout le temps que ce n'est pas ta faute,
Mais faut leur dire, vite fait, et que ça saute
Que jamais t'as cru que c'était ta faute.
Coincé entre les deux, tout n'est pas rose.

Un beau jour, elle fait ses valises, Mimi,
Sous son nom de jeune fille, elle fait le barreau.

Là-bas, dans la grande ville, tout lui réussit,
Mais il y a quand même une ombre au tableau :
Emory, l'ex-père modèle, réclame la garde
De la pauvre petite et des deux petits génies.

[Refrain]

Oui, Teensy Fields est un génie des maths,
Mais 1 + 1 n'égale pas 2 dans cette équation.
Elle a beau faire preuve d'une grande persuasion,
Ses parents sont à fond dans la confrontation.
Caleb, lui, préfère le piano jazz,
Et laisse ses parents à leurs disputes de nazes.

[Refrain]

De quel côté es-tu ?
De quel côté es-tu ?
De quel côté es-tu ?
DU MIEN !

La mélodie était un peu mièvre, mais tout à fait le genre à s'insinuer dans votre tête et à ne pas vous lâcher de la journée. Mais le boum-boum hard rock du refrain ne se prêtait pas à une expression discrète appropriée à l'heure tardive. Dans le générique aussi, le final en apothéose était hurlé par-dessus une ligne de batterie déchaînée, *DU MIEN !* coïncidant avec un coup de cymbales sonore que je me suis employée à reproduire à l'aide d'une cuillère en bois : j'ai frappé avec un saladier en acier inoxydable dans l'égouttoir.

— Je te jure, ai-je articulé, riant aux éclats, le souffle court, que la phrase *De la pauvre petite et des deux petits génies* m'a traumatisée pendant des années…

Je me suis tue brusquement, j'ai retiré mon pied de la table et reposé au sol les pieds artisanaux de la chaise. Edison s'est redressé dans le fauteuil relax et a réajusté

128

son gilet pendant que mon mari se dirigeait d'un pas résolu vers l'évier pour se servir un verre d'eau. Pendant une minute, personne n'a rien dit, en dépit du regard sans équivoque que Fletcher a lancé à la bouteille de vin vide.

— Tu as l'intention de venir te coucher ? m'a-t-il demandé sur un ton mesuré.

— Bien sûr, ai-je répondu. Je ne m'étais pas rendu compte qu'il était si tard. Désolée.

En apparence, avec le bruit que nous venions de faire, la transgression dont je m'étais rendue coupable était d'avoir réveillé mon mari : un manque de considération caractérisé. Fletcher devait se lever dans trois heures, cependant il n'avait aucune obligation de le faire ; ce n'était donc pas ce qui me faisait culpabiliser. Quand Fletcher était apparu dans l'encadrement de la porte dans sa robe de chambre, il m'avait rappelé la façon dont Travis, en surgissant dans notre cuisine de Tujunga Hills, nous coupait dans notre élan joyeux ; nous faisions alors semblant de nous replonger dans nos devoirs ou nous chargions en silence le lave-vaisselle en attendant qu'il s'en aille. Ainsi, ma véritable trahison consistait à rejouer cette ancienne configuration. C'est avec Fletcher que j'aurais dû veiller tard à refaire le monde. Et mon mari et moi aurions dû nous arrêter de parler en voyant mon frère entrer.

*

Si, dans une certaine mesure, j'attendais avec impatience le départ d'Edison pour sa tournée au Portugal et en Espagne à la fin novembre, c'était essentiellement en raison de cette impression d'être « coincée entre les deux, tout n'est pas rose » qui me rappelait *Garde alternée*. Quand je rentrais chez moi après ma journée chez Mono-tonous, fallait-il que je passe du temps dans la cuisine avec Edison ou que je descende à la cave pour dire bonsoir à Fletcher ? Si j'optais pour la seconde solution, ce n'était pas pour autant que mon mari s'arrêtait de couper un morceau de bois avec sa scie de table assourdissante, ses lunettes de protection si brouillées par la sciure que je n'avais pas la moindre idée de ce qui se passait derrière. J'attendais qu'il termine pour lui faire signe, sans récolter généralement plus qu'un hochement de tête avant qu'il attaque une autre pièce de bois. À quoi bon ? Je remontais. Si ce soir-là Fletcher réapparaissait pour préparer le dîner, Edison était le plus souvent en train de jacasser dans son trône bordeaux, à parler de jazz. (« Jarrett se prend pour une diva, expliquait mon frère, au point qu'il n'hésiterait pas à arrêter un concert simplement parce que quelqu'un dans le public *tousse*. C'est pas des salades. En hiver, pendant les concerts, on distribue gratuitement au public des pastilles contre la toux avant que l'éminent maestro daigne poser ses doigts sur les touches. Ou alors il demande au public de tousser ensemble une bonne fois pour toutes ! T'imagines ! » La remarque n'avait rien de subtil : Edison éprouvait une jalousie maladive envers Keith Jarrett, l'un des rares contemporains de mon frère dont nous autres avions entendu parler.) J'aurais pu tolérer le verbiage d'Edison, si ce n'est qu'au fond il ne disait jamais rien. En tout cas, rien qui n'ait de contenu émotionnel sincère. Il adorait parler, et il était loin d'être un mauvais conteur, mais il aurait pu passer toute la journée à deviser sans révéler quoi que ce soit de lui.

Pire, je sentais qu'Edison rendait Fletcher dingue. La colère de mon mari était si palpable que j'étais terrifiée à l'idée que mon frère finisse par en percevoir le hurlement inaudible. Pourtant, à mesure qu'Edison aspirait tout l'air conversationnel de la pièce, Fletcher n'en devenait que plus morose et plus silencieux. Peu expansif par nature, mon mari ne pouvait se retrancher davantage encore dans sa réserve sans cesser totalement de s'exprimer. Et c'est à peu près ce qui était arrivé : d'une communion silencieuse, nous en étions arrivés à ne plus nous parler.

*

Outre sa fonction de consultant technique chez Baby Monotonous, Oliver Allbless était mon confident. C'est auprès de lui que je déversais ma répulsion absolue envers l'engouement fanatique de Fletcher pour le vélo, ma perplexité face au constat que la rigidité de son alimentation nous séparait alors qu'il ne s'agissait que de nourriture, mon indignation à voir mes propos déformés dans la presse, car personne d'autre ne voulait m'écouter me plaindre qu'on parle de moi dans les magazines nationaux, et encore moins entendre mon opinion assez peu diplomatique sur la ridicule ambition de mon beau-fils à devenir scénariste. Oliver était un bel homme, à l'allure dégingandée, aux manières affables, et nous avions eu lui et moi une histoire dont j'avais minimisé l'importance à Fletcher, qui néanmoins n'était pas dupe. En général, je faisais donc en sorte que tous deux ne se côtoient pas, en m'arrangeant néanmoins pour les regrouper suffisamment souvent dans la même pièce pour attester : *Tu vois ? Je n'ai rien à cacher.* En présence de Fletcher, Oliver se montrait déférent, s'inclinant devant le mâle dominant dans une attitude de soumission si typique qu'on se serait cru dans un documentaire de la chaîne Wild Kingdom. Il demandait à Fletcher de lui montrer ses dernières créations et avait avec moi des conversations neutres sur l'efficacité énergétique incertaine de l'éthanol, sans jamais laisser entendre qu'il était au courant, me concernant, de quoi que ce soit de plus privé que mon point de vue sur la politique agricole. Depuis l'arrivée d'Edison, j'avais fait

131

l'impasse sur cet exercice délicat, redoutant d'être déchi-
rée non plus en deux mais en trois. Au bout d'un certain
temps cependant, j'ai invité mon ami à dîner avec nous.
Je voulais qu'il rencontre Edison, ne serait-ce que pour
nous permettre de parler de lui après son départ.

J'avais préparé Oliver à la transformation de mon frère,
et quand ils se sont serré la main, mon ami a réussi à
cacher son incrédulité avec plus de talent que la plupart
des gens. Pendant le dîner, Oliver s'était extasié sur la
salade d'orge et de champignons, alors que Tanner, à côté
de moi, murmurait : « J'y crois pas, ça a même un goût
de beige ! »

— Tu savais que ton homonyme, Machin Fletcher,
a annoncé Edison à mon mari, avait lancé sa propre
méthode au début du XXe siècle ? Il se faisait appeler « Le
grand masticateur ». Il rendait tout le monde dingue avec
sa méthode. Il fallait *mâcher* chaque bouchée entre trente-
deux et *quarante-cinq* fois. Même le jus d'orange, il fallait le mâcher. Avec lui, manger c'était vraiment l'horreur.
Vous seriez devenus super potes, tous les deux !

Désireux de ne pas épiloguer sur la réaction on ne peut
moins élogieuse de mon frère vis-à-vis de la cuisine de
Fletcher, Oliver s'est enquis de la carrière d'Edison, sus-
citant bien évidemment une réponse prolixe. En retour,
Edison n'a posé aucune question à Oliver. Je me tenais
un peu en retrait, et j'étais partagée. Je voulais être fière de
mon frère ; d'un autre côté, j'espérais aussi qu'il se com-
porterait le plus possible comme un goinfre afin qu'Oliver se rende compte de ce que nous devions supporter.

— Dis-moi, Tanner, a déclaré Oliver, maître dans l'art
de l'impartialité sociale. Auprès de quelles universités tu
comptes déposer des demandes d'inscription ?

Tanner a lancé un coup d'œil prudent à son père.

— Aucune, pour tout vous dire. Je ne suis pas trop
branché fac.

— Et la réciproque est vraie, a répliqué Fletcher d'une voix forte. Aucune ne t'a admis.

— Vous savez tous à quoi ça sert, les études, pas vrai ?

Jusqu'ici, la logorrhée d'Edison s'était nourrie d'un agacement que j'avais appris à identifier comme une réaction à l'égard de la cuisine chagrine de Fletcher. Mais comme je venais de dévoiler ma tarte à la ricotta – plus légère que le cheesecake traditionnel, mais avec deux fois moins de calories, mon frère allait en manger deux fois plus –, Edison s'est détendu et est devenu expansif.

— Vous savez ce que c'est vraiment, un diplôme ? C'est un bout de papier qui dit qu'on a suivi les règles. Qu'on est un bon petit soldat, et qu'on fait ce que les autres attendent de nous. Les diplômes, ça oblige à franchir des obstacles et à se conformer à un ensemble arbitraire de critères, et peu importe lesquels : ce qui compte, c'est qu'on coche les bonnes cases. C'est un entraînement pour apprendre à gâcher sa vie au boulot. Si les employeurs exigent ce bout de papier, c'est pour être sûrs que, jour après jour, vous traînerez vos misérables fesses jusqu'à leur open space, et que, peu importe le degré de futilité ou de stupidité de l'ordre, vous *ferez ce qu'on vous demande*.

— Et comment tu pourrais le savoir, mon pote ? a demandé Fletcher. T'es jamais allé à la fac.

— Bien sûr, c'est ce qu'on veut te faire croire, a répondu Edison d'un ton nonchalant, sa main s'agitant dans la poche de son gilet – il comparait les mérites de finir sa diatribe à ceux de s'éclipser pour fumer. La fac, ça doit être une sorte de rite d'initiation secret, à huis clos, que je ne peux bien sûr pas comprendre à moins d'être passé par là ; un peu comme les Massaï, qui conduisent les garçons pubères dans la forêt. Et surprise, mon pote : on te coupe la bite.

— Dans certaines disciplines, il est important de maîtriser un corpus d'informations, a déclaré Oliver.

— Les informations sont disponibles, mec, si t'as envie d'aller les chercher. Le diplôme, ça donne juste l'*apparence* d'avoir maîtrisé ces informations, tu me suis ?

— Je ne suis pas sûr que j'aimerais rouler sur un pont conçu par un type qui a appris l'ingénierie mécanique sur internet, a répliqué Oliver. Ce que j'ai appris à l'université d'I…

— Tan n'a aucune envie de construire des ponts, pas vrai ?

— Pas spécialement, a répondu Tanner.

(Pour les automobilistes du futur, je me suis sentie soulagée.)

— À quoi ça sert, la fac, pour un scénariste télé ?

Edison s'était approprié l'ambition de Tanner de devenir scénariste.

— Crois-le ou non, mon père a fait une école d'*agronomie*. Tu crois que ça l'a aidé à décrocher le rôle principal dans *Garde alternée* ? Plutôt que de suivre un cursus de maths appliquées, Tanner en l'occurrence a plutôt intérêt à *regarder la télé*. Avec un portable sur les genoux pour écrire un pilote. Et franchement, vous feriez mieux de l'écouter – il a des idées géniales. C'est pareil dans mon taf, quand un saxophoniste se pointe au Vanguard – et là-bas, ils se fichent bien de savoir si t'as été à la fac. Tout ce qui les intéresse, c'est de voir si tu sais jouer.

— Sans licence, a déclaré Fletcher, jamais je n'aurais décroché ce poste chez Monsanto.

— Ouais, CQFD.

— Il a raison, papa, est intervenu Tanner. Je veux pas vendre des semences de maïs.

— Peu importe ce que tu *veux*, a répliqué Fletcher. Je n'ai peut-être pas beaucoup aimé ce boulot, mais il m'a permis de subvenir aux besoins de ma famille. On avait un toit et de quoi manger, et je n'étais une charge ni pour mes parents, ni pour mes voisins, ni pour l'État. C'est ce que ça implique, de ne pas suivre son « rêve ».

— Eh bien, dans ce cas, on peut arrêter de se prendre la tête direct, et je ferais aussi bien d'en finir tout de suite, a marmonné Tanner.

— Si tu vises aussi bas, c'est sûr que tu peux à peine espérer survivre, a rétorqué Edison. Tiens, prends ma petite sœur, la plus jeune. Elle est allée à UCLA ; je ne me souviens même plus de ce qu'elle a étudié. Maintenant, elle bosse dans la pub. Tu parles d'une vie. Passer toute la journée à promouvoir la réussite des *autres*. Mais Solstice a « un toit et de quoi manger » ! Super. Je vois vraiment pas ce qu'on pourrait avoir à se dire.

— Tu ne la connais pas, ai-je plaidé. C'est vraiment quelqu'un de gentil.

— Ah, petit panda, je croise les doigts pour que personne ne dise jamais de moi : « Edison Appaloosa est vraiment quelqu'un de gentil. »

— Ça ne risque pas, a murmuré Fletcher.

— Le seul truc intéressant chez cette femme, c'est son prénom débile, a poursuivi Edison. On n'a pas grandi dans la même famille. C'était après *Garde alternée*, et tout était devenu très ordinaire.

— Maman, est intervenue Cody. T'es allée à quelle fac ?

— Reed, ai-je répondu. Je suis une « Reedie ».

Edison a gloussé.

— C'est parce que la fac était à *Portland*. Tu voulais passer de l'autre côté de l'écran.

J'ai rougi.

— Ce facteur m'a peut-être influencée. Portland avait une connotation familière. Mais l'université était petite, et un peu atypique. Sans compter qu'il était facile d'y entrer, du moins à l'époque.

— Quelle était ta matière principale ? a demandé Cody.

— L'anglais.

— Quel est l'intérêt d'étudier la seule langue qu'on parle déjà ? a demandé Tanner.

— À l'époque, beaucoup de gens choisissaient l'anglais comme matière principale quand ils n'étaient pas sûrs de ce qu'ils voulaient faire, ai-je répondu. Ça, ou la psycho. Mais j'avais été à bonne école, avec toute la folie qui régnait à la maison. Faire des études d'anglais m'a donné le temps de réfléchir. C'est ce dont tu aurais bien besoin, Tanner, si je puis me permettre.

— Voilà un exemple parfait ! s'est exclamé Edison. Quatre ans à lire des conneries dont elle a tout oublié depuis déjà longtemps, et regarde : elle a lancé une activité de traiteur, et maintenant elle fabrique des *marionnettes*. À quoi ça a servi ? Oublie la fac.

— Le rôle de l'université ne se borne pas à apprendre aux étudiants à suivre les règles. Il est bien plus large que ça, et aussi plus cruel, a avancé prudemment Oliver. L'université permet de faire le tri : elle élimine les tocards. Il y a des exceptions – Edison, manifestement, vous êtes l'une d'entre elles –, et en général on entend parler de ces exceptions, car elles sont en position d'être entendues. Mais avec le nombre de personnes qui font des études aujourd'hui, *ne pas en faire* a encore plus de signification qu'avant. C'est comme rejoindre la classe des esclaves, Tanner. C'est s'identifier soi-même comme raté.

— Il n'y a pas que ça qui marque son appartenance à la « classe des esclaves », a murmuré Tanner à sa sœur.

D'un signe de tête, il a montré son oncle par alliance.

Le plus dérangeant, c'est que Tanner avait raison. Ce pays comptait aujourd'hui un sous-prolétariat massif – massif dans tous les sens du terme.

*

Le dessert avait été servi en comptant une abstention prévisible. Avant de remettre la tarte à la ricotta dans le frigo, j'en ai donc prélevé une bouchée que j'ai placée sur une assiette propre, puis garnie d'un quartier de nectarine accompagné du traditionnel brin de menthe.

La recette était réussie – mousse dense et moelleuse, pas trop sucrée, avec une pointe de zeste de citron et une pâte brisée croustillante et tendre dont ma grand-mère aurait été fière. Par tradition, j'ai laissé cet amuse-bouche marital en évidence sur le plan de travail vide, la fourchette, tentante, posée à la bonne place pour un droitier. J'ai aidé Fletcher à la cuisine jusqu'à ce qu'il ne reste plus qu'à essuyer, puis j'ai passé plus que le temps nécessaire en haut à dire bonne nuit aux enfants pour permettre l'ingestion furtive d'une bouchée illicite.

Mais quand je suis redescendue, la cuisine étincelait – à l'exception d'une assiette, d'une fourchette et d'une bouchée de tarte à la ricotta, pour laquelle, ce soir, l'un des convives n'avait pas eu d'appétit : à jeter, en d'autres termes, et j'ai vidé l'assiette avec tristesse dans la poubelle.

Désireux sans doute d'apprendre à mieux connaître mon frère, Oliver était resté nous tenir compagnie, à Edison et à moi, après que Fletcher fut allé se coucher. Quand je me suis faufilée dans notre chambre vers minuit, Fletcher était allongé sur le dos, les yeux ouverts. En me déshabillant dans le noir – une habitude depuis que j'avais pris du poids –, je me suis excusée de l'avoir réveillé.

— Je ne dormais pas, a-t-il dit. Comment aurais-je pu m'endormir, avec un raffut pareil ?

L'ordinateur d'Edison était branché à notre chaîne hi-fi, déversant « Bird » ou un quelconque musicien au sobriquet percutant que j'étais censée connaître.

— Je pourrais lui demander de baisser. Cela dit, ça couvre nos voix. Et on pourrait peut-être parler.

— De quoi ? a demandé Fletcher. De Duke Ellington ?

Je me suis glissée sous la couette.

— Par exemple de ta nouvelle commande. C'est génial. Avec ces commentaires élogieux sur ton site web, le bouche-à-oreille commence vraiment à marcher…

— Laisse tomber, tu veux, Pandora. Ce ne sont que deux bouts de table, le type veut quelque chose d'ordinaire, et après avoir payé le matériel, c'est à peine si je vais gagner deux cents dollars. Tu en fais trop.

— C'est juste que j'ai l'impression de ne pas t'avoir vu depuis une éternité.

— Je me demande bien pourquoi.

— C'est temporaire.

— Je n'arrive pas à croire qu'on doive supporter tout ça encore un mois.

— Je suis désolée.

— J'en doute. Toutes ces blagues entre vous sur *Garde alternée*. Toutes ces vacheries sur ton père et Joy machin-truc. Ces prises de bec rituelles sur ce qui est vraiment arrivé à ta mère. Tu t'éclates. Je devrais peut-être déménager et vous laisser vous marier tous les deux.

C'était plus qu'il n'en avait dit depuis des jours.

— Ne dis pas n'importe quoi, ai-je protesté, peu convaincante.

— Je sais que tu considères sa « visite » – bien que je doute que le mot soit approprié quand elle dure deux mois – comme une sorte de B.A. Mais tu crois que tu l'aides ? En lui laissant les rênes de la cuisine, pour qu'il engraisse encore plus ?

— Je ne peux quand même pas lui dire : « Non, Edison, tu n'auras pas de deuxième biscuit. » Je ne suis pas sa mère.

— Sans compter qu'il ne fait rien de ses dix doigts. Tu sais, je prends le vélo juste pour me barrer. Il y a des miasmes dans cette maison. De paresse. De fainéantise. De malaise. Mais qu'est-ce que ça change pour lui ? Il a un énorme problème, et quand il partira d'ici, il sera encore plus énorme.

— J'espérais que se retrouver en famille lui remonterait le moral. C'est très bizarre qu'il ne joue pas de piano. Ça te fait peut-être des vacances, mais ce n'est pas normal du tout. Je me demande s'il n'est pas en dépression.

— Si j'étais un gros tas comme lui, tu parles que je serais en dépression.

C'était l'éternelle question de l'œuf ou de la poule, et je n'avais pas été en mesure de me faire un avis. Edison était-il gros parce qu'il était en dépression ou en dépression parce qu'il était gros ?

— La gentillesse de Cody lui fait un bien fou, ai-je déclaré. Je doute que la plupart des gens soient très gentils avec lui. Je le vois bien, quand on sort. Les regards. Comme s'il… leur faisait quelque chose, comme s'il était un affront. Le pire, c'est au supermarché. Avec le chariot rempli. J'ai l'impression d'essuyer les foudres d'un œil géant.

— Bien sûr qu'il se nourrit de la bonne volonté de Cody. Elle a un cœur d'or. Mais il se sert d'elle. Et qu'est-ce qu'elle en retire ?

— Des cours de piano ? Et l'apprentissage de la compassion. Qu'elle ferait bien parfois de t'enseigner.

— Tu plaisantes, j'espère ? Je ne bronche pas. En outre, ce dont fait preuve Cody, en réalité, c'est de *pitié*. Ce qui n'est pas vraiment pour rendre service à ton frère.

— Mais quand ses copines viennent à la maison, elle prend toujours sa défense et ne les laisse jamais se moquer de lui, même derrière son dos. Il en faut, du cran.

J'ai fait une nouvelle tentative, vaine, pour combler la distance entre nous.

— Ta fille est assez remarquable dans son genre.

— Et Tanner ?

Je n'aurais su dire si Fletcher était en colère après Edison ou après moi, et peut-être l'ignorait-il lui-même.

— Tout ce que ton frère a à la bouche, c'est à quel point il est connu à New York et qu'il vient d'une famille célèbre de L.A. Il a beau se moquer de votre père, il ne se prive pas de profiter à fond de la notoriété des Appaloosa. Et maintenant, Tanner pense qu'il lui suffit de débarquer en Californie pour commencer à écrire des épisodes de... peu importe.

Fletcher ne regardait pas beaucoup la télévision.

— Ce gosse ferait mieux de redescendre sur Terre ! Même s'il ne va pas à l'université, il pourrait au moins apprendre à faire quelque chose de ses dix doigts. Dans ce pays, plus personne ne sait planter un clou. Tout le monde est dépendant de ces artisans qu'on déconseille pourtant aux enfants de devenir. Dans les prochaines décennies, ce sont les quelques types capables de réparer un toit qui dicteront leurs règles. Mais non, tout le monde doit être *artiste*.

— Toi aussi, tu es un artiste.

— Je fabrique des choses sur lesquelles les gens peuvent s'asseoir. Il s'avère seulement qu'elles sont belles. Tanner pourrait trouver pire que jouer les apprentis dans notre cave. Mais non, il croit qu'Hollywood c'est le pays des Bisounours, et il risque de finir au coin d'une rue comme gigolo pour pervers. Et ton frère ne fait que renforcer ses illusions.

— Edison essaie de se faire apprécier de Tanner. Mais Tanner n'a que du mépris pour lui, et on ne peut pas dire qu'il fasse beaucoup d'efforts pour le cacher.

— Tanner a du mépris pour tout le monde. Mais il reste influençable. Tout ça n'est qu'une posture.

Quant au fait d'encourager Tanner à suivre ses « rêves », je me sentais ambivalente. Comme mère, mon rôle était-il de soutenir ses espoirs ou de le mettre face aux réalités concrètes d'une planète où sept milliards d'individus voulaient tous devenir célèbres ? À part l'inciter à s'inscrire à l'université – ne serait-ce que pour retarder l'échéance, se donner le temps de grandir en sécurité, avec des repas équilibrés, un dortoir –, je m'étais jusqu'ici empêchée d'être *négative*, comme le formulerait Edison, vis-à-vis de ses ambitions scénaristiques. Adolescente, j'avais échafaudé moi-même des projets d'avenir plutôt douteux. J'aurais probablement mal pris des réflexions pleines de bon sens me rappelant que la moitié des filles de l'école voulaient elles aussi devenir vétérinaires, que les places dans les écoles vétérinaires étaient chères, que si je manquais de m'évanouir quand on me faisait un vaccin, c'est que je n'avais pas l'étoffe pour ça, et que tout ce que je voulais, c'était un animal de compagnie. À l'âge de Tanner, je n'aurais pas aimé être sermonnée par un adulte briseur de rêves m'expliquant qu'une infime poignée de candidats seulement étaient admis à la NASA, et que la majorité de ceux qui y étaient reçus n'allaient jamais dans l'espace ; j'aurais méprisé tout adulte suffisamment intelligent pour comprendre que mon désir transitoire de devenir astronaute n'était qu'une métaphore de mon envie désespérée de fuir les autres.

Pourtant, comme Fletcher, je désespérais de voir Edison chanter à Tanner les louanges de notre famille et de la célébrité. Ce désir insatiable d'être reconnu en tant que personne à part équivalait à une abdication de pouvoir, à une externalisation de nos responsabilités. Je rejetais la flagornerie, ce qui ne m'empêchait pas de me sentir à part. Pour moi, « se sentir à part » relevait d'une expérience privée, et la fascination d'un tiers ne pouvait se substituer à une intégration subtile de ce ressenti dans sa propre vie.

— Tanner est assailli par la célébrité à chaque fois qu'il allume son ordinateur, ai-je dit.

— C'est autre chose. Avec le truc de ton dingue de père à la télé, ton frère qui *prétend* être un pianiste de renommée internationale, et toi qui fais les couvertures de magazines avec Baby Moronic, ça lui donne des idées fausses. Il croit que tout est facile.

— Plus que quatre semaines.

Puis j'ai posé ma main sur la cuisse de mon mari. Nous n'avions pas fait l'amour depuis que l'avion d'Edison avait atterri. Une chose de plus en suspens ; j'ai été parcourue d'un frisson de peine. J'aurais détesté être l'invité que ses hôtes avaient hâte de voir partir.

*

Je n'en ai rien dit à Fletcher, mais j'ai commencé à remarquer la disparition systématique d'aliments, des kilos d'abricots secs et de noix du Brésil, par exemple, que j'ai pris soin de remplacer discrètement. Le fromage ne manquerait pas à Fletcher, mais je n'en trouvais pas moins alarmant qu'un morceau entier de gruyère non entamé disparaisse du jour au lendemain. Des choses bizarres venaient à manquer aussi : un pot de cinq cents grammes de tahini, un pot de germe de blé grillé, un pot de confiture de griottes. Je pouvais toujours en racheter, mais ce qui me perturbait le plus était l'image obsédante de leur consommation. Le tahini, par exemple : de consistance huileuse, il avait tendance à se figer, et la couche compacte et sèche au fond du pot devait rester coincée dans la gorge. Quant à s'empiffrer de germe de blé, la perspective me peinait, tant cette expérience devait être dénuée de tout plaisir.

Les jours de semaine, la souris ne manquait pas d'occasions de danser, les chats n'étant pas là, puisque je me trouvais à Monotonous, Fletcher sur son vélo et les enfants au lycée. Pourtant, un après-midi, alors que je ne me sentais pas dans mon assiette, je suis revenue tôt du travail. Je m'étonne qu'il ne m'ait pas entendue entrer, mais de toute évidence il était occupé. L'espace d'un instant, je suis restée à observer la scène sur le seuil de la cuisine. L'îlot de cuisine en bois était jonché de pots et de bouteilles. Le verre de la bouteille de sirop de maïs, quasiment vide, était luisant. J'ai reconnu un vieux cadeau de Noël qui avait dû tomber derrière le garde-manger : des noix de pécan et des noisettes confites dans un épais liquide marronnasse. Le pot était vide ; visqueux, aussi. Le miel avait été terminé. Bizarrement, un pot d'achards. De la sauce aux airelles. Et tout cela en plus du sucre glace, qu'Edison mangeait à la cuillère à même la boîte.

Il a levé la tête. Certaines personnes auraient pu voir le comique de la situation. Sans doute à cause du sirop, ingurgité plus tôt dans le saccage, la poudre blanche collait à son menton, comme un hommage au Père Noël. Le sucre talquait ses cheveux, le vieillissant de dix ans. Il constellait les poignets et le col de son éternel gilet noir. Il poudrait le bout de ses larges chaussures noires qui rebiquaient à l'avant, ainsi qu'un rayon de près d'un mètre de notre carrelage terracotta. Une substance pâteuse et blanche poissait sa bouche, qu'il avait ouverte sans doute pour donner une quelconque explication peu plausible susceptible de se substituer à l'évidence. La nausée que j'avais combattue est revenue de plus belle.

J'ai lutté contre l'envie irrépressible de m'enfuir lâchement. Au lieu de quoi, j'ai commencé à rincer les pots pour le recyclage. J'ai baissé les yeux tandis qu'il déglutissait péniblement, s'essuyait la bouche avec un torchon et refermait la boîte – repliant soigneusement à l'intérieur le sachet en papier paraffiné, avant d'insérer avec précision la languette en carton dans la fente opposée. Nous avions dépassé de loin le stade où il aurait pu inventer une petite histoire, prétexter par exemple vouloir faire un gâteau, et j'ai été soulagée qu'il n'essaie pas.

— Tu sais, ai-je dit d'un ton calme, ça aurait été moins perturbant de te voir sniffer de la cocaïne.

— Désolé pour la pagaille, a-t-il déclaré, en époussetant son gilet. J'avais faim.

— Non, c'est faux. Tu as été pris par quelque chose, que je ne sais pas comment nommer, mais ce n'est pas de la faim.

Je devais avoir l'air furieux, mais après avoir rincé le troisième pot, j'ai laissé couler l'eau chaude, penchant la tête vers la vapeur.

— Quoi… ? ai-je demandé. Quoi ?

J'ai secoué la tête, jusqu'à ce que ce qui m'avait noué l'estomac plus tôt dans la journée remonte – non de la bile mais un sanglot, qui devait sans doute essayer de sortir depuis un mois. Edison s'est approché et a noué ses bras autour de moi, appuyant sa joue contre mon dos, tandis que mes yeux bruinaient dans l'évier. Plus tard, je déciderais de porter au pressing l'imperméable Burberry olive que j'avais sur moi en rentrant. Sur les épaules, tout le long des revers et des manches, le trench était maculé de traces de main en sucre glace, cendres blanches d'une impossible consolation.

9

CELA PEUT SEMBLER CRUEL, mais, à l'exception de Cody, nous attendions tous avec impatience le jour marqué d'une pierre blanche, le 29 novembre, date du vol retour vers New York de mon frère. Pour notre défense, supporter pendant deux mois entiers la présence d'un invité, quelle que soit sa corpulence, est éprouvant pour la plupart des gens. Faire la conversation était épuisant. Entre les commentaires incessants de mon frère et son iTunes branché à notre chaîne, Fletcher avait du mal à se concentrer. Il travaillait sur des bois onéreux, souvent importés ; s'il calculait des dimensions, une erreur de deux centimètres pouvait s'avérer désastreuse. Le volume de lessive avait augmenté ; trois costumes d'Edison suffisaient à remplir une machine. Le matin, nous étions *en permanence* à court de *half and half*, alors que nous l'achetions par bouteille de deux litres.

Mon frère n'était pas une personne soigneuse, ce qui, des semaines durant, s'était traduit par une succession de petits accrocs qui venaient nourrir une impression soutenue de violation. Il avait utilisé mon mousseur à lait et l'avait laissé sur le brûleur, faisant fondre le joint d'étanchéité et sauter la soupape de sécurité. Il s'était servi d'une spatule en métal avec ma sauteuse anti-adhésive préférée.

145

Il avait cassé l'un des verres à vin finement gravés que j'avais hérités de nos grands-parents paternels. Alors qu'il faisait bouillir de l'eau pour des pâtes, il avait posé un faitout Revere Ware sur un brûleur, mais pas au centre, et les flammes avaient léché le côté et brûlé la poignée ; pendant des heures, la cuisine avait empesté le plastique fondu. Hélas, à mesure que la saison avançait, il s'était mis à faire du feu dans la cheminée, mais dans les mêmes proportions que tout ce qui lui passait entre les mains : il avait dévasté notre réserve de bois d'allumage et taché avec du charbon brûlant notre tapis persan à côté de la cheminée.

Il continuait d'avoir des horaires atypiques, aussi, une fois levée, je descendais sans bruit et m'empêchais d'écouter la radio pendant que je me faisais griller du pain, par peur de déranger notre invité endormi. Néanmoins, je préférais ces matins-là à ceux où, n'ayant pas eu la force de s'attaquer à l'escalier, Edison avait dormi tout habillé dans le fauteuil bordeaux – obligeant toute la famille à faire le moins de bruit possible à l'heure du petit-déjeuner et à se satisfaire d'un jus de fruits ou de thé, pour ne pas le réveiller avec le moulin à café. En outre, Edison souffrait d'apnée du sommeil. Si ses ronflements sonores étaient énervants, les longs silences au cours desquels il cessait complètement de respirer avaient quelque chose d'encore plus dérangeant. Même s'ils nous effrayaient, les grognements retentissants qui concluaient ces répits mortels constituaient un soulagement.

Compte tenu de l'air vicié du rez-de-chaussée, je doutais qu'il gagne systématiquement le patio pour fumer quand le reste de la famille était parti se coucher, surtout maintenant que le mois de novembre bien avancé avait apporté le froid. Toutes les fois où, sans se presser, il sortait ou rentrait par la porte coulissante, il abaissait la température non de trois, mais de près de six degrés.

146

Peut-être se considérait-il déjà en tournée, aux bons soins d'un personnel hôtelier ; quoi qu'il en soit, sa contribution à l'entretien de la maison se limitait à gêner le passage de l'aspirateur. La décoration minimale que nous avions choisie pour mettre en valeur les créations de Fletcher faisait surtout ressortir, ces derniers temps, la vaisselle sale d'Edison, ses pantoufles archi-usées, et ses exemplaires éparpillés de *Downbeat*. Fletcher était un homme ordonné avec une esthétique de l'économie ; la première chose qu'il faisait lorsqu'il remontait du sous-sol ou revenait d'un tour à vélo était de ramasser les poubelles, les lèvres serrées en une ligne mince. En dépit des rappels à l'ordre réguliers de la marionnette Fletcher, mon frère oubliait systématiquement que le mobilier de mon mari était huilé et non verni, et que, sans sous-verre, des tasses posées sur la table basse en palissandre laissaient des traces. Comme les dommages collatéraux du séjour sabbatique de mon frère dans le Midwest étaient, par relation transitive, entièrement ma faute, j'inspectais furtivement les meubles, dans le sillage de mon mari, armée d'un morceau de beurre, afin de venir à bout des taches honnies, sans cesser toutefois de m'interroger : si je tenais ce truc de ma mère, pourquoi mon frère ne l'avait-il pas assimilé lui aussi ? Toutes les fois qu'Edison prenait sa douche dans la salle de bains du haut, le tapis était détrempé, comme le sol d'ailleurs, et quiconque s'y aventurait peu après ne pouvait que salir le sol carrelé de ses empreintes de pas. La chambre d'amis était un repère de vêtements sales à l'assaut duquel je devais réguliè-rement me lancer. Désormais creusé en son milieu sur toute la longueur, le matelas allait devoir être remplacé.

Je ne m'étais pas inquiétée de l'attitude avec laquelle Edison avait choisi arbitrairement, au pif, sa date de retour lorsque nous avions modifié son billet d'avion en octobre. À son retour à New York, il pensait probablement séjourner chez des collègues pendant un ou deux jours, peut-être chez Slack Muncie, maintenant que celui-ci avait bénéficié d'un bon répit, avant de partir en tournée à Barcelone avec un groupe. L'absence de précision concernant ses nombreux autres engagements du printemps générait chez moi un malaise que j'évitais avec soin d'examiner de plus près. Edison affirmait que la tournée en Espagne et au Portugal lui rapporterait suffisamment d'argent pour réunir la somme nécessaire à la caution d'un nouvel appartement et à la récupération de ses affaires au garde-meubles. (J'avais également proposé d'augmenter ses revenus, si cela pouvait l'aider à se poser dans un nouvel endroit, bien que cette offre ait aussi un côté moins glorieux – elle soulignait que je préférais payer mon frère plutôt que de le voir revenir chez nous.) Cela n'avait-il pas été toute l'idée ? Que son séjour à New Holland lui permette de tenir pendant un passage à vide professionnel. Et voilà ! Il rentrerait de sa tournée européenne les poches pleines, prêt à s'établir de nouveau dans la Grosse Pomme et à reprendre son emploi du temps surchargé. Sur le papier, tout collait, tant que je m'abstenais de poser les yeux sur lui. Mais, comprenez, j'avais le sentiment d'avoir fait ma part. Je considérais que toute ma famille avait fait plus que sa part.

A posteriori seulement, je mesure à quel point « faire sa part » témoigne d'une grande ignorance de la nature des liens familiaux. Maintenant que je les comprends mieux, je trouve les liens de parenté plutôt effrayants. Ce qui est merveilleux dans ces liens est aussi ce qui les rend le plus horrible : il n'existe pas de ligne dans le sable, pas de limite naturelle à ce que des membres de votre famille peuvent raisonnablement attendre de vous. Quand j'avais déménagé en Iowa et habité deux années complètes chez les Grumps, je m'excusais souvent de n'avoir pas encore trouvé de travail ni d'appartement. Ma grand-mère (qui, sans le vouloir, pavait mon départ en m'apprenant à cuisiner) me tapotait alors chaleureusement la main en me disant : « Voyons, c'est ce qui définit la *famille*, ma chérie : des gens qui te laisseront toujours entrer. » À l'époque, j'avais trouvé réconfortante sa paraphrase de Robert Frost, mais durant cette longue visite fraternelle, cet aphorisme était revenu me titiller. Ainsi, ce qu'Edison pouvait « raisonnablement » attendre de moi était potentiellement infini.

Je reconnais maintenant qu'une fois prise, une responsabilité ne peut être abandonnée aisément – non sans causer au passage tant de dégâts qu'il aurait mieux valu s'abstenir dès le départ. Que j'en ai eu ou non conscience, au moment où j'avais envoyé le billet d'avion et un chèque de cinq cents dollars, j'avais pris en charge Edison. En tous points, y compris son obésité. À bien lire les clauses en petits caractères, ce contrat ne stipulait nullement une date limite au 29 novembre. Il arrive parfois que des propriétaires d'animaux de compagnie qui se sentent dépassés abandonnent à la SPA les chiens dont ils n'avaient pas anticipé qu'ils seraient une telle source de soucis ; des familles d'accueil, revenant sur leur décision, retransfèrent à l'État les trublions dont on leur a confié la charge. Mais dans les familles de chair et de sang, cela ne marche que dans un sens.

*

— *AAAANNN !*

Je ne sais comment écrire cette exclamation de supplice dépourvue de mots, poussée à un volume que jamais avant je n'avais entendu chez mon mari d'ordinaire si maître de lui. Sans conteste, le « Argh ! » des bandes dessinées ne saurait lui rendre justice.

Après avoir lâché dans l'évier la poêle que je récurais,

je me suis précipitée au salon juste au moment où Edison s'éclipsait dans le patio pour fumer. J'étais terrifiée à l'idée que Fletcher se soit blessé.

— Tu vas bien ?

Mon mari, debout, un carnet de croquis dans la main, soufflait bruyamment. Il n'avait pas l'air de saigner, mais chez n'importe qui d'autre le sifflement nasillard dans sa gorge aurait été un cri. Fletcher s'était détourné, comme devant le spectacle horrible d'un animal écrasé sur une route. J'ai pivoté pour regarder ce que Fletcher ne pouvait pas supporter de voir : le Boomerang.

Effectivement, le fauteuil n'était plus totalement dans son alignement. Trois des lattes arrière n'avaient plus les courbes régulières d'une cage thoracique, mais présentaient des irrégularités, et ressortaient du mauvais côté. L'arceau du haut, qui conférait au meuble tout son caractère, marquait aussi un angle curieux, duquel une écharde sortait. Avec un matériau aussi intransigeant que le bois, un alignement légèrement faussé signifiait que l'ensemble était… complètement foutu.

— Oh non ! me suis-je exclamée d'une voix douce, en m'agenouillant auprès du fauteuil.

J'ai examiné les lattes : brisées de manière irrégulière et, mis à part quelques éclats, fissurées sur toute leur longueur. Le morceau du haut était cassé sur plus de quinze centimètres le long du bord.

Avec son radar inné, Coddy s'était glissée au rez-de-chaussée et m'avait rejointe.

— Pas le Boomerang !

Tandis qu'elle posait la joue contre le siège en cuir rouge, nous avons échangé un regard d'effroi.

— Papa, je suis tellement désolée ! J'adore ce fauteuil. Il est comme un membre de la famille. Tous mes amis le trouvent génial.

Fletcher ne se laisserait pas acheter par la flatterie.

— Je lui *ai dit* de ne pas s'asseoir dessus. Je lui ai dit qu'il ne devait s'asseoir sur aucun de ces sièges. Ils sont conçus pour des gens normaux. Normaux, et un tant soit peu disciplinés et intelligents.

Voilà qui était nouveau. Je n'étais pas au courant que Fletcher avait prohibé l'usage de ses meubles à mon frère. J'avais chassé vigoureusement mes propres appréhensions, préférant faire confiance à la construction robuste des créations de mon mari – foi qui m'épargnait la mortification d'avoir à signifier à Edison qu'il ne pouvait s'asseoir sur les mêmes meubles que nous parce qu'il était trop gros.

— Mais tu peux le réparer, pas vrai, papa ? On peut envoyer le Boomerang à l'hôpital pour qu'il guérisse !

Cody était mûre pour ses treize ans, et cet enfantillage n'était qu'un stratagème.

— Tu es sûr que c'est bien ce qui s'est passé ? ai-je demandé avec circonspection.

— Tu crois peut-être qu'en état de somnambulisme je me suis glissé avec une hache dans le salon ? Ou que les enfants se sont entraînés au base-ball à l'intérieur ? Ils ne jouent pas au base-ball. Tu n'as rien à voir avec ça, n'est-ce pas ? a-t-il demandé à l'intention de Cody.

Les yeux de Cody se sont affolés : dans l'impulsion du moment, elle avait les plus grandes difficultés à concocter un scénario plausible qui l'aurait incriminée.

— Je ne sais pas. Je me suis assise dedans hier. Pour faire mes devoirs. Mon ordi est… pas mal lourd…

— Qu'est-ce qui, dans cette maison, a demandé Fletcher, à part un ordinateur d'à peine deux kilos et une adolescente chétive, est « pas mal lourd » ?

— J'imagine que c'est l'explication la plus logique, ai-je répondu d'un air sombre.

— Ce connard n'a même pas eu l'intégrité de me le dire ! Il l'a laissé comme ça, ni vu ni connu, assemblé

151

les lattes rentrées, le bord remis en place. Je m'assieds dessus, et boum ! Après toutes ces années, tu crois vraiment que ce fauteuil ne pourrait plus supporter *mon* poids ?

— Edison, est-ce que tu pourrais venir ici, s'il te plaît ?

Je n'avais pas parlé suffisamment fort pour que ma voix lui parvienne dans le patio, sauf s'il tendait l'oreille, s'attendant sans doute à être interpellé sur le sujet. La porte a coulissé, puis il y a eu le clic, et un long moment s'est écoulé avant qu'Edison apparaisse dans la pièce.

— Ouais, y a un blème, *man* ? a-t-il demandé, l'air innocent.

Toujours à genoux, je caressais les lattes meurtries, comme on rassurerait un animal sur le point d'être piqué.

— Ce fauteuil est cassé. Tu as quelque chose à voir avec ça ?

— Euh, non ! Bien sûr que non ! J'suis au courant de rien.

J'ai soupiré. N'ayant pas eu à élever de jeune enfant, je n'avais pas la moindre idée de la façon dont on gérait le déni en dépit de preuves irréfutables.

— Il vaudrait vraiment mieux que tu avoues.

— Que j'avoue quoi ? J'ai rien fait ! Mais je compatis. Ce fauteuil est foutu. Mais on doit pouvoir le réparer, pas vrai ? En recollant les trucs. Avec de la super glue. Ton mari, tu sais, c'est un vrai génie dans sa cave, pas vrai ?

— On ne répare pas des meubles personnalisés haut de gamme avec de la *super glue*, a déclaré Fletcher.

Tanner, qui s'était faufilé au rez-de-chaussée, observait le drame depuis l'encadrement de la porte, ce qui ne faisait qu'empirer les choses.

— Je serai heureux de filer un coup de main, si besoin, a ajouté Edison avec entrain. J'irai chercher ce qu'il faut – vous n'aurez qu'à me dire.

— Ce qu'il faudrait dire, a répliqué Fletcher en fixant

Edison droit dans les yeux, et mon frère a alors reculé d'un pas, c'est : *Je m'excuse. Je m'excuse d'être une espèce de gros lard…*

— Chéri, l'ai-je supplié, je sais que tu es bouleversé…

— *Je m'excuse d'être une espèce de gros lard doublé d'un tocard et de n'avoir rien de mieux à faire de la journée que traîner mon cul énorme et m'asseoir sur des meubles sur lesquels on m'avait EXPRESSÉMENT interdit de poser mes fesses. Je m'excuse de n'être qu'un gros nul…*

— Papa, s'il te plaît !

Cody a noué ses bras autour de la taille de son père.

— S'il te plaît, tais-toi, je t'en prie !

Fletcher s'est dégagé.

— *De prétendre être un musicien de jazz célèbre dans le monde entier, alors que je ne suis rien d'autre qu'un morfale sans un rond, sans maison, qui s'accroche à sa frangine comme une sangsue et fout en l'air toute sa vie de famille. Je m'excuse d'avoir une grosse tête, de grosses cuisses, de gros doigts et de gros orteils, ainsi qu'une grosse bite, même si mon bide est si gros que depuis deux ans je ne peux plus voir ma bite. C'est pourquoi, quand je détruis un objet irremplaçable et inestimable, je le remets bien en place, ni vu ni connu, pour que quelqu'un d'autre le trouve, parce que je ne sais pas me comporter en homme et reconnaître que je l'ai cassé.*

En termes de stratégie, cette diatribe n'était pas à proprement parler efficace. Quand Edison, blême, est passé devant nous pour sortir par la porte principale, sans même prendre son manteau alors qu'il gelait dehors, Cody a lâché son père et s'est précipitée après lui.

— Chéri, c'est un fauteuil magnifique, mais ce n'est qu'un fauteuil, ai-je dit à mon mari. Que tu ne pourras pas réparer quelle que soit la méchanceté des reproches que tu adresses à mon frère. Ne refais plus jamais ça.

J'ai passé mon manteau, pris ceux de Cody et d'Edison,

et je suis sortie les rattraper. Avec sa corpulence, mon frère n'avait pas dû aller bien loin.

*

— Putain, ce mec me déteste !

L'imposante carrure d'Edison descendant Solomon Drive m'a rappelé, dans sa posture penchée, l'urgence avec laquelle, jeune homme grand et mince, il avait arpenté les rues de Manhattan dans son superbe manteau de cuir. Ce soir, pourtant, sa vitesse était plus latérale. Cody agrippait sa main, ce qui ne me permettait pas de marcher facilement de l'autre côté ; à lui seul, Edison prenait toute la largeur du trottoir.

— Non, Fletcher ne te déteste pas.

La réfutation m'était venue par réflexe, même si j'ignorais comment nommer autrement que haine ce sentiment qui vous faisait désirer aussi fort qu'une personne ne soit tout simplement pas là.

— Je te trouve merveilleux, oncle Edison !

— *Je t'en prie*, mets ça, il fait froid, l'ai-je imploré.

Nous avions acheté son manteau lors de l'une de nos sorties ensemble, plus réussie celle-là, mais il n'a pas voulu prendre la grande doudoune, qui dans mes bras prenait autant de place qu'un sac de couchage. Cody, elle aussi, a refusé son manteau, soit par solidarité envers son oncle, soit parce qu'elle ne pouvait se résoudre à lâcher sa main.

— Écoute, *man*, c'est vraiment moche pour le fauteuil… (Il continuait de ne pas avouer ouvertement) … mais ça lui donne pas le droit de descendre ma carrière, *man*. Il a qu'à regarder les CD. C'est quand même moi qui suis dessus. Ou taper mon nom dans Google, *man*. Aller faire un tour sur ma page Wikipédia, *man*. J'apprécie pas qu'on me traite comme un moins que rien, *man*.

154

Les *man* en rafale ponctuaient ses propos comme une crise de hoquets.

J'ai tiré parti d'un accotement herbeux pour revenir à son niveau.

— Il a perdu son sang-froid. Ce fauteuil – je sais que c'est « seulement » un fauteuil, mais quand il s'agit d'un objet que l'on a fabriqué de ses mains, on y est parfois très attaché. Pour Fletcher, ce fauteuil cassé est pire qu'un bras cassé. Le Boomerang est une charge, une responsabilité. Il a l'impression de ne pas s'en être bien occupé. Loin de moi l'idée de comparer un fauteuil à un enfant, mais Fletcher est… en deuil. Et quand les gens sont bouleversés, ils disent des choses qu'ils ne pensent pas.

— Parfois, ils pètent les plombs et disent *exactement* ce qu'ils ont sur le cœur.

Le menton enfoui dans le cou, Edison, l'air renfrogné, fixait le trottoir. Le lampadaire creusait des ombres théâtrales dans les plis de son visage, et quand la lumière s'est prise dans ses boucles, le halo autour de sa tête lui a donné des allures de saint et de martyre.

— Il ne t'accorde pas beaucoup de crédit à toi non plus, petit panda. Une entreprise à toi, un produit distribué à l'échelon national ? Ce mec agit comme si tu partais tous les matins pour une réunion Tupperware.

— Certes, l'activité de menuiserie de Fletcher ne marche pas très bien, ai-je concédé. Il travaille très dur, mais les gens ici ne sont pas prêts à payer ce que valent ses meubles quand ils peuvent s'offrir une salle à manger pour trois cents dollars chez Target. Tu sais ce que c'est, de traverser une mauvaise passe. Ça rend amer.

Je commençais à me fatiguer de cet exercice : expliquer Fletcher à Edison et Edison à Fletcher. Ça ne marchait pas.

— J'ai comme l'impression que mon séjour ici n'est plus très cool, a déclaré Edison, si j'en suis arrivé au point de saboter toute votre vie de famille. Je ferais mieux d'avancer la date de mon billet d'avion. D'arrêter d'être dans vos pattes.

— Mais t'es pas dans nos pattes ! s'est exclamée Cody. Et puis, tu as promis de m'aider sur « April Come She Will ».

Des arbres se profilaient, et de nouveau j'allais me retrouver derrière lui. J'ai accéléré, avant de faire volte-face et de me camper devant eux. J'ai tendu à Cody son manteau, l'incitant à le prendre de sa main libre, et j'ai drapé la grande doudoune autour des épaules rondes de mon frère, en espérant qu'il se souvienne de l'après-midi agréable au cours duquel, ensemble, on l'avait achetée. Dans la lumière que déversait le lampadaire, j'ai soudain découvert la contraction de ses pupilles, ainsi que le tressautement nerveux des muscles minuscules autour de ses yeux.

— C'est aussi chez moi, et je veux que tu restes. Parce que je t'aime.

Ce sont des mots qu'on prononce facilement en famille, mais à cet instant leur impact sur mon frère s'est révélé tout à la fois profondément émouvant et alarmant. Lâchant la main de Cody pour qu'elle puisse frissonner tout à loisir dans son manteau, il m'a étreinte dans un cocon reconnaissant de chair et de plumes, au sein duquel je me suis sentie au chaud et en sécurité, bien qu'un peu étouffée, et mon frère a retrouvé alors brièvement son statut de protecteur. J'étais la cadette, la belle-mère, et encore jusqu'à récemment le simple traiteur des grandes occasions des autres. Bien avant d'occuper une place centrale grâce à mon mariage tardif, j'avais pris l'habitude de me sentir accessoire – un peu à l'écart, une pensée d'après-coup. La réaction d'Edison m'a donné un premier aperçu de ce qu'on pouvait ressentir à l'idée d'être trop important.

Enfin, après moult efforts, Cody et moi avons réussi à persuader Edison de rentrer à la maison. Il n'avait nul autre endroit où aller.

À notre retour, le Boomerang avait été bandé avec un adhésif d'emballage jaune provenant d'une livraison de bois, ce qui n'était pas sans évoquer une scène de crime. Fletcher était retranché à la cave. Lorsque j'ai essayé de le convaincre de remonter, il n'a consenti à venir s'expliquer avec Edison qu'au moment où je lui ai fait remarquer qu'il n'était pas juste vis-à-vis de moi de rester dans une impasse.

Après avoir envoyé Cody et Tanner dans leur chambre pour éviter toute tentation de mise en scène, j'ai fait asseoir les adversaires à la table de la salle à manger, où Edison s'est enfoncé dans le relax bordeaux tandis que Fletcher prenait place, raide, à l'extrémité opposée. J'avais déjà travaillé au corps mon frère quand nous étions rentrés à la maison dans le froid et la nuit glacée, et j'avais obtenu de lui qu'il concède qu'il était « éventuellement possible » qu'à la faveur d'« un moment d'inadvertance » il se soit assis dans le Boomerang, et qu'il avait peut-être un « très vague souvenir » d'avoir entendu un léger craquement auquel il n'avait « pas prêté attention sur le moment » – auquel cas, hypothétique, il était désolé ; des excuses présentant suffisamment de circonvolutions pour lui permettre de sauver un peu la face. Guère disposé à laisser mon frère s'en tirer sans un mea culpa en bonne et due forme, d'autant qu'il continuait à pleurer le talisman de son talent, Fletcher a exprimé son scepticisme à l'égard de cette demi-confession par les *ploc* réguliers du fil dentaire qu'il se passait entre les dents, projetant des minuscules bouts de blettes jusqu'à cinquante centimètres sur la table.

— Fletcher, tu voudrais bien faire ça plus tard ? ai-je demandé.

Me jetant un regard noir, il a posé ses coudes sur la table et déroulé les ligatures autour de ses index, formant un garrot de quinze centimètres.

— Tu as la moindre idée de ce que ce meuble signifiait pour moi ? Ce meuble en particulier ?

— Le fait même qu'Edison redoute de t'en parler, ai-je intercédé, à supposer, bien entendu, qu'il s'y soit assis par erreur, suggère qu'il a bel et bien conscience de son importance à tes yeux.

Je n'étais pas entièrement convaincue par ce raisonnement, qui attribuait une bien grande capacité d'empathie aux menteurs, mais sur le moment il semblait pertinent. J'ai regardé Fletcher en levant les sourcils, pour lui signifier que c'était son tour. Après tout, je m'en serais peut-être bien sortie avec de jeunes enfants.

Il a abaissé son garrot de fil dentaire pour lâcher :

— Je regrette de t'avoir traité de gros.

J'en ai déduit qu'il s'agissait là de toute l'étendue de la concession qu'il était disposé à faire.

— Écoute, *man*, je sais que je suis gros…

Enfin, Edison se décidait à s'adresser directement à Fletcher.

— … mais de la façon dont tu dis ça, on dirait que je suis de la merde. C'est pas une description, c'est un verdict. Comme si j'étais une abomination, la source de tout le mal et de toute la dépravation dans le monde. Je mange trop, mais j'ai tué personne. Je suis pas un pédophile. J'ai même pas piqué ton portefeuille, *man*.

— À quoi tu joues ? a demandé Fletcher d'un ton acerbe. C'est la « Fat pride » ?

— Je ne suis pas fier de moi, ou plutôt si, mais pas de mon poids. Et quand j'avale un beignet, je le fais pas contre *toi*.

Fletcher a accusé le coup. En toute franchise, je crois qu'il vivait vraiment les quantités de nourriture qu'absorbait Edison comme une forme d'agression.

— Tu te tues à petit feu, tu sais.

— Si c'est le cas, ça me regarde.

— Je n'en suis pas si sûr. J'ai été marié à une femme qui s'est suicidée à petit feu, et ça me regardait au premier chef.

— Ben, dans ce cas, c'est une chance qu'on soit pas mariés.

— Tu fais souffrir énormément ta sœur, et je suis marié avec elle.

— C'est entre Pandora et moi. Si elle a quelque chose à me dire, rien ne l'en empêche.

— Tu te rends compte que c'est un compliment ? a repris Fletcher. Qu'elle se soucie de toi ? Mais tu fais pleurer ma femme, et ça ne me plaît pas du tout.

*

— C'est moi qui ai subi le dommage, m'a déclaré Fletcher cette nuit-là, alors que nous étions couchés, et c'est à moi que tu en veux.

— Il a abîmé un objet, ai-je répondu. Toi, en revanche, ce sont ses sentiments que tu as blessés. Jamais tu ne te serais emporté de la sorte s'il était amputé d'une jambe ou s'il souffrait d'une difformité.

— La difformité, il se l'est infligée tout seul. L'obésité n'est pas un « handicap ». J'aurais pu m'excuser, mais il a peut-être besoin qu'on le secoue.

— Personne n'a besoin de cruauté.

— Ta propension à détourner les yeux ne l'aide pas à perdre un gramme.

— Mais Edison a raison sur un point, ai-je riposté. Tu te comportes comme si tu menais une croisade morale.

159

Son poids fait de lui un paria social. Il réduit la probabilité qu'il se remarie un jour. Il a de graves implications sur sa santé. Mais ce n'est pas une expression du mal. De même, tout le sport que tu fais n'a rien à voir avec être quelqu'un de bien. Je sais que c'est ce que tu crois. Le sport te fait te sentir bien, te fait penser du bien *de toi*, mais te donne aussi l'impression d'être supérieur à tous ceux qui glandent à longueur de journée. Alors qu'il s'agit surtout d'une perte de temps qui n'apporte rien à personne d'autre que toi.

— C'est quand même dingue, tout ça ! Ton frère vide les placards, défonce les meubles, et qui se fait remonter les bretelles ? Moi. Au motif que, de façon égoïste, je passe trop de temps sur mon vélo. Et si tu me disais plutôt : « Merci de supporter depuis deux mois entiers la véritable plaie qu'est mon frère » ? Ou encore : « Je suis désolée qu'il ait cassé l'une des plus belles pièces que tu aies jamais fabriquées » ?

— Mais je le suis. Vraiment. Tu crois que c'est réparable ?

— Les lattes, peut-être. Mais recréer l'arceau du haut à partir d'une seule pièce de bois, c'est une autre histoire. Je ne suis pas sûr non plus d'avoir le cœur à le faire. On fait quelque chose une fois par amour. Si on le refait, c'est par obligation.

— À toi de voir : soit tu le répares, soit tu le cannibalises pour d'autres pièces, mais, dans tous les cas, descends-le à la cave. Pour le moment, c'est comme si on avait un cadavre au salon. C'est une accusation.

— Et où est le mal ? Tu n'arrêtes pas de te comporter comme si ton frère était une victime, le pauvre gros. Mais c'est lui qui nous persécute.

— Il n'est peut-être pas une victime, mais en tout cas il fait une cible facile. Trouve-toi quelqu'un de ton gabarit.

— Qu'est-ce que tu peux être bête, par moments ! Tu

t'es déjà demandé si tu supporterais la moitié des conneries de ce type s'il n'était pas obèse ?

— Encore deux semaines, ai-je dit. Pour moi. S'il te plaît, faisons en sorte qu'il n'y ait pas d'autre incident pendant la dernière ligne droite.

— C'est ton frère le fauteur de troubles.

À son ton grave, j'ai compris qu'il ne parlait pas uniquement du fauteuil.

Allongés l'un à côté de l'autre, nous ne nous touchions pas. J'avais envie de lui prendre la main. Tout rentrerait dans l'ordre si seulement il y avait un contact physique entre nous. Pourtant, chaque fois que j'ordonnais à ma main de bouger, je revoyais la moue haineuse de Fletcher au salon, ainsi que l'expression blessée d'Edison, comme si mon mari venait de le frapper au visage avec une planche. Entre nous, les quelques centimètres de coton bâillaient telle une calotte glacière arctique.

Comme il était vain d'essayer de dormir, j'ai fini par demander calmement :

— Et toi, qu'en est-il de *ta* « propension à détourner les yeux » ?

— Tu te fiches de moi ? Je suis le seul de cette famille à employer les mots qui fâchent.

— C'est là où je veux en venir. Tu penses que la faiblesse d'Edison, sa paresse, sa complaisance se lisent sur son visage. Dans ce cas, qu'est-ce que tu dois penser de moi ?

Fletcher a tourné le visage vers moi ; le soulagement de sentir sa main sur ma joue m'a donné le tournis.

— Chérie, de quoi est-ce que tu parles ?

— De ce dont nous ne parlons jamais.

Alors que je resserrais mes bras sur mon ventre, j'ai pris conscience que je m'allongeais souvent dans cette position dans le lit, les mains refermées sur les bourrelets de ma taille.

— Je n'ai plus le même gabarit que quand nous nous sommes mariés, et tu le sais.

— Bon sang, chérie, ton frère – il n'y a absolument rien de comparable !

— Tu vois bien que tu as remarqué !

— Peut-être un peu, et alors ? Les femmes de ton âge ont toutes ou presque tendance à s'arrondir un peu. Je m'en fiche ! À mes yeux, tu restes aussi belle que le jour de notre rencontre.

Il a écarté les cheveux de mon visage, mais j'ai tourné la tête vers le mur.

— C'est ce que tu te sens obligé de dire.

J'étais déterminée à ne pas pleurer.

— J'ai l'impression d'être une grosse vache. Je ne rentre plus dans mes anciens vêtements. Et pendant ce temps, tu es si strict sur ton alimentation que tu ne manges même pas ces minuscules amuse-bouches que je te prépare…

— Eh ! *J'adore* ces petites tricheries. C'est simplement que je ne supporte pas l'idée d'avoir l'air d'un hypocrite alors que ton frère est dans les parages. Et il l'est toujours, je suis au regret de te le dire.

— Mais tu passes ton temps sur ton vélo, et tu es plus mince que tu l'as jamais été…

— Comme tu l'as dit, c'est mon affaire. C'est ce qui, *moi*, me fait me sentir bien. Cela n'a rien à voir avec toi.

— Ça te donne le sentiment d'être meilleur que moi. Après tout, si je dois me fier un tant soit peu à ce que tu as dit à Edison, je dois te dégoûter.

— Bien sûr que non !

Fletcher a tourné mon visage vers lui.

— Tu n'imagines même pas comme je t'admire ! Avoir monté une entreprise qui marche ? Tout en continuant à être une mère géniale pour des enfants qui ne sont pas biologiquement les tiens ? Sans oublier de me supporter, moi et cette farce qu'est mon activité de création de meubles ? Que sont quelques kilos par rapport à ça ?

— Ce sont plus que quelques kilos, ai-je murmuré. Mais je ne t'en voudrais pas d'avoir honte de moi, parce que, moi, j'ai honte de moi aussi. Parfois, j'ai l'impression de manger pour me punir… de manger. Ne dis rien, je sais que ça n'a pas de sens. Et maintenant, avec mon frère ici, avec ses *problèmes* et les repas gargantuesques qu'il prépare, si je commençais à faire la fine bouche, ça serait mal, comme si je m'alliais à toi contre lui… C'est pire que jamais. Et tu dois me mépriser encore plus, et penser que je suis… répugnante.

Fletcher m'a embrassée dans le cou.

— Tu n'as rien perdu de ta *séduction discrète*, a-t-il murmuré. Et ce n'est pas un burrito à la con qui changera quoi que ce soit au fait que je t'aime et que tu es ma femme.

Rendue amorphe par le désespoir, j'ai laissé mon mari promener avec adoration ses mains sur toutes les parties de mon corps que je méprisais – les cuisses qui se plissaient sous la lumière crue ; le ventre qui, jadis aussi lisse qu'une piste de ski, présentait aujourd'hui des petits renflements même lorsque j'étais allongée ; les seins que j'avais souhaités auparavant plus gros et que je détestais maintenant voir si ronds, car seul le surpoids expliquait qu'il y ait à présent tant de monde au balcon. Mais si j'en étais venue à haïr mon anatomie, Fletcher Feuerbach, lui, la chérirait pour deux, alors, par gratitude, je lui ai rendu son affection et j'ai dormi profondément dans ses bras cette nuit-là. Peut-être la plus grande faveur d'un conjoint est-elle de fermer les yeux sur ce qu'on ne peut s'empêcher soi-même de voir.

*

Mon quarante et unième anniversaire est arrivé plus tard cette semaine-là, et les enfants se sont mis d'accord pour me faire ce que, de par mon métier, je faisais à d'autres tous les jours. Sans surprise, le rire est un peu jaune quand on est soi-même le dindon de la farce.

Edison a préparé le repas, je ne me souviens pas de ce qu'il y avait au menu, même si je suis certaine que ce devait être *rassasiant*. Je me souviens d'avoir regretté lors de cet anniversaire que les occasions, quelle qu'elles soient, soient surtout une affaire de consommation. Les événements sociaux se définissent par la nature de ce qu'on porte à sa bouche : allons prendre un *café*, un *verre*, ou *dîner* un de ces soirs. Toute la chronologie de la journée elle-même est rythmée par l'ingestion d'aliments : l'heure du *petit-déjeuner*, du *déjeuner*, du *dîner*, ce qui explique qu'on organise rarement des petites réceptions à 11 heures du matin ou à 3 heures de l'après-midi.

Après le repas, ma récompense : Fletcher m'avait sculpté un tabouret de cuisine ergonomique qui me permettait de garder le dos droit, et j'ai essayé de ne pas prendre mal la supposition implicite que je me tenais mal. Le cadeau d'Edison – des fromages et des saucisses – attestait d'une véritable marque d'attention, même si j'aurais préféré qu'il opte pour autre chose que de la nourriture. Cody m'a joué une interprétation de « Bridge Over Troubled Water » qui témoignait d'une plus grande capacité à l'improvisation, et ce morceau a préparé le terrain pour mon cadeau principal, de la part de Tanner et de Cody, qui s'étaient associés cette année.

Mes beaux-enfants avaient commandé une marionnette Pandora. Je l'ai toujours. Plutôt que la morphologie maigre, ils avaient opté pour la constitution intermédiaire, qu'au sein de l'entreprise nous choisissions pour les victimes présentant des rondeurs incontestables. La marionnette était petite, avec des cheveux en pétard en laine jaune, et une expression de bonne volonté optimiste qui frisait l'imbécillité. Elle portait un sweat-shirt Baby Monotonous, avec le logo cousu sur la poitrine. J'ai tiré sur le cordon à l'arrière, déclenchant chaque fois moult rires et applaudissements sonores :

« Je suis trop humble et soumise pour me faire mousser en citant des célébrités, mais mon père est *carrément* célèbre. »

« *Ga-ar-de partagée ! Fa-mille fracturée !* »

« L'histoire de Travis est *édifiante*. »

« C'est dans le numéro de cette semaine de *Forbes*, mais ne vous inquiétez pas – d'un jour à l'autre, maintenant, on va mettre la clé sous la porte. »

« Oh non ! Pas *encore* une séance photo ! »

« Je ne suis pas riche ; je m'en sors, c'est tout. »

« Mon produit a beau se vendre comme des petits pains dans tout le pays, ce n'est qu'une mode stupide. »

« J'adore mes enfants, et c'est pour cela que je préfère qu'ils soient des losers. »

« J'ai monté mon entreprise et je mène mes affaires comme je l'entends, mais j'attends de vous tous que vous fassiez un premier cycle universitaire et que vous vendiez des semences de maïs. »

« Je me suis peut-être fait un nom, mais tout ce que j'ai toujours voulu, c'est qu'on *m'ignore*. »

« *Il n'est pas gros – c'est mon frè-è-re !* »

Quand je suis arrivée à cette dernière phrase, beuglée sur l'air du tube des Hollies, Cody a donné un coup de poing à son frère.

— Tu *avais promis* de ne pas la mettre !

— *No problemo*, les enfants, a déclaré Edison. Je la trouve vraiment tordante.

Si Edison était capable de prendre aussi bien les choses, j'aurais été mal inspirée de ne pas en faire autant, et je crois que, aux yeux des autres, je suis parvenue à donner le change. J'étais vraiment touchée qu'ils se soient donné autant de mal, même si, en mon for intérieur, j'étais contrariée. Ce que je considérais comme de la modestie paraissait à tous comme de la fausse modestie.

Plus tard, même ma bonne humeur affichée face à cette plaisanterie serait évaluée à tête reposée et jugée insuffisante. Fletcher nous a demandé de nous regrouper pour une photo, que j'ai toujours aussi. Edison occupe la moitié du cliché, et Cody et Tanner se retrouvent collés contre moi. Je serre mon nouveau sosie, mais la pression de ma main autour de la marionnette n'a rien d'affectueux. On dirait plutôt que j'essaie de l'étrangler.

10

CHAQUE FOIS QUE JE TOMBE SUR UNE PHOTO DE MOI, mon poids est la première chose que j'évalue. Je suis attachée à certaines photos non en raison de l'événement qu'elles commémorent, mais parce que, dessus, je suis mince. Je pourrais probablement classer chacune de mes photos dans un ordre de préférence qui correspondrait parfaitement à un continuum de corpulence. Celles que je préfère datent de l'époque de Breadbasket, quand j'étais décharnée, ce qui me fait paraître asexuée et insignifiante. Je m'en fiche. La maigreur n'est peut-être pas attirante, mais je continue de la considérer comme une marque de noblesse – oui, je me rends compte du ridicule de mes propos –, et j'envie l'apparence de ma précédente incarnation parce qu'alors je disposais d'une bonne marge. Je me suis moquée de la façon dont Fletcher associait l'apparence physique au vice ou à la vertu, mais j'ai adhéré moi aussi à cette équivalence.

Tanner et Cody s'imaginaient ainsi qu'une forme de vanité cachée (ou une impossibilité à cacher cette vanité) me poussait à éviter les photos. Or, c'est justement par vanité que je ne supportais pas de regarder des photos de moi datant des trois dernières années et que je n'avais pas commandé d'exemplaires supplémentaires du magazine

167

New York ni même cherché à me procurer l'article de *Forbes* : je faisais *grosse*.

D'accord, bien sûr, j'en ai honte. J'ignore si la préoccupation accrue à l'égard de ma corpulence est une chose qu'on m'a fait subir ou que je me suis infligée à moi-même. En revanche, je sais que : (1) je ne suis pas la seule à m'évaluer de la sorte sur les photos ; (2) les personnes qui « pèsent » ainsi leurs propres photos ne sont pas toutes des femmes.

Regarder une photographie de soi est toujours une entreprise périlleuse, car l'image de soi ne suscite pas uniquement des angoisses du type « Je ne me rendais pas compte que j'avais un si gros nez ». Cela peut sembler idiot, mais chaque fois que je tombe sur un cliché de moi, je suis choquée d'avoir été *vue*. Dans des circonstances ordinaires, je n'ai pas ce sentiment d'être vue. Dehors, dans la rue, l'expérience que je fais est celle de regarder. Manifeste dans l'intimité éthérée de ma tête, la réalité de mon corps public, lorsque j'y suis confrontée, m'affole. Il ne s'agit nullement ici d'une quelconque frustration par rapport à la grosseur de mon cul. Le problème est plutôt d'avoir un cul, n'importe lequel, que les autres peuvent reluquer, critiquer ou agripper, et je suis effarée de constater la façon dont les autres associent cette forme, quelle qu'elle soit, avec moi. Parfois, je parviens à relier mes zygomatiques à l'expérience réelle, dans ma tête, de quelque chose que je trouve drôle. Mais, en général, je n'arrive jamais à me reconnaître, à reconnaître l'essence de mon moi, sur des photos où je figure. Impossible de m'identifier à cette tête ébouriffée aux cheveux courts, d'une blondeur autrefois naturelle, avec une tendance à frisotter ; quand, de nouveau, j'oublie de faire les racines durant trois bons mois, l'appareil photo sévit. Pourtant, je sais qu'évoluer dans la vie avec du gris sur les longueurs procure exactement la même sensation que lorsque ce gris est recouvert d'une couleur. D'ailleurs, je doute même que mon moi fondamental *ait* des cheveux. Je ne m'identifie pas à mes doigts courts ; la relation à mes mains est une relation à ce qu'elles font, et ma rondeur digitale n'a jamais entravé leur agilité à plier la pâte à scones. Je ne me considère pas comme quelqu'un ayant développé dernièrement un penchant pour les rondeurs, avec ce qu'elles impliquent en termes de manque de sophistication et de médiocrité : n'oubliez pas que j'ai grandi à L.A. ! Sur les photos, les vêtements sont à peu près tout ce que je reconnais de moi – et je reverrais une veste matelassée de 1989 avec le plaisir de retrouver un vieil ami perdu de vue. Le fait que d'autres aient pu avoir accès visuellement à mes vêtements ne me perturbe pas. Mais il en va autrement de mon corps. C'est le mien ; il m'est arrivé de le trouver utile, mais il n'est qu'un avatar.

J'imagine que la plupart des gens expérimentent cette forme de déconnexion extrême entre qui ils sont et *ce* qu'ils représentent pour les autres, et notre obsession pour l'apparence n'en est alors que plus déconcertante. Après avoir fait, pour soi, l'expérience de la faiblesse du lien entre le *qui* et le *quoi*, il serait assez logique de penser que, passé l'âge de trois ans, nous aurions la capacité de regarder par-delà l'avatar comme par-delà une vitre. Néanmoins, j'ai parfois envisagé que mes collaboratrices qui dépensaient jusqu'à cinquante dollars par semaine de leur modeste salaire en maquillage connaissait un secret qui, la plupart du temps, m'échappait et que j'approchais seulement grâce aux photos : que cela nous plaise ou non, nous sommes un *quoi* pour les autres. Nous avons beau ne pas reconnaître nos cuisses lourdes, nos yeux myosotis, les autres le peuvent, et, pour disposer d'une interface compétente avec le reste du monde, il convient de manipuler au mieux cette non-image non pertinente et arbitraire de nous-même. Dès lors, si le maquillage est bien appliqué, ces cinquante dollars n'auraient pu être mieux dépensés.

Ce qui nous ramène à la question du poids. Depuis qu'Edison m'en a fourni le motif, je me suis lancée dans l'étude suivante : celle de la hiérarchie des éléments pris en compte lorsqu'on pose les yeux sur quelqu'un. Lorsqu'au loin émerge une forme qui n'est pas un lampadaire mais un être humain, nous enregistrons : (1) le genre, (2) la corpulence. L'ordre dans lequel s'effectue cette reconnaissance est peut-être généralisé dans ma partie du monde, même si je doute que la corpulence ait toujours figuré en seconde place. Pourtant, aujourd'hui, j'ai tendance à remarquer qu'une silhouette est mince ou grosse avant de prendre conscience, une nanoseconde plus tard, que cette personne est un Blanc, un Hispano-Américain ou un Noir. Si cette personne est plutôt corpulente, la plupart d'entre nous remarquons probablement d'abord « plutôt corpulent » que son sexe. De même, il est intéressant de constater que, dans les dépositions de police, les critères « mince », « de corpulence moyenne » « de forte corpulence », ou une déclinaison plus sophistiquée figurent systématiquement. En littérature, les auteurs qui ne précisent pas dès le début le poids approximatif d'un personnage font mal leur travail, et les résumés commencent invariablement par des formulations du type : « Allison, une jeune femme grande et mince au visage parsemé de taches de rousseur… » ou : « Bob, cet homme affable et sociable dont le penchant pour les bières anglaises importées commençait à se traduire sur son tour de taille… »

Le poids est un élément important, ne serait-ce que parce que chacune des trois corpulences, comme chez Baby Monotonous, renvoie à une myriade de traits de caractère, à un ensemble de qualités que, sans autres informations, nous leur imputons. Notez bien que ce jeu n'autorise pas la neutralité. Alors que dans certains pays

170

comme l'Australie la participation aux élections relève d'une obligation légale, le poids que l'on pèse est un vote qui ne souffre pas l'abstention. Nous sommes des êtres en trois dimensions, et il faut bien que nous pesions quelque chose.

Commençons par « moyen », catégorie considérée, de même que la plupart des positions intermédiaires, comme la plus ennuyeuse et la moins intéressante. Pourtant, dans ce bourbier de préconceptions, « moyen » aussi est devenu compliqué. Quoi qu'il en soit, ici dans l'Iowa, nous ne correspondons plus à ces dimensions qualifiées de standards. Certes, de nobles autorités sanitaires ont cherché à imposer l'« indice de masse corporelle » et à fournir ainsi une définition numérique du normal ; néanmoins, la popularité, deux siècles plus tard, de la formule du « poids divisé par la hauteur au carré », inventée par un Belge dans les années 1800, me laisse incroyablement perplexe.

Dans le centre commercial Westdale Mall de Cedar Rapids, la norme est une tout autre histoire. Chez mes concitoyens, la largeur du postérieur, la rondeur des épaules, l'épaisseur des jambes et l'empâtement des biceps sont si répandus que nous pourrions donner l'impression de tous sortir d'un tableau de Fernando Botero. À l'instar du cubisme, du futurisme ou de l'art déco, le gigantisme s'est imposé en tant que style identifiable englobant la majeure partie de la population. Lorsque je flâne dans les espaces publics, je suis souvent frappée par un sentiment de connivence, auquel j'ai moi-même adhéré pleinement toutes ces années ayant précédé l'arrivée d'Edison. Je me disais ainsi : *Ces personnes sont presque toutes plus corpulentes que moi, donc je ne suis pas en surpoids.* La corpulence est relative : si tout le monde est gros, alors personne ne l'est.

Malgré l'expansion sournoise mais néanmoins régulière

des courbes dans le Midwest, nous supposons allègrement que chacune de ces prétendues personnes normales voudrait désespérément être plus mince. On prend pour un fait acquis que M. et Mme Normal ne sont pas satisfaits de leur poids, fuient les miroirs, sont enclins à considérer la taille de leur robe ou de leur jean comme une accusation personnelle, et sont si angoissés à l'idée de monter sur une balance en présence d'un tiers qu'ils repoussent pendant des mois un rendez-vous chez le médecin. On peut ainsi en déduire qu'aujourd'hui, au cœur de l'Amérique, même une corpulence moyenne implique une prédisposition à la honte, à la frustration et à la déception –, ainsi qu'une propension constitutionnelle à l'indulgence envers les autres.

Mais alors que, ou plutôt qui, peut-on qualifier de maigre ? Par analogie, les très maigres sont durs, tristes et critiques. Ils souffrent de la même insatisfaction chronique que les personnes de corpulence moyenne, mais outre s'infliger à eux-mêmes des règles impitoyables, ils éprouvent un mécontentement réel *vis-à-vis des autres*. Inévitablement, leur propension à l'autocontrôle déteint dans un besoin de contrôle sur les autres. Comme ils ne savent pas comment s'amuser, ils n'hésitent pas à saper vos fêtes. Les maigrichons sont supérieurs, hautains et élitistes. Futiles, autocentrés et froids. Difficiles. Radins et cachotiers. Distants. Coincés. Catégoriques et condescendants. Cassants, non seulement dans leur apparence, mais aussi dans leur comportement et leur attitude. Malhonnêtes (enclins à refuser une proposition de dessert sous prétexte d'avoir « trop mangé ») et hypocrites (« Tu es splendide ! »). Méchants, mais généralement dans votre dos. Craintifs, à l'égard non seulement de la nourriture mais aussi des gens qui la mangent, comme si ça pouvait être contagieux – ils pratiquent un apartheid inconscient et ont un faible instinctif pour ceux de leur propre espèce flétrie. Rigides – Dieu vous garde d'inviter l'un de ces parangons à prendre un verre alors que *c'est l'heure d'aller courir*.

Cependant, une petite sous-catégorie de squelettiques parvient à conserver un peu de crédit de son absorption intellectuelle dans des matières plus élevées que le déjeuner, ou encore de sa tendance à l'étourderie qui lui fait sauter des repas, mais il s'agit *uniquement d'hommes*. Il n'existe pas une seule femme occidentale mince dont on présume en la rencontrant qu'elle s'investit trop dans son travail au point d'oublier de manger.

Les silhouettes en brindille imaginent qu'elles inspirent l'envie, alors qu'en fait elles suscitent l'aversion. Il est incroyable de constater que ceux qui s'affament tout seuls ne paraissent jamais retirer le moindre plaisir de la cause à laquelle ils se sont sacrifiés. Comprenez bien ceci : en dépit de la corrélation entre émaciation et autosatisfaction, ils semblent toujours vouloir être *encore plus maigres*.

Pour finir, ceux qui sont bel et bien gros. Leur réputation de jovialité a, je crois, fait long feu. La détresse semble plus appropriée. La mélancolie, peut-être. L'impuissance. La complaisance et l'aveuglement. La posture défensive. La résignation face au présent et le fatalisme face à l'avenir. La haine de soi et les reproches à soi-même. La timidité. L'apitoiement sur soi, même légitime ; un complexe de persécution, mais s'agit-il vraiment d'un « complexe » dès lors que la persécution est authentique ? Un sens de l'humour tourné vers l'autodévalorisation. L'humilité. La gentillesse, pour s'être retrouvé trop souvent à l'extrémité tranchante de la méchanceté. Une chaleur enveloppante. De la générosité. De par leur fragilité bien trop évidente, une acceptation joyeuse de vos points faibles. L'aspiration à ce qu'on leur fiche la paix, et une tendance casanière. De la douceur. Une absence de méchanceté. De l'indolence. De la franchise. De la grivoiserie. Une nature pragmatique et une absence de prétention.

Certes, il s'agit de stéréotypes, et les exceptions parmi les personnes réelles, toutes corpulences confondues, sont légion. Par ailleurs, comme toutes les autres femmes, j'ai subi un lavage de cerveau qui m'a poussée à adhérer au calibrage prescrit de la séduction. Néanmoins, à lire la liste des traits de personnalité que nous attribuons d'instinct aux très maigres et aux très gros, je préférerais être grosse.

*

En dépit de ses allures de digression, ma réflexion sur les photographies n'en est pas une.

Dans les jours qui ont précédé son retour dans l'Est, je n'avais cessé de presser Edison de décider comment il voulait fêter son départ. Cody, avais-je souligné, serait très triste, et il me manquerait à moi aussi terriblement. Sur ce dernier point, j'étais sincère.

Pourtant, je dois bien admettre que, depuis des semaines, je bouillais d'impatience de le voir tourner les talons ; je m'abandonnais à de fréquentes rêveries avec pour thème récurrent un retour à la vie normale. Je m'étais souvent imaginé me lever quand j'en avais envie pour allumer la radio de la cuisine déjà réglée sur WSUI, et non sur KCCK, la seule station d'Iowa passant exclusivement du *jazz* contemporain. Je tombais alors sur le début de la matinale, sans craindre de réveiller quelqu'un souffrant d'apnée du sommeil endormi dans un fauteuil. Glorieusement, je versais dans mon café deux cuillères de *half and half* provenant d'une bouteille d'un demi-litre à peine entamée et qui nous ferait tout le mois. Je me voyais rentrer de Baby Monotonous et me retrouver dans le silence le plus complet. J'imaginais des dîners en famille où les

174

chefs ne se faisaient pas la guerre, et où nous n'avions à avaler ni des festins gargantuesques, à donner la nausée, ni une pitance vengeresse, ascétique et lugubre, en guise de pénitence ; en bref, je m'imaginais Fletcher en train de préparer son habituelle polenta, mais sans oublier le parmesan. Je me réjouissais à l'idée de refaire souvent l'amour avec mon mari ; après quoi je m'abandonnerais avec ravissement au sommeil au lieu de fixer une heure durant le plafond à la suite d'une nouvelle dispute, aussi brève que véhémente, sur ce qu'Edison venait encore de casser.

Si j'étais partagée à l'idée de mettre les quantités ingurgitées par Edison sur le compte de la dépression, en revanche, j'étais tout à fait consciente que le fait qu'il mange trop me déprimait. J'avais hâte de chasser cette impression tenace que j'aurais dû faire quelque chose, même si je ne savais pas quoi, à propos de son poids. Libérée de sa mauvaise influence, je perdrais ce qui s'élevait désormais à *au moins* dix kilos. Je me remettrais au vélo, et au diable la condescendance de Fletcher ! Pendant sa tournée en Europe, je garderais le contact par e-mail avec Edison, lui faisant part des progrès de Cody sur le recueil de Simon and Garfunkel, ou du changement d'avis bienvenu de Tanner (j'ai dit qu'il s'agissait d'imagination !) sur son choix de carrière hasardeux. Je rêvais du jour béni où Edison Appaloosa ne serait plus mon problème.

Pourtant, je savais fort bien à l'avance que dès le moment où je lui dirais au revoir au contrôle de sécurité – en me lavant les mains de ce qui pourrait bien lui arriver, et en retournant à ce qui, aux États-Unis, passait pour une famille heureuse, ainsi qu'aux piles de nouvelles commandes chez Baby Monotonous –, je me sentirais vide et morose. Torturée par ce relax bordeaux défraîchi et vide. Penaude quand, en reprenant notre diète musicale éclectique à base de R.E.M., Coldplay, Shawn Colvin et Pearl

Jam, je constaterais à quel point ces classiques bien-aimés de la pop me semblaient faciles. Perplexe en me demandant pourquoi je n'avais pas su apprécier ce que j'avais considéré le plus souvent comme un bruit de fond, alors que j'avais manifestement et malgré moi développé une appétence pour le jazz. Triste de constater qu'en dépit d'une exposition prolongée à l'expertise de mon frère je restais incapable de distinguer John Coltrane de Sonny Rollins. Me reprochant de ne jamais avoir véritablement écouté avec attention les CD d'Edison, même quand il m'était arrivé d'en mettre un pendant son séjour. Mortifiée de n'avoir pas réussi à amener mon frère à me parler de l'échec de son mariage ou de l'éloignement de son fils. Atterrée de n'avoir jamais compris ce qui l'avait poussé à devenir si gros. Déçue d'avoir eu une occasion exceptionnelle d'apprendre à connaître véritablement l'adulte qu'il était devenu et d'avoir gâché la plus grande partie de ce temps à attendre son départ.

Quand je lui avais dit qu'il allait me manquer, je songeais à tout ce que nous n'avions pas vécu ensemble, sorte de nostalgie de ce qui ne s'était pas produit. Je savais que j'allais me sentir affreusement mal au moment de son départ, et dans ce sens, pendant ses derniers jours chez nous, j'ai véritablement savouré sa compagnie, ce qui a eu au moins le mérite de me procurer un répit, même bref, face à mes propres remords.

*

Le samedi matin précédant le vol d'Edison, prévu pour le mardi suivant, nous venions de terminer l'un des brunchs gigantesques qu'il avait coutume de préparer : du pain perdu. Dans l'effort de se montrer sociable pour le dernier week-end où mon frère était là, Fletcher (« Je veux du pain sans rien dessus ! ») nous tenait compagnie avec son pain complet sans beurre. Tanner et Cody étaient partis retrouver des amis au centre commercial. À un moment entre midi et 1 heure de l'après-midi, le téléphone a sonné.

Travis.

Mon frère parlait à notre père environ une fois par an, et il m'avait rapporté ce que celui-ci pensait véritablement de Baby Monotonous – ou plutôt des « poupées baigneurs de ta sœur ». Que sa cadette sans talent, ordinaire et timorée, ait réussi à se faire un nom toute seule avec des « poupées de chiffon » constituait, semble-t-il, une source majeure de sa consternation coutumière. Cet affront était l'un des quelques avantages « bancables » que j'avais récoltés de la popularité de mon produit singulier. En un mot : une revanche. Notre famille était de celles pour lesquelles il était malaisé de dire de quoi exactement les enfants auraient bien pu avoir envie de se venger ; néanmoins, je gardais le sentiment de mériter une compensation pour une atrocité énorme, ineffable et indéfinissable. C'était mesquin, et je le savais. Travis était pitoyable. Remporter une victoire sur cet homme âgé de plus de soixante-dix ans était donc tout aussi pitoyable, d'autant que cette victoire arrivait bien trop tard.

En général, je m'entretenais avec Travis une fois par mois environ, et ces coups de fil consciencieux de fille bien élevée me soulageaient de la culpabilité que j'éprouvais à me décharger auprès de Solstice de ce monomaniaque délirant, pour la simple raison qu'elle habitait à côté de chez lui. (Mais, bon, c'était son choix.) Mon père me posait rarement des questions sur mon entreprise, et quand il le faisait, c'était toujours à la va-vite (« Ça roule, Pandarama ? »). Nous pouvions ensuite reprendre le cours important de sa non-vie, maintenant que même les fabricants des produits les plus embarrassants avaient cessé toute promotion sur son nom (Ab-Sure, fabricant de bandages herniaires, avait été le dernier à jeter l'éponge).

Jusque-là, Edison et moi avions appelé notre père deux fois, et au cours de ces conversations, c'est à peine si j'avais pu en placer une. Ces discussions à trois avaient des allures de véritable compétition, et il était difficile de déterminer qui, d'Edison ou de Travis, était le plus pipelette. Travis se plaignait qu'aujourd'hui les vedettes de la télé se faisaient presque autant de « blé » que les stars d'Hollywood, alors que lui n'avait gagné que des « clopinettes » – façon un peu perverse de nous informer qu'il avait d'ores et déjà dépensé la plus grande part de ces « clopinettes », et qu'il ne fallait pas nous attendre à hériter quoi que ce soit. Sans même chercher à soigner la transition, Edison évoquait ensuite sa tournée à Rio en 1992, citant les uns après les autres tous les membres du groupe, connus ni d'Ève ni d'Adam, avant de se lancer dans la description d'une jam-session impromptue dans une dangereuse favela.

Aussi, ce samedi-là, lorsque j'ai entendu la voix de mon père en décrochant, j'ai eu un coup au cœur : une heure qui allait partir en fumée. Néanmoins, le fait que, contrairement à son habitude, Travis nous appelle ne manquait pas de m'étonner.

— Pandorissimo ! s'est exclamé gaiement mon père.

Les ornementations généreuses dont il enjolivait mon prénom étaient une manière de décerner à la personne la plus insignifiante de la famille le statut de « Personnalité du jour ». D'un air affligé, j'ai articulé « Travis » à l'intention de Fletcher. Faisant preuve d'une plus grande amabilité maintenant que l'exil d'Edison approchait, mon mari épongeait la crème anglaise du pain perdu qui avait coulé partout sur le sol de la cuisine.

— Écoute ça, a tonné Travis à mon oreille. Tu as vu cette nouvelle série, *Mad Men* ? D'un côté, c'est bon à savoir qu'AMC achète des scénarios, je pense pouvoir capitaliser sur certaines opportunités. Mais tous ceux que je croise n'arrêtent pas de me rebattre les oreilles avec cette série. Alors, j'ai regardé, et tu m'excuseras, je ne vois vraiment pas l'intérêt. Ça se passe au début des années 1960, pourquoi pas, mais on peut difficilement prétendre avoir affaire à un scénario « historique ». Tout ce buzz à propos des décors et des costumes, quand j'aurais pu dégoter chez Goodwill tout le nécessaire à la première saison ! Tout l'intérêt de la série repose sur Christina Hendricks et sur ses obus. C'est un coup bas. Et tout ce flan autour du passé prétendument mystérieux du personnage principal… C'est vu et revu. Je préfère mille fois *Le Fugitif*.

— Je ne peux pas te dire. Je n'ai jamais regardé cette série, ai-je menti. On ne regarde pas beaucoup la télé.

— C'est ce qu'ils disent tous. À écouter les gens ici, c'est à croire qu'ils vivent tous dans des grottes sans électricité. Puis, dans le même souffle, ils s'extasient sur *Mad Men*. Je ne comprends pas, fillette. Sinon, Pandorable, c'était vraiment sympa au menuisier qui te sert de mari de m'envoyer par e-mail une photo de ton anniversaire. Désolé de ne pas t'avoir fait de petit coucou ce jour-là, mais j'avais des tonnes d'e-mails de fans à traiter, et je n'ai pas réussi à trouver le temps.

— Donc, tu m'appelles pour me souhaiter mon anniversaire ?

J'avais du mal à réfléchir. Je me suis simplement dit que si Fletcher n'avait pas envoyé notre photo de groupe, Travis aurait complètement oublié mon anniversaire. Ce qui aurait été loin d'être une première.

— Une avance pour l'année prochaine, en tout cas. Sinon, est-ce que ton *artiste* de frère campe toujours chez toi ? À se la couler douce avant sa prochaine *tournée express* ?

J'ai répondu qu'il était toujours chez nous.

— Pourquoi ne pas me passer le fiston, dans ce cas ?

J'ai tendu le combiné à Edison avant de retourner à la cuisinière.

— *Yo*, Trav, t'as du bol de me trouver ! s'est exclamé Edison depuis le fauteuil relax, après s'être léché les doigts.

(Avec la proximité de son départ, je m'étais résignée à mon rôle de « complice », et la veille au soir j'avais préparé pour le dessert une tarte au citron et aux amandes – tentative pour me racheter, de la manière la plus fâcheuse, de mon impatience à me voir débarrassée de lui. Edison était en train de finir les restes.)

— Je pars pour la Grosse Pomme mardi, puis en tournée en Europe…

Ce n'était pas dans le style d'Edison de télescoper ses projets musicaux en une demi-phrase, mais à l'autre bout du fil quelque chose l'a forcé à se taire. Il a rougi. J'ai quitté précipitamment l'îlot central jusqu'à ce que j'entende le son s'échappant du combiné : notre père en train de rire.

— Je n'ai pas à écouter ça, a déclaré Edison d'une voix calme, avant d'appuyer sur le bouton pour couper la communication.

— Qu'est-ce qui s'est passé ? ai-je demandé. Qu'est-ce qu'il a dit ?

Edison a regardé droit devant lui, la respiration haletante. Il ne touchait plus à la tarte. Puis il a relevé la tête, mais ce n'était pas moi qu'il regardait.

— Espèce de salaud ! a-t-il crié à Fletcher.

— Qu'est-ce que j'ai fait ?

Se rejouait ici l'innocence feinte avec laquelle Edison avait nié avoir cassé le Boomerang.

— Il *a fallu* que tu lui envoies cette photo !

Fletcher nettoyait l'évier avec, selon moi, un zèle indu.

— Et pourquoi pas ? L'anniversaire de ta sœur. Cela concerne Travis, si ça l'intéresse.

— *Cela concerne Travis* dans la mesure où son fils est maintenant, je cite, « une bête de foire ambulante ».

— Oh, non ! me suis-je exclamée. Edison, je suis vraiment désolée.

Fletcher a levé les mains dans un geste de désarroi théâtral.

— Il n'était pas au courant que tu t'étais mis à avoir une dalle d'enfer ?

— Je ne l'ai pas vu depuis des années. Ce qui signifie que lui non plus ne m'a pas revu.

— D'accord, mais…

Fletcher a agité les doigts.

— … internet ?

— De sa vie, ce type n'a jamais rien tapé d'autre que « Travis Appaloosa » dans un moteur de recherche. Pourquoi crois-tu qu'il serait au courant de mon *appétit* ?

Fletcher s'est enfin arrêté de récurer l'évier.

— Tu ne peux pas préserver ton entourage. Quand tu pèses cinquante kilos fois je ne sais pas combien, impossible de garder ça secret. Et ce n'est pas *ma* faute si, quand je prends une photo de famille, je dois reculer de trois pas pour t'avoir dans le champ.

Peu désireux de laisser l'îlot central de la cuisine servir de rempart à mon mari, Edison s'est extrait du fauteuil et a pisté Fletcher dans la pièce. Parce qu'il venait d'énerver un animal très costaud, Fletcher a battu instinctivement en retraite.

— Il y a ce qu'on ne peut pas maîtriser, et il y a foutre *délibérément* sous le nez de mon père ce qu'il n'a pas à savoir. Tu sais que je contrôle ma page Wikipédia *tous les jours* ? Pour vérifier que la photo en ligne est toujours celle prise il y a cinq ans. T'es déjà allé voir mon site web ? Il doit y avoir une centaine de photos dans la galerie, et rien que des bonnes. De partout dans le monde.

Idem pour ma page Facebook. Sur *aucune* d'elles je ne pèse plus de soixante-quinze kilos.

— Tu peux essayer de réécrire l'histoire autant que tu veux. Mais ton problème, c'est le présent, et mettre une vieille photo sur Wikipédia ne change rien à l'affaire.

— C'est une vengeance, c'est ça ? Pour ton putain de fauteuil ?

— Envoyer une photo d'anniversaire à mon beau-père n'a rien d'une « vengeance »…

— Un putain de fauteuil, *man* ! Un *meuble*, en échange de ma dignité, *man*…

— Si tu te soucies autant de ta dignité, tu pourrais peut-être t'arrêter à une seule assiette de spaghettis !

— As-tu la moindre idée de ce que j'ai dû entendre, à l'instant ?

— Travis n'est qu'un crétin. Pourquoi te prendre la tête sur ce qu'il peut bien penser de toi ?

— Parce que c'est mon *père, man* ! J'y peux rien, si c'est un crétin, mais il reste mon *père* ! Tu m'as *humilié*…

— Tu n'as pas besoin de moi pour ça !

— Ça suffit ! ai-je ordonné à Fletcher. Fiche-lui la paix !

Fletcher m'a décoché un regard pénétrant – *Voyons voir de quel côté est la petite sœur.*

— Laisse tomber ! s'est exclamé Edison en agitant la main. Ce qui est fait est fait. Tu as bien réussi ton coup. Tu as illuminé la journée de mon père, ça tu peux en être sûr. Je parie tout ce que tu veux qu'il va faire imprimer cette photo au format poster. Et qu'il va l'envoyer à toute la famille avec ses vœux de Noël.

— Il n'envoie pas de cartes de Noël.

— Maintenant, il va le faire.

Edison a tourné les talons, et j'ai posé une main sur son bras pour l'arrêter.

— Attends, ai-je dit. On ne peut pas en rester là. D'autant que tu pars dans trois jours. Essayons de régler les choses.

— Écoute, tu veux savoir ? Même les bêtes de foire ont parfois besoin d'aller chier.

Les marches ont craqué ; manifestement, mettre un étage entre Fletcher et lui semblait valoir l'effort supplémentaire de se hisser jusqu'aux toilettes du premier.

— Tu l'as fait ? ai-je demandé à voix basse à Fletcher. Est-ce que tu as fait exprès d'envoyer ce jpeg à Travis, pour qu'il sache qu'Edison était devenu obèse ?

— Je t'en prie ! Travis aurait fini par le découvrir un jour ou l'autre.

— Ce n'était pas à toi de le lui faire savoir. Tout comme il ne l'aurait jamais appris par moi. Quand j'ai parlé à Travis, et *même à Solstice,* j'ai évité la moindre allusion au fait qu'Edison avait changé. J'ai aussi gardé pour moi le fait qu'il avait des soucis d'argent. J'ai dit qu'il était entre deux appartements, et que nous en avions profité pour rattraper le temps perdu. Point barre. Tu ne sais donc rien de la façon dont ça se passe dans les familles ?

— Oh que si ! a-t-il répondu d'un ton froid. Tu oublies que j'en ai une.

— *Nous* avons une famille, merci. Je parlais des fratries. On *se tait.* On ne dit rien sur son frère et rien non plus sur son beau-frère.

Pendant quelques minutes, nous nous sommes absorbés dans le nettoyage furieux de la cuisine, et quand nous avons eu terminé, j'étais contrariée de n'avoir plus rien sur quoi passer mes nerfs. De désespoir, j'ai attaqué les taches autour des poignées du placard, tandis que Fletcher traînait, désœuvré.

— Le problème, c'est l'obésité de ton frère, a déclaré Fletcher, et non le fait que Travis soit ou non au courant. Pourquoi es-tu toujours de son côté et jamais du mien ? « Renoncer à tous les autres », tu te souviens ?

183

— J'ai renoncé à tous les autres attachements roman-
tiques, mais quant au reste du monde, les choses ne sont
pas si simples.

— Bien sûr que si. Tu as rejoint la vieille équipe. Celle
du frère et de la sœur qui s'agrippaient l'un à l'autre
pour lutter contre les grands faux méchants enfants à la
télé. Mais tu n'es qu'un second rôle, *petite sœur*. Tu es
à la traîne. Il se sert de ta maison, de ta famille, de ta
patience en apparence *infinie*, sans oublier ton argent. Et
toi, qu'est-ce que tu en retires ?

La question m'a prise à froid, et j'ignore ce que j'aurais répondu si nous n'avions pas été interrompus par un
gigantesque mugissement à l'étage – un cri d'abattement
si déchirant qu'il semblait moins être la réponse à une
catastrophe soudaine que la lamentation de toute une vie.

J'ai dit à Fletcher de rester où il était et je me suis précipitée à l'étage. Entre-temps, le hurlement d'Edison avait
cédé la place à des lamentations continues, qui n'étaient
pas sans évoquer les réactions de deuil désinhibées qu'on
voyait dans des reportages sur le Moyen-Orient. La porte
de la salle de bains était fermée. De l'eau s'écoulait en
dessous. Sur le plancher du couloir, une mare s'élargissait
et ruisselait vers l'escalier. J'ai marché dedans pour frapper à la porte.

— Edison, tout va bien ? Que s'est-il passé ? D'où vient
toute cette eau ?

Les pleurs ont redoublé. Edison ne semblait pas en état
de parler.

J'ai actionné la poignée de la porte.

— Je ne veux pas me montrer intrusive, mais tu dois
ouvrir cette porte. Quoi que ce soit qui se passe, laisse-
moi t'aider. C'est les grandes eaux, de notre côté.

Au bout d'un instant, le verrou s'est rétracté. Quand j'ai
ouvert la porte, j'ai eu droit au genre de révélation dont
n'importe qui se passerait, de celles qui nous font dire

184

« C'est bon, n'en jetez plus » : apparemment, mon frère n'avait pas vidé ses intestins depuis un certain temps.

Les toilettes débordaient. Flottant sur une écume d'eaux usées, des crottes étaient éparpillées partout sur le sol – sous l'évier, à côté de la cabine de douche, contre le mur de la baignoire – et s'agglutinaient au niveau de la porte ; deux boulettes se sont échappées avant que je puisse refermer derrière moi. Edison, qui avait remonté son pantalon suffisamment pour nous épargner plus d'embarras encore, était affaissé sur le rebord de la baignoire, sanglotant dans ses mains. La scène aurait pu être drôle. Elle ne l'était pas.

Promptitude et efficacité constituaient le ticket gagnant – l'état d'esprit positif et léger avec lequel notre mère changeait nos draps quand il nous arrivait de mouiller notre lit. C'est féminin, cette capacité à gérer les effluents avec rapidité et bonne humeur ; en ramenant les choses au niveau du désordre quotidien, une serviette qui traînerait par terre, par exemple, elle permettait de minimiser la honte.

J'ai donc débouché les toilettes – bonjour le boulot ; elles étaient obstruées par quantité de merde et de papier. Puis, après avoir passé des gants en caoutchouc, j'ai fait la chasse aux excréments, en les jetant dans la cuvette avant de tirer la chasse par intervalles. Curieusement, quand on *agit* de façon imperturbable, on se *sent* imperturbable ; on aurait pu croire que, tous les jours, je ramassais des excréments avec la même facilité que des chaussettes sales. J'ai pris deux serviettes usagées pour éponger l'eau sur le sol, récupéré les deux boulettes fugitives et essuyé le couloir. Au moment où l'horreur avait commencé à retomber comme à la fin de *L'Apprenti sorcier*, les pleurs d'Edison s'étaient mués en sanglots erratiques.

Je me suis tournée vers lui, et je lui ai suggéré de

remonter la fermeture Éclair de son pantalon. Après avoir retiré les gants de caoutchouc, je me suis assise à côté de lui sur le bord de la baignoire et j'ai passé un bras autour de ses épaules.

— Quand j'étais petite, c'était ma plus grande peur. Ce doit être la plus grande peur de tous les enfants. À chaque fois que je tirais la chasse après la « grosse commission », je regardais, terrifiée, dans la cuvette. L'eau commençait par monter. Je croyais toujours que ça n'allait pas s'arrêter.

— Fletch a raison…, a dit Edison en chialant.

Je ne crois pas que j'avais vu mon frère pleurer depuis qu'il avait douze ans.

— … tout ce que je fais, c'est m'humilier.

J'ai serré son épaule.

— Quand tu seras en tournée au Portugal, ce ne sera plus qu'une petite anecdote, et on en rira ensemble au téléphone.

— Il n'y a pas de Portugal.

— Ça, c'est une sacrée info pour tous ceux qui habitent Lisbonne.

J'avais adopté un ton désinvolte qu'il m'était difficile d'abandonner.

— Il n'y a pas de tournée.

— Ah !

J'ai pris le temps d'intégrer l'information. Au plus profond de moi, j'avais dû m'en douter.

— Et si tu retournes à New York mardi, tu as un endroit où habiter ?

— Non.

— Où as-tu prévu d'aller, alors ?

— Je ne sais pas.

— Et tous ces concerts, au printemps ?

Un bref mouvement de tête a tout dit.

— Mais pourquoi as-tu inventé tout ça ?

— Je ne pouvais pas vraiment me pointer à Cedar

Rapids en disant : « Salut, c'est ton grand frère, je suis venu m'installer chez toi pour toujours. »

— Quoi qu'il se soit passé… La nourriture comme compensation ou comme façon d'oublier, de te cacher, ou quoi que ce soit que tu essaies de faire… tu ne peux pas continuer comme ça.

— Peut-être que je ne veux pas.

J'aurais aimé qu'il ait voulu dire qu'il ne voulait pas continuer à se tuer en s'empiffrant. Mais l'autre interprétation de ses derniers mots était la plus probable, à savoir que sa surconsommation avait un objectif : un suicide à petit feu par la bouffe.

11

J'AI LAISSÉ FLETCHER CROIRE QUE LES PLEURS DE DÉSESPOIR à l'étage ce samedi après-midi-là étaient la seule consé-quence de son envoi de la photo à Travis – ce qui pro-tégeait la fierté de mon frère et continuait de culpabiliser mon mari. À ce moment-là, j'étais habituée à contrôler le flux d'informations, façon élégante de dire que j'étais devenue une menteuse patentée avec tout le monde.

Fort heureusement, notre chambre avait une salle de bains attenante, et Fletcher n'utilisait pas celle du bout du couloir, que les enfants partageaient avec Edison. Le lendemain, Tanner a dégoté une crotte que j'avais ratée – coincée derrière les toilettes, dans cette zone difficile d'accès avec une serpillère. Fort heureusement aussi, quand il s'est écrié « C'est dégueu ! » ce dimanche après-midi-là, Fletcher le cyclomaniaque était parti faire un tour à vélo. Sans prétendre cette fois faire bonne figure pour ménager Edison, j'ai placé, écœurée, les excréments par-tiellement liquéfiés dans une pelle, et j'ai immédiatement exilé brosse et pelle dans la poubelle extérieure.

Quand Tanner m'a pressée de lui expliquer comment une merde avait fait pour atterrir par terre, j'ai répondu que je l'ignorais. Edison en a probablement été rendu responsable par défaut. À deux jours de son départ, tout cela n'avait peut-être plus vraiment d'importance, mais je doutais de supporter de le pousser dans cet avion – sans foyer vers lequel retourner, avec juste des amis dont la bonne volonté avait été mise à rude épreuve, et aucune tournée européenne pour lui donner de l'importance. Je craignais que le vol de retour atterrisse effectivement sur Houston Street, chez Katz's Delicatessen, où Edison et moi nous étions régalés une fois de gros sandwichs aux trois cents grammes de pastrami. Pourtant, je n'avais dit à personne que l'emploi du temps surchargé d'Edison était factice, pas même à Fletcher. En fait, surtout pas à Fletcher. Ça ne lui aurait fait ni chaud ni froid. Mais il aurait été soucieux de me voir m'en soucier.

Ce même après-midi, j'ai aussi dû prendre un appel de Solstice, à qui Travis avait fait suivre la photo compromettante. (D'ailleurs, il avait dû l'envoyer allègrement à tout son carnet d'adresses.) Fait inhabituel, ma sœur n'a posé aucune question sur ce que devenaient nos enfants ; elle est entrée immédiatement dans le vif du sujet.

— Il est chez toi depuis deux mois. Comment as-tu pu me le cacher ?

— Te cacher quoi ? ai-je demandé platement.

— C'est de ça que je parle ; c'est ça qui m'agace. Tu fais l'innocente. Tu parais ouverte et sincère, alors qu'en fait, tu ne dis rien du tout.

— Il n'y a pas grand-chose à dire, ai-je rétorqué.

— Vraiment ? Edison est aussi rond qu'un ballon de plage, et il a manifestement de gros problèmes, mais tu ne l'*évoques* même pas, bien qu'on se soit parlé au moins deux fois depuis qu'il s'est installé chez toi. C'est tellement typique ! S'il se passe la moindre chose, c'est votre petit secret à tous les deux. Vous avez toujours été comme ça, une *unité* serrée, fermée, hostile, et vous ne m'avez jamais incluse dans quoi que ce soit…

— Comment aurions-nous pu ? Quand Edison a quitté la maison, tu avais *quatre ans*.

— Après son départ, il y avait ces coups de téléphone, en secret, derrière des portes fermées. Tu crois que je ne t'entendais pas ? Puis vous avez commencé à vous retrouver à New York. À faire la fête, à mener la grande vie. Personne ne m'a jamais invitée, *moi*, à New York !

— Mon premier voyage date de l'été précédant mon entrée à l'université. Tu n'étais encore qu'une enfant.

— J'ai pratiquement grandi en enfant unique ! Et à présent, il s'installe chez toi dans l'Iowa pendant des mois. Tu sais combien de fois j'ai griffonné sur mes cartes de vœux une invitation pour qu'il vienne nous voir à L.A. ? Il ne se donne même pas la peine de répondre « Non merci » par e-mail. La dernière carte m'a été retournée. J'ignore l'adresse de mon propre frère...

— La moitié du temps, *moi aussi*, j'ignore son adresse...

— Tu l'as, maintenant, a raillé Solstice. C'est la tienne. Et qui sait ? Si tu t'étais ouverte à moi des problèmes d'Edison, j'aurais peut-être pu l'aider...

— Comment ? En lui envoyant un stepper ? Je suis désolée si je ne t'ai pas régalée de descriptions, mais il a aussi le droit au respect de sa vie privée, et il n'aurait pas été très délicat de crier sur les toits qu'il a un problème de poids...

— Un « problème de poids », c'est un euphémisme ! Manifestement, il a besoin qu'on aille vers lui. Moi aussi, je suis sa sœur, Pandora. Mais j'ignore comment je pourrai jamais être une vraie sœur pour lui si tu continues d'interférer et de te mettre entre nous.

Une fois de plus, j'ai accusé le coup. *Edison a pesé lourd, comme mythe de notre enfance, ne serait-ce que par son absence*, ai-je pensé. *Mais il se soucie peu de toi, ma chère. Pendant des décennies, je t'ai protégée de l'indifférence de ton frère.* Au lieu de quoi, je me suis bornée à répondre :

— Ta relation avec Edison n'a rien à voir avec moi. Si tu veux « aller vers lui », personne ne t'en empêche.

J'ai raccroché avec la certitude qu'elle ne chercherait pas à entrer en contact avec Edison. Elle avait peur de lui.

La beauté, si supérieure à la mienne, dont avait été gratifiée ma sœur à la naissance m'avait toujours semblé une ample compensation à la solitude qu'elle avait peut-être pu éprouver en grandissant. Bien que Solstice ait été la seule bénéficiaire de la découverte – tardive – par Travis de l'existence de ses vrais enfants, sa façade équilibrée constituait une piètre couverture à des griefs qui, au moindre prétexte, faisaient éclater les digues de sa gentillesse forcée. Elle se sentait en permanence dupée, et ce sentiment aigu de manque ne reposait que sur une ignorance complète de ce dont elle avait été privée, car il y avait peu à envier de l'époque de *Garde alternée*. Nous n'étions pas proches, et je me sentais harcelée par elle. Pendant des années, elle avait cherché à me piéger par des colis remplis de cadeaux bizarres et parfaitement inutiles, qu'elle envoyait sans qu'il y ait d'occasion particulière : un coq en tricot aux mailles trop lâches pour être utilisé comme manique, un jeu de repose-baguettes en porcelaine, un éventail fragile à la dentelle si ajourée qu'il n'aurait pas produit le moindre souffle d'air même si l'un d'entre nous avait été assez raffiné pour l'utiliser. Superstitieuse à l'idée de jeter tous ces colifichets, j'étais condamnée à fouiller les tiroirs de la cuisine et à tomber, par exemple, sur un porte-monnaie en velours troué. Cependant, cette cascade d'attentions non sollicitées avait atteint son objectif. J'étais trop occupée pour envoyer des babioles en retour, et ces totems disséminés partout dans la maison me donnaient l'impression d'être tout à la fois redevable et ingrate.

Aujourd'hui, l'ironie de la situation me rendait amère : après deux mois entiers d'éclaboussures de pâte à pancakes, de taches de café sur les tables en bois et de mégots de cigarette dans tout le patio, mon mariage atteignait son point de rupture, et Solstice était *jalouse*. De tous côtés, on me blâmait de me montrer trop coulante envers un frère que, comme j'avais pu le vérifier ces derniers temps, je connaissais à peine.

*

Le lundi soir, pour son dernier dîner, nous avons emmené Edison chez Benson's, le plus proche de ce que New Holland avait d'un restaurant chic. Nous avons dîné tôt, car mon frère devait encore faire ses bagages après le repas. La soirée a commencé sur une note désagréable, puisque nous avons été relégués dans un coin près des cuisines.

— Excusez-moi, a déclaré Cody d'une voix forte, mais nous préférions avoir cette table là-bas.

Quand le serveur a vaguement murmuré que la table centrale était réservée, elle ne s'est pas laissé démonter.

— Dans ce cas, celle à côté sera parfaite. Il n'y a pas foule ici. Il n'y a aucune raison pour qu'on soit assis dans un coin.

Sans ciller, elle a fixé le serveur, et celui-ci s'est trouvé incapable de tenir tête à une adolescente de treize ans. Une fois que nous avons été réinstallés, après beaucoup d'agitation, très embarrassante pour Tanner, car il avait fallu trouver une chaise plus large pour Edison, Cody ne décolérait pas.

— Tu sais pourquoi il nous avait placés là, n'est-ce pas ?

— C'était vraiment adorable de ta part, ma puce, a répondu Edison. Mais j'ai l'habitude.

— Moi, je n'ai pas honte de toi, oncle Edison.

— Cool, a dit mon frère, avant d'ajouter d'une voix

plus faible : Mais ce n'est pas la même chose qu'être fier de moi, pas vrai ?

Une expression de confusion est passée sur le visage de Cody.

— Je ne voulais pas dire…

— Je sais ce que tu veux dire, ma belle, a affirmé Edison. Et ça me touche vraiment. Mais je ne devrais pas te mettre dans cette situation, pigé ? T'es qu'une gosse. C'est déjà suffisamment dur de te défendre toute seule.

— Tu aurais dû jouer de ta notoriété, Pando, a déclaré Tanner. En tant que célébrité locale, tu pourrais exiger d'être placée où tu veux. Je ne comprends pas que tu ne t'en serves jamais !

— Ben ouais, ma sœur a la classe, *man*.

Il y avait quelque chose de retenu dans le comportement d'Edison. Mon frère ne s'est lancé dans aucun exposé sur les riffs de Charlie Parker, et depuis son arrivée, je ne l'avais jamais vu manger si peu au cours d'un repas – il découpait de petites bouchées peu enthousiastes de sa côtelette, dont nous avons rapporté l'essentiel dans un doggie bag, et touchait à peine à son vin. C'était comme s'il avait joué un numéro devant nous toutes ces semaines, et que l'énergie nécessaire pour continuer lui avait fait défaut un jour trop tôt. Désireuse de lui éviter de se lancer dans une nouvelle explication de ses projets fantasques, j'ai fait diversion pendant une grande partie du dîner avec le récit des dernières commandes arrivées chez Baby Monotonous, mais l'ambiance de la soirée était si mélancolique que je n'ai fait rire personne, et mes imitations des tics langagiers d'un germaphobe sont tombées à plat. L'atmosphère morose du dîner en était peut-être une preuve : Edison partait, et nous – ou la plupart d'entre nous – étions tristes.

Il était seulement 9 heures du soir quand nous sommes rentrés. Edison s'est retiré pour faire ses bagages. Tandis que mon mari se préparait à aller se coucher, je me suis allongée sur le lit, le cœur lourd.

— Je sais que tu t'es *habituée à son visage*[1], a déclaré Fletcher entre deux *pocs* de fil dentaire. Mais tu dois bien reconnaître que c'est un soulagement.

— Oui, ai-je répondu. Mais ce soulagement me fait me sentir coupable.

— Il n'y a pas de raison. Tu as – nous avons – largement répondu à l'appel du devoir.

— Je n'ai pas l'impression d'avoir écouté cet appel. D'ailleurs, tu n'arrêtes pas de me rappeler que je n'ai pas aidé Edison. Qu'il est plus gros qu'en arrivant.

— Et c'est *toi* qui n'arrêtes pas de me rappeler qu'il n'est pas en ton pouvoir de le sauver.

— Cela l'était peut-être. J'ai sans doute été lâche. Il est sûrement plus facile de faire semblant de l'aider en se contentant de l'héberger et en jouant la montre, plutôt que de l'aider vraiment. Ce serait trop difficile.

Fletcher a jeté son fil dentaire à la poubelle.

— Je suis désolé que ton frère soit obèse. Je suis désolé qu'il soit toujours obèse – ou « fort » ainsi que tu formules les choses, comme si cela faisait une différence. Je suis désolé qu'il soit probablement malheureux. Mais ce n'est pas ton problème. Tu devrais aller de l'avant. On a besoin de récupérer. Toute cette histoire a été éprouvante, et même si on s'est disputés, on a traversé ça sans que, miracle, je le tue. Lâche l'affaire.

Le poids sur ma poitrine était métaphorique : j'ai ressenti le besoin de me décharger.

— Samedi dernier… il m'a tout dit. Il n'y a pas de tournée en Espagne et au Portugal. Aucun concert au printemps. Il n'a pas de boulot, et il n'a nulle part où aller.

---

1. Référence à la chanson « I've Grown Accustomed to her Face » tirée de la comédie musicale *My Fair Lady*.

Sur le seuil de la salle de bains, la main tenant le dentifrice est restée suspendue dans l'air.

— Ça ne change rien.

— Pour toi, peut-être.

Fletcher s'est avancé vers le lit et m'a regardée.

— Tu n'envisages pas sérieusement de lui proposer de rester plus longtemps ?

— Je ne supporte pas de le mettre dehors alors qu'il n'a nulle part où aller.

— Bien sûr que si. Ou sinon, c'est autre chose que tu devras supporter.

— Ça ressemble à une menace.

— C'était l'idée.

J'ai soupiré. Je ne voulais pas en arriver là. Je me suis rabattue sur des lieux communs.

— Quand on se marie, on n'épouse pas seulement une personne, on accepte tous ceux qui font partie de sa vie. Ses collègues, ses amis qu'on n'aime pas, sa famille. Comme j'ai accepté Tanner et Cody. Et ça a d'ailleurs été un grand bonheur.

— Je n'ai pas épousé Edison Appaloosa. Cela étant dit, je te mets au défi de trouver un autre homme qui accepterait d'héberger un beau-frère aussi chiant que lui pendant deux mois entiers. En réalité, j'ai fait preuve d'une sacrée tolérance. Mais j'ai atteint mon ultime limite. Tu ne peux pas garder ce type chez nous *cinq secondes de plus* après l'heure fatidique de 4 heures demain après-midi et rester mariée avec moi.

Notre couple n'était pas de ceux qui brandissaient le divorce à tout bout de champ. Durant nos sept ans de vie commune, jamais nous n'avions fait la moindre allusion à une séparation éventuelle, ce qui pouvait justement suggérer une certaine fragilité dans notre relation. Je doutais que Fletcher ait eu en tête un ultimatum si radical, voire qu'il ait planifié quoi que ce soit. Néanmoins, il n'était pas homme à formuler pareille déclaration pour s'empresser de la retirer.

Je suis restée interdite.

— Qu'est-ce que tu veux que je fasse ?

— Ce que je t'ai dit dès le début. Donne-lui de l'argent. Assez pour qu'il trouve un hôtel, puis un studio. Assez pour qu'il se dégote un job, n'importe lequel. Quitte à bosser chez Burger King s'il le faut.

— Charmant. Sauf que si je renvoie Edison à New York avec un paquet de fric, il ne l'utilisera pas pour se trouver un appart, mais pour bouffer.

— Il ne s'agit pas de lui tourner le dos. Tu peux l'appeler, lui envoyer des e-mails, lui apporter ton *soutien*. C'est ce que font les familles normales. Tu n'arrêtes pas de me répéter que je ne comprends rien aux fratries, mais ce que je sais pertinemment, c'est que tu n'as pas à l'adopter.

— Des coups de fil. Des e-mails. Edison *désincarné* est beaucoup plus facile à gérer. Sympa.

— Tu as compris ce que je viens de dire ?

— Oui.

J'ai fermé les yeux.

— Et tu *hésites* ?

— Je suis tiraillée.

— Est-ce que tu m'aimes encore ?

J'ai espéré qu'il ne prenne pas mon silence pour une insulte. Je réfléchissais, et j'étais assez admirative de l'intransigeance de son oukase : c'est lui ou moi. Même si toutes ces bêtises autour du lait de soja et du cyclisme traduisaient une certaine inquiétude chez lui, mon mari était un homme fort, un bel homme, un homme-homme. Qui fabriquait des meubles magnifiques.

— Oui, ai-je répondu avec conviction en rouvrant les yeux pour chercher sa main. Et j'aime notre vie commune, et les enfants que j'ai tout fait pour considérer comme les miens. Mais après l'essor de Monotonous, tout est devenu si léger, si facile, sans nuages à l'horizon. Qui sait ? J'ai peut-être besoin de difficultés. Et la vraie difficulté, ce n'est pas une chose au-devant de laquelle on va ; c'est quelque chose, ou quelqu'un, qui te trouve. On ne la choisit pas. C'est en partie ce qui fait sa difficulté.

— Je suis un peu largué. Qu'est-ce que je dois comprendre ?

Je me suis assise.

— Que tu devrais aller finir de te brosser les dents. Que je me sens mal, que j'appréhende d'accompagner Edison à l'aéroport demain. Que je suis mal quand je pense qu'en cet instant il fait ses bagages tout seul au bout du couloir, et que je crois que je devrais aller le rejoindre pour lui tenir compagnie, surtout si c'est sa dernière nuit.

— *Si* c'est sa dernière nuit ?

— Je ne sais pas encore ce que je vais faire. Vraiment, je l'ignore.

L'espace d'un instant, alors que je me levais pesamment du lit, j'ai eu une vive intuition de ce qu'on devait éprouver, physiquement, dans la peau d'Edison, à traîner cette masse de kilos à chaque pas. Cela devait être épuisant.

*

J'ai frappé à la porte de la chambre d'amis, et je l'ai refermée derrière moi. Partout dans la pièce étaient entassés des vêtements pliés. La valise en cuir usé de mon frère, ouverte par terre, semblait déjà pleine.

— Comment tu t'en sors ?

— Tu m'as acheté bien trop de merdes, a répondu aimablement Edison.

— Tu peux prendre l'une de nos valises. Elle ne nous manquera pas.

Je n'ai fait aucun geste pour sortir un autre sac de voyage.

— Dis-moi, Edison, où vas-tu aller ?

— Oh, Slack va me reprendre, pour un temps. Je lui tape un peu sur les nerfs, mais on est potes depuis longtemps. J'ai plein d'amis. Tout dans ma vie n'est pas le fruit de mon imagination. Tu n'as pas à t'en faire, je m'en sortirai. Je m'en sors toujours, d'une façon ou d'une autre.

Nous étions tous les deux mal à l'aise. Il y avait une chaise près du bureau, mais je suis restée debout.

— Et le boulot ?

— Oh, quelque chose finira bien par se présenter.

C'était le type même de propos flous et rassurants que, dans une famille, on prenait pour argent comptant, afin de terminer au plus vite la conversation et de se remettre à trier le linge. Pourtant, nous avions la plus grande difficulté à nous en tenir à un vague « on reste en contact », qui dans les faits équivalait pour lui à se retrouver tout seul.

— Je ne m'explique pas bien comment on n'a pas réussi à te faire jouer plus souvent du piano, ai-je dit. Quand tu venais me voir, tu jouais toute la journée. Je devais te forcer à sortir de la maison.

— C'est compliqué.

Edison a fourré d'autres produits de toilettes dans une trousse à fermeture Éclair.

— Trop pour le temps qu'il nous reste. Je recommencerai à jouer le moment venu. Mais pour faire court : mauvaises associations.

— Avec le piano ? j'ai demandé.

Mais il avait raison : nous n'avions pas le temps. Pourtant, nous l'avions eu. Alors j'ai changé de sujet.

— Dis, j'imagine que tu es un peu à court. Qu'est-ce que tu dirais de s'arrêter à la banque demain ? Je te donnerai un peu d'argent pour te permettre de voir venir.

— Ça me gêne, si tu veux tout savoir. Mais Slack sera plus disposé à m'ouvrir la porte avec un sourire si j'arrive avec un peu de blé.

Il lui a suffi de se pencher afin de ramasser par terre un paquet de Camel pour être à bout de souffle. J'aimais la façon dont ses boucles blondes tirebouchonnaient sur son front et fouettaient le clavier quand il laissait courir ses doigts sur les touches ; chez un jeune homme mince, les cheveux dans le cou donnaient l'air sexy. Mais maintenant, ce halo de fioritures ne faisait qu'accentuer la rondeur de sa tête et lui conférait un faux air de Petit Lord Fauntleroy ; ses bras et ses jambes semblaient raccourcis par rapport à son buste, avec les mêmes proportions qu'un enfant. Je ne crois pas avoir jamais été attirée par mon frère d'une façon malsaine, mais ça m'avait toujours plu que les filles le trouvent attirant. Quand j'étais plus jeune, être associée ainsi avec un beau gosse musclé qui portait des jeans taille basse sur ses hanches étroites m'avait conféré un atout social aussi gratifiant qu'un père qui passe à la télé.

— Écoute, a-t-il dit en rangeant le paquet de Camel dans une cartouche ouverte. Je ne sais pas comment te le dire… T'as été super cool. Même avec ton entreprise à faire tourner – ce que j'essaie de dire, c'est que t'es celle pour qui ça marche, qu'on s'arrache, avec toutes ces interviews, ces séances photo, tous ces trucs… Crois-le ou non, je sais ce que c'est.

Voilà qu'il retournait à ses habituelles fanfaronnades ; depuis l'épisode des toilettes, il avait fait profil bas. Mais je *voulais* le voir fanfaronner.

— Ou plutôt, je savais ce que c'était quand j'avais vingt ans. J'étais une grosse pointure.

— Je sais. Tu es toujours une grosse pointure.

— Très drôle.

— Je le dis dans les deux sens, *pigé* ?

— Tu te fiches de moi ?

— J'espère bien.

— Écoute, tout ce que j'essaie de dire, c'est que t'es

super occupée, j'ai compris. Et je sais que j'ai un peu abusé de ton hospitalité. Mais c'était super d'avoir… un endroit où se poser. Et ta gosse, Cody, elle a été… elle est géniale, *man*. Elle va en briser, des cœurs, plus tard. Tout ce que je veux dire…

— Tu veux juste me dire merci. Alors je te réponds : « Je t'en prie. »

— OK, d'ac.

Dans l'ensemble, Edison n'était pas très porté sur la gratitude, et cet effort de sa part m'a touchée.

— J'aimerais te proposer de rester plus longtemps. Mais Fletcher…

Je n'étais pas sûre d'avoir envie de lui raconter, mais je voulais qu'il comprenne dans quelle sorte de pétrin je me retrouvais.

— Il a dit que si tu restais ici « cinq secondes de plus » après l'heure de ton avion demain, il demanderait le divorce.

— Je le crois pas ! Ce mec doit vraiment me détester, *man*. Pourtant, je comprends pas ce que j'ai bien pu lui faire. Jamais vu quelqu'un péter les plombs comme ça à cause d'un putain de fauteuil.

— Il ne s'agit pas simplement du fauteuil. Fletcher est fils unique, et pour lui le lien frère-sœur est suspect. Et lui et moi nous sommes rencontrés assez tard. Il a manqué beaucoup de choses dans ma vie, et avec tout ce truc autour de *Garde alternée*, il se sent encore plus exclu. Il pense peut-être que je dois expressément le choisir, lui. Contre toi. Pour prouver quelque chose. Une fois que je t'aurai déposé à l'aéroport, il redeviendra le seul homme de ma vie. Ou presque – il n'aime pas non plus me voir passer du temps avec Oliver. C'est la même chose. Un homme, une femme, c'est tout ce que Fletcher comprend.

En regardant Edison empiler ses magazines de jazz pour le recyclage, l'image de mon frère à dix-sept ans m'est revenue en mémoire, le soir où il avait fait ses bagages, avec plus de vigueur – à s'agiter et ranger dans un sac à dos ses cassettes entourées de chatterton pour qu'elles ne soient pas abîmées pendant le voyage. Après avoir laissé tomber le lycée avant sa dernière année, il était sur le point de m'abandonner pour New York afin d'essayer de faire carrière comme musicien de jazz. Compte tenu de son âge, je m'étais préparée à son départ après le lycée. Mais notre mère était décédée l'année précédente, et je n'étais pas prête à perdre le seul allié qui me restait. Au moins, avec l'université, il aurait pu revenir après chaque semestre, alors que son hasardeux voyage en stop à l'autre bout du continent contenait la menace d'un exil indéfini.

Je me souviens m'être attardée tristement dans sa chambre, j'avais alors quatorze ans, en attendant le meilleur moment pour lui donner son cadeau de départ afin qu'il pense à moi – un bracelet en cuivre tressé que j'avais fabriqué en colonie de vacances –, me demandant si je devais finalement lui offrir, s'il n'allait pas le trouver ringard.

Garde alternée avait été renouvelée pour une saison de plus, et serait diffusée pendant encore deux ans, au cours desquels je me retrouvais sans défense devant la version télévisée améliorée de notre famille, sans l'aide de mon frère et le mépris que je partageais avec lui. C'était le moment dans la série où Mimi avait intenté une action en justice pour obtenir la garde complète des deux plus jeunes enfants, utilisant contre son ex-mari toutes les confidences qu'ils lui avaient faites sur leur père. Maple, tout particulièrement, se retrouvait piégée entre les deux. Après avoir, des années durant, assidument « contrôlé les informations », il fallait qu'elle décide si elle devait s'en tenir sous serment à ses déclarations dans lesquelles elle affirmait ne rien savoir.

Alors qu'Edison, avec sa carrure imposante, assemblait

ses paires de chaussettes dans la chambre d'amis, tandis qu'au bout du couloir mon mari devait ronger son frein, allongé sur le lit, j'ai reconnu le pincement que Floy Newport avait si bien décrit : tiraillée entre deux loyautés, destinée à trahir les deux parties sans satisfaire personne, à commencer par soi. Je me suis aussi demandé s'il n'était pas pitoyable d'essayer d'y voir clair dans mes émotions en me fondant sur l'expérience d'un personnage de télévision. Mais je ne pouvais m'empêcher de me rappeler à quel point Maple s'était retrouvée démunie lors de la saison précédente, quand son frère aîné Caleb s'était fait la malle à sa majorité pour essayer de devenir pianiste de jazz. Comme Sinclair Vanpelt était toujours sous contrat, le personnage de Caleb s'était contenté de déménager à Seattle et de continuer à faire quelques apparitions dans la série pour donner à sa sœur Maple, en proie à d'affreux tiraillements, des conseils pour sa déposition. À dix-sept ans, Edison En Chair et en Os avait montré à Sinclair/ Caleb ce qu'il fallait faire quand on avait vraiment envie de devenir musicien de jazz : on partait s'installer à New York, *man*.

À peine en âge de se raser, Edison avait filé vers une ville dangereuse où il n'avait nulle part où habiter, une odyssée dans laquelle il s'apprêtait à se lancer pour la seconde fois. Quand Edison, adolescent, avait parié sur New York, je l'avais envié ; je m'étais sentie abandonnée. Pourtant, je n'avais pas eu peur pour lui. J'avais une confiance absolue dans le fait que mon frère de dix-sept ans retomberait sur ses pieds à New York. Mais laisser Edison retourner dans le vaste monde hostile à quarante-quatre ans me terrifiait.

— Tu te souviens quand tu es parti pour New York la première fois ? ai-je demandé. Tu me paraissais si viril que je n'ai pas douté un seul instant que tu t'en sortirais. Mais je me rends compte maintenant que tu avais seulement l'âge de Tanner, et je mesure à quel point tu étais courageux. Tu ne connaissais personne là-bas. Tu t'es contenté de prendre ton sac à dos et de lever le pouce.

— Ouais, Travis pensait que c'était une grosse blague. Il s'attendait à me voir rappliquer dans la semaine, la queue entre les jambes. Sacrée motivation, pigé ? Je jouais gros.

— À l'époque, je n'étais pas inquiète. Mais je le suis maintenant.

— Qu'est-ce qui a changé ?

J'ai pris une inspiration.

— À dix-sept ans, tu ne souffrais pas d'obésité morbide.

— Et voilà le diagnostic médical !

— Jusqu'à présent, je ne crois pas avoir suffisamment abordé les choses sous cet angle.

J'ai fait asseoir Edison sur le lit à côté de moi.

— Je n'ai pas besoin de te le dire. Tu risques le diabète. L'infarctus. L'hypertension. Les troubles vasculaires. Tu souffres déjà d'apnée du sommeil, qui est aussi une conséquence de ton poids.

Edison ne semblait pas passionné par ce que je disais.

— Et tout ça, c'est en plus de te rendre malheureux et de diminuer tes chances qu'une femme qui se respecte ait envie de s'approcher de toi. Toutes mes copines étaient amoureuses de toi ! C'est un véritable gâchis et une atrocité. Il faut que ça s'arrête.

— Écoute, le prends pas mal, mais comme je te l'ai dit, ça me regarde.

— Fletcher a raison : tu es en train de te tuer, et c'est également l'affaire des autres. Pour moi, continuer à prétendre que ça ne me concerne pas, c'est mal, moralement mal, si tu me permets d'utiliser des termes aussi ringards.

Je n'avais pas la moindre idée de ce que j'allais dire ensuite jusqu'à ce que je l'aie formulé. Les choses me venaient au fur et à mesure, et j'éprouvais un sentiment intense de sacrifice, mais aussi de pouvoir. Comme pour Fletcher et son ultimatum une heure plus tôt, il ne me serait plus possible de revenir en arrière.

— Je veux te faire une proposition : tu restes à New Holland. Je vais te trouver – *nous* trouver – un appartement. Je vais emménager avec toi. Je vais m'occuper de toi et te prendre en charge financièrement. *Mais seulement si tu perds du poids.*

Edison a plissé les yeux.

— Combien de kilos ?

— *Tous.* Jusqu'à ce que tu ressembles aux photos de ton site web.

— Arrête, *man* ! T'as la moindre idée du temps que ça va prendre ?

— Non, pas tant que je n'ai pas fait quelques estimations. Mais des mois, de nombreux mois. Alors on va devoir opter pour une approche extrême. Il ne s'agit pas simplement de ne plus reprendre de gâteau.

— Tu sais comment faire ?

— Je trouverai. Je serai ton coach. Moi aussi, j'ai besoin de maigrir. Et puis, en fait, on sait bien tous les deux comment ça marche. Ce n'est pas sorcier. Il suffit d'arrêter de manger autant.

— Et Fletcher ? Les enfants ?

— Les enfants, je resterai en contact avec eux. Mais Fletcher… ne va pas apprécier, ai-je répondu, en formulant l'euphémisme de la décennie. Je prends un risque.

Edison m'a fixée en silence.

— *Toi*, tu ferais ça pour *moi* ?

Euphorique et effrayée tout à la fois par ce que je venais de proposer, j'ai été tentée de dire « Écoute, laisse-moi y réfléchir », alors qu'en même temps je prenais conscience que j'y réfléchissais depuis longtemps.

— Oui.

— Oh, *man* !

204

Il a secoué la tête, perplexe.

Je me suis levée et je l'ai saisi par les épaules, le regardant droit dans les yeux.

— Mais la vraie question, c'est : toi, est-ce que tu ferais ça pour *moi* ?

La formulation n'était pas tout à fait appropriée. Avec le temps, je la regretterais.

— Je ne sais pas quoi dire.

Edison restait bouche bée, et j'étais heureuse de voir une impression de solennité sur son visage. Je ne voulais pas qu'il accepte à la légère ; je préférais encore qu'il ne s'y risque pas du tout.

— Ton mari est d'accord ?

— Il risque d'être un peu surpris.

— Tu déconnes ! Il va être furax. Toi et moi, dans un appart à nous ? Ce mec va me buter, *man*.

— Une chance qu'on n'ait pas d'armes à la maison.

— Il n'y a qu'une seule chose qui énerverait ce connard encore plus que le fait que je sois gros…

Ses yeux ont pris la dureté de l'acier.

— … que je *ne le sois pas*.

— Il n'y aura pas de tricherie possible, ai-je dit. À côté, partir pour New York à dix-sept ans sans un cent en poche ni un numéro de téléphone était une promenade de santé. Car, Edison, ce sera la chose la plus dure que tu aies jamais faite.

II

Bas

1

— J'AI PAS BEAUCOUP DORMI, a coassé Edison de sous ses couvertures quand j'ai passé la tête par l'encadrement de la porte.

Il était déjà 10 heures du matin, et nous avions beaucoup de choses à organiser ; moi, en tout cas, j'en avais.

— Bien. Si tu es perturbé, c'est que tu prends les choses au sérieux. Debout, maintenant !

Je n'avais pas l'habitude de donner des ordres à mon frère aîné. Après l'avoir laissé, pendant deux mois complets, aggraver encore son état de santé en se gavant pendant que je détournais timidement le regard comme une « langue de carpette », un peu d'autoritarisme me faisait du bien.

Fletcher s'était réfugié dans sa cave et les enfants étaient en cours ; quand Edison est descendu péniblement jusqu'au rez-de-chaussée, nous avions pour nous seuls la cuisine, au milieu de laquelle il se tenait, perdu, confus, se tournant d'un côté puis de l'autre, avant de se résoudre à demander :

— Que dois-je faire ?

— C'est la bonne attitude.

J'avais élaboré le protocole, allongée raide comme un piquet à côté du corps de Fletcher, les yeux posés sur la

209

forme vague des rideaux tandis que mon esprit bouillonnait.

— Nous allons commencer par nous installer tout de suite dans un motel. De là, nous trouverons un appartement. Nous n'arrêterons pas la nourriture sous la forme que nous connaissons tant que nous n'aurons pas de logement permanent. D'ici là, tu vas prendre rendez-vous chez mon médecin. Cette phase intermédiaire te laissera le temps de renforcer ta motivation ou de décider finalement que tu n'es pas prêt à le faire.

— Et dans ce cas-là ?

J'étais satisfaite de le voir prendre conscience qu'il ne serait peut-être pas en capacité de tenir un engagement si colossal.

— Dans ce cas, pas d'appartement, et direction l'aéroport.

— Tu me détesteras, a-t-il dit d'un ton morose.

— Non, je ne te détesterai pas. Seulement, tu me décevrais.

— C'est ce que maman disait. Ça me faisait beaucoup de mal.

Ce projet avait beaucoup de connotations maternelles, et il me faudrait me faire à l'idée que je n'avais pas hérité de deux, mais de trois enfants.

— Et le petit-déjeuner… ? a demandé Edison en agitant les doigts. On fait comment ?

— J'espère que nous pourrons trouver notre camp de base dans la semaine. Pendant laquelle tu pourras manger. Mais je veux que tu mettes à profit ce temps pour réfléchir à la raison pour laquelle tu manges, ainsi qu'au fait qu'ensuite tu vas devoir recracher le moindre morceau que tu portes à ta bouche. En d'autres termes, à partir de maintenant, il va te falloir *démanger* tout ce que tu manges. Pour ce matin, je te suggère un café et des toasts. Tu peux avaler toute la miche de pain et la tartiner d'une

210

livre de beurre s'il le faut, tant que tu réfléchis au sup-plément de faim que chaque bouchée te coûtera. Ce qui peut induire… le début d'une restriction.

Même avec ses deux tranches de pain, il s'est senti mal à l'aise.

— Je préférerais que tu ne me regardes pas comme ça.

— Tu vas devoir t'y habituer.

J'ai continué à le fixer de la même façon quand il a soulevé la bouteille de *half and half*. Son ratio habituel était d'une dose de café pour deux doses du mélange de lait et de crème, ce qui donnait un milk-shake épais et tiède dont il absorbait au moins quatre mugs dans la matinée. Sous mon œil implacable, il s'est contenté de verser quelques cuillères à café et a froncé les sourcils.

— C'est pas pareil.

— C'est toute l'idée, ai-je répondu. Tu t'es déjà inté-ressé au nombre de calories de ce truc ? Vingt par cuillère à café. Je n'ai rien dit, et d'ailleurs je m'en veux, mais tu descendais près de *quatre litres* de *half and half* en cinq jours.

J'ai griffonné sur le calepin du téléphone de la cuisine.

— À raison de cinq mille six cent soixante-dix calories, ça équivaut à plus de neuf cents grammes de graisse par semaine. Je te conseille donc de savourer ton café au lait pendant que tu le peux encore. Tu vas devoir apprendre à le boire noir.

Ce qui signifiait que je devrais *moi aussi* apprendre à le boire noir. Edison n'était pas le seul à pouvoir mettre à profit ces quelques jours pour « renforcer sa motivation ». Le café noir avec l'estomac vide me donnait la nausée.

J'ai filé à mon bureau pour réserver des chambres au Blue Cottages, un motel à quelques rues de la maison avec des bungalows en bardeaux blancs et des stores bleu cobalt ; au départ, je serais quasiment la porte à côté, ce qui permettrait aux enfants de s'habituer à ce nouvel état de fait. J'ai sursauté en entendant les bruits du sous-sol, et cela m'a rappelé la sensation de traîtrise que j'avais éprouvée en achetant le billet d'avion d'Edison. Je n'avais toujours pas parlé à Fletcher.

Je suis allée chercher des sacs de voyage au grenier ; un grand pour moi, et un autre pour le reste des affaires d'Edison. J'ai préparé mon sac dans la chambre, en catimini, et le simple fait de retirer ma brosse à dents du verre à dents commun a été comme une trahison. Pour des yeux ingénus, une femme qui plaçait subrepticement des sous-vêtements dans un sac de voyage était une femme sur le point de briser ses vœux de mariage – des vœux que j'avais pris très au sérieux. Je croisais les doigts pour que Fletcher ne me surprenne pas à agir de la sorte, en douce ; la peur que je le quitte lui aurait serré le cœur.

C'est pourtant ce que je m'apprêtais à faire. Je me mentais à moi-même. J'ignorais si je partais pour quelques jours ou pour de nombreux mois, mais dans tous les cas ce départ était une violation de contrat.

Je m'occupais des bagages d'Edison – en fait, je les descendais pour lui – quand la porte de la cave a claqué. Fletcher a surgi du salon et a monté l'escalier quatre à quatre, le pas vif, pour me prendre la valise des mains. Quel que soit le degré de chimère que comportaient les voyages d'Edison en Europe, ses bagages étaient faits, et c'était tout ce qui importait.

— Donne, a dit Fletcher en descendant avec facilité le sac marron bien rempli. Je voulais venir dire au revoir avant votre départ pour l'aéroport.

En dépit de la goutte de *half and half* dans mon café, je me sentais toujours nauséeuse.

— Il y a eu un changement de programme.

Je l'ai entraîné vers le vestibule, où il a laissé tomber le sac d'Edison.

— Nous n'allons pas à l'aéroport.

Fletcher a pivoté sur lui-même.

— Tu te souviens de ce que je t'ai dit ?

— Que si Edison restait *ici* cinq secondes de plus après l'heure de son avion, toi et moi allions… (Je n'ai pas réussi à prononcer le mot.) … avoir des problèmes. Aussi, il ne va pas rester *ici*. Quant à l'avion, tu n'as pas dit qu'il devait être à bord.

— Tu joues sur les mots.

— Si tu poses des ultimatums, tu dois t'attendre à ce que je les prenne au pied de la lettre. Quoi qu'il en soit, pour le moment, je nous ai loués des chambres au Blue Cottages.

Fletcher était sensible aux pronoms.

— « Nous »…

Edison fermait la marche avec son second sac, plus léger, mais encore trop lourd pour lui. Je l'ai laissé se débattre avec, en pensant : *Toujours vingt calories de dépensées*.

— Je pars avec lui. Puis je nous trouverai un appartement. Je vais l'aider à maigrir.

Les yeux de Fletcher lançaient des éclairs. Il se tenait extrêmement droit. À quelques exceptions près, comme la débâcle du Boomerang, son câblage était inversé par rapport aux autres : ce qui déclenchait un accès de rage chez la plupart des hommes provoquait en lui un calme extrême.

— En général, maigrir est une occupation qui se pratique seul, a-t-il déclaré de sa diction précise. À New York comme dans l'Iowa, d'après ce que j'ai lu.

— En tant qu'athlète, tu devrais apprécier le concept de coach personnel.

— Je n'en ai pas.

— Parce que tu n'en as pas besoin. Mais Edison, si. Et, tout compte fait, j'en ai peut-être besoin moi aussi. Je serai beaucoup plus facile à vivre avec quelques kilos de moins.

— Voyons si j'ai bien tout compris…

Le regard de Fletcher est passé de moi à Edison, qui, le souffle court, nous avait rejoints dans l'entrée.

— Tu *emménages* avec ton frère, pour que vous puissiez vous lire l'un à l'autre l'étiquette nutritionnelle du cottage cheese. Et combien de temps ce compagnonnage est-il censé durer ?

— Si je le surprends en train de manger un seul biscuit fourré – j'ai jeté un regard à mon frère –, cela ne durera que le temps qu'il me faut pour rentrer chez nous en voiture, à cent trente kilomètres à l'heure, en feux de code. Mais s'il fait preuve de détermination et suit mes instructions – mes *ordres* – et que les résultats sont au rendez-vous… J'ignore le temps qu'il faudra jusqu'à ce qu'il puisse monter sur une balance. Il ne peut pas utiliser la nôtre : elle ne supporte pas une telle charge.

J'avais fini de tourner autour du pot de son obésité.

Fletcher a fixé Edison droit dans les yeux, avant de déclarer, en utilisant la troisième personne, ce qui rendait ses propos plus agressifs encore :

— Il n'en sera pas capable.

— C'est ce qu'on verra, mec, a répliqué Edison. Tu ne me connais pas aussi bien que tu le penses.

— Je connais les personnes dans ton genre. Avant de sauver mes enfants d'une mère accro à la meth, menteuse et voleuse, j'en ai entendu, des bonnes résolutions ! C'est du pipeau, des histoires que tu te racontes. Il suffit que tu te retrouves seul dans une pièce avec une assiette de frites, et c'est les patates qui gagnent. La volonté est un muscle. Et la tienne est aussi flasque que le reste de ton corps, *mec.*

— Tu n'as pas idée de ce par quoi je suis passé, et ça

n'avait rien à voir avec une promenade à vélo à la con. T'es prêt à parier dessus, *man* ?

— Quoi ? Pour que tu paies ta dette avec l'argent de ma femme ? Je crois que je vais passer mon tour. Je m'en voudrais que tu te sentes doublement mal à l'aise.

— On verra bien lequel de nous deux sera mal à l'aise, connard.

C'était la première fois qu'Edison formulait publiquement ce qui n'avait encore été qu'une promesse un peu vague. C'était une perspective que je n'avais pas envisagée : Fletcher pouvait s'avérer un levier utile. Edison détesterait échouer vis-à-vis de moi, mais jamais il ne voudrait perdre la face devant Fletcher. Cependant, si l'hostilité de mon mari était bénéfique pour mon frère, il ne fallait pas non plus que je perde de vue mes propres intérêts. En réalité, je cherchais déjà à protéger mon *projet*. J'ai toujours possédé cette forme de ténacité, et cette façon de me centrer sur mon objectif était une réelle forme d'égotisme : *mon* projet.

— Pourrais-tu nous laisser un petit moment en tête à tête, s'il te plaît ? a demandé Fletcher à mon frère avec une rare courtoisie.

— La seule chose de sûre, c'est que je fiche le camp d'ici. Je serai dans la voiture.

Edison est sorti d'un pas digne, aussi droit que sa corpulence le lui permettait en faisant rouler le plus léger des sacs. En me retrouvant ainsi seule avec mon mari, j'ai été saisie d'une curieuse appréhension.

— Tu laisses aussi tomber mes enfants ?

De nouveau les pronoms. Que Fletcher employait parfois pour récupérer ses enfants.

— Je louerai un appartement qui sera accessible à pied de la maison. Les enfants pourront venir aussi souvent qu'ils le voudront.

Comme je n'avais pas fait allusion à la possibilité que

moi, je vienne leur rendre visite, j'aurais dû anticiper la suite.

Fletcher n'était pas furieux, mais triste. Ce qui était pire. Il était à la fois tendre et pragmatique. Les mots qu'il a prononcés sont sortis avec force, et sa voix était dépourvue de toute malveillance.

— Je ne suis pas en mesure de te promettre que je t'accueillerai de nouveau les bras ouverts.

En dépit des formes qu'il avait mises, c'était un crochet du droit.

— Je ne fais pas ça contre toi.

— Tu laisses en plan ton mari et tes enfants pour ton gros lard de frère. Comment ça, ce n'est pas contre nous ?

— Je m'absente temporairement d'une famille pour m'occuper d'une autre, ai-je répondu d'un ton ferme. Pourquoi me punir pour ça ?

— Je ne menace pas de « punir » ce que, manifestement, tu aimerais me voir prendre pour un acte d'une incroyable générosité. Il n'est nullement question ici de méchanceté. Je te l'assure. Mais ce que tu fais a des conséquences. Sur mes sentiments. Ce n'est en rien différent de ce qui se passe dans le monde physique. Si tu donnes un coup de marteau sur un moulage, tu le fends en deux. C'est une simple relation de causalité. Le fait que tu sois prête à nous abandonner pour cette stupide mission, ça me donne l'impression d'être remplaçable. Interchangeable.

J'aimais la façon dont mon mari s'exprimait. Avec sa réserve habituelle, il arrivait souvent que les autres ne remarquent pas à quel point il était attentionné.

— Ce n'est pas une stupide mission, ai-je protesté d'une voix faible.

— Ce gros tas ne va pas perdre un gramme. Tu as réussi à le motiver pour un projet énorme, qui l'intéresse principalement parce qu'il lui évite de se retrouver le bec

216

dans l'eau à New York. Tu continues à payer pour lui, et il n'a pas à prendre sa vie en main. Mais au moment où il aura envie d'un cracker, ce sera terminé. *Pourquoi* compte-t-il autant pour toi ?

— Il faut bien qu'il compte pour quelqu'un.

— … Et si je te l'interdisais ?

— Je ne te conseille pas d'aller sur ce terrain. Je crois que j'ai fait l'impasse sur les clauses « honneur et obéissance » du contrat.

— Je te l'interdis, a-t-il dit mollement.

Au-delà de l'ironie, il voulait donner un caractère officiel à ses propos.

— Très bien. Dans ce cas, je t'interdis de me l'interdire. Échec et mat.

— C'est un pique-assiette auquel tu es liée par le plus grand des hasards. Alors que moi, je suis ton mari par choix. Si tu « aimes » cette grande gueule, c'est pure affaire de génétique : c'est moi qui suis censé être le véritable amour de ta vie. En toute franchise, je me sens *insulté*.

— Tu choisis de te sentir insulté, ce qui est pervers. Qu'y a-t-il de si difficile à comprendre dans le fait que j'ai besoin d'un projet qui ait plus de sens que « mes poupées baigneurs » ? (Je reprenais ici l'expression flatteuse de Travis.) Que des marionnettes qui torturent les gens en leur rappelant ce qui cloche chez eux ? Qui leur mettent sous le nez à quel point ils se répètent ? Qui les font ressembler à des personnages de dessin animé ? Qui les ridiculisent ?

Tout est sorti d'un coup.

— Je suis persuadée que si personne ne fait rien – et je suis la seule en mesure de faire quelque chose –, mon frère va mourir.

Il a soupiré.

— Voilà. Ton autre va-tout.

— Je ne le joue pas à la légère. Tu imagines ce que je pourrais ressentir si, je ne sais pas, il avait une crise

217

cardiaque et que je n'aie jamais levé le petit doigt pour l'aider ?

— Il s'agit donc de culpabilité préventive. Une sorte de police d'assurance. Qui te permettra de te dire, quand il aura de toute façon sa crise cardiaque, que tu as essayé de l'aider.

Formulée de la sorte, l'entreprise ne semblait plus aussi géniale.

— C'est à peu près ça, ai-je néanmoins concédé.

— Tu es vraiment décidée à le faire.

J'étais surprise qu'il lui ait fallu aussi longtemps pour comprendre que sa tentative de persuasion était totalement vaine. Pourtant, il me connaissait.

— Oui, mais je ne sais pas si lui le peut. S'il n'y arrive pas, je rentre à la maison.

— Si j'ai envie que tu rentres.

— Oui.

— Et tu cours le risque que ce ne soit pas le cas.

— Si l'autre option est d'aller dire à Edison que, tout compte fait, je le conduis à l'aéroport – en le laissant seul, sans le moindre espoir qu'il arrive à perdre un gramme s'il n'a personne pour l'y encourager –, le condamnant à la moquerie et à l'ostracisme, ainsi qu'à une mort certaine à une échéance de cinq ans s'il continue à manger comme il le fait, alors oui.

Fletcher s'est appuyé contre la rampe.

— Voilà qui remet les pendules à l'heure. Sur ta liste des priorités, mes enfants et moi nous situons quelque part entre les rouleaux de papier toilette et de papier aluminium.

— Tu es quelqu'un de plutôt important pour moi si tu te situes tout près du papier toilette.

Ma plaisanterie est tombée à plat.

— J'ai déjà eu une femme qui ne prenait pas au sérieux ses obligations envers sa famille.

— Tu ne peux pas mettre sur le même plan l'addiction à la méthamphétamine et un régime draconien.

Impasse : mon obstination, opposée à l'incrédulité de Fletcher. Au moins, dans les règles du jeu qu'il a ensuite édictées, j'ai senti qu'il commençait à comprendre que ce qui se passait était bien réel.

— Je ne veux pas que tu passes à tout bout de champ parce que tu as oublié ta brosse à cheveux, a-t-il déclaré. Si tu es prête à rentrer pour de bon, nous pourrons en reparler. Mais si tu as besoin de quoi que ce soit, demande aux enfants… (L'évocation de ces intermédiaires m'a rappelé de manière cuisante *Garde alternée*.) … parce que je ne veux pas d'une femme à moitié là. Je ne veux pas avoir à souffrir de multiples petits au revoir. J'aime autant affronter un gros. Viens là.

Fletcher a ouvert les bras, et nous nous sommes étreints avec force. Je ne voulais pas partir. Je ne goûtais pas autant la compagnie d'Edison que celle de mon mari, et alors que j'avais passé dix bonnes minutes à expliquer mes raisons, je n'avais pas la moindre idée de ce qui me poussait à le faire. J'ai nourri un bref et vil espoir : tomber sur mon frère en train de faire sa fête à un paquet de sucre glace, dès le deuxième jour par exemple, je pourrais alors rentrer chez moi.

Fletcher a appuyé son front contre le mien.

— C'est donc à moi de prévenir les enfants ? Que la jolie femme prévenante, tendre et appliquée que j'ai ramenée à la maison il y a sept ans, une cuisinière hors pair, pas une droguée, ne va plus habiter chez nous ?

Chose rare, sa voix s'est brisée.

— C'est ça, ta version ?

J'ai passé une main autour de son cou.

— Dans ce cas, j'aime autant aller les trouver à leur retour de l'école. Ne serait-ce que pour leur assurer que la femme que tu as ramenée à la maison n'est pas vraiment partie, qu'elle les aime passionnément, qu'elle aime leur père passionnément, et qu'elle reviendra.

Fletcher a insisté pour prendre les deux autres valises et les charger dans le coffre. Quand nous avons été prêts à partir, il s'est penché par la vitre conducteur et m'a embrassée.

— Tu sais, je ne voulais pas dire qu'on ne peut pas en parler.

— Merci, ai-je dit. Ça me soulage.

Edison a levé son poing par la vitre passager.

— Je te ferai ravaler tes paroles, *man* !

Notre départ avait l'excitation nerveuse et joyeuse d'une expédition en Arctique. Alors que nous partions nous installer à cinq cents mètres, le voyage suscitait le même mélange d'optimisme et d'angoisse qu'un trek éprouvant, sans équipement digne de ce nom, dans un environnement qui allait devenir hostile, face à des obstacles imprévus potentiellement insurmontables et où les rations – cela en revanche était une certitude – se réduiraient comme peau de chagrin.

— Je vais te dire une chose, beau-frère : si tu y arrives, je ferai davantage que ravaler mes mots, a déclaré Fletcher en contournant la voiture pour passer du côté d'Edison. Qu'est-ce que ta sœur t'a fait promettre ? Quel est l'objectif ?

— Soixante-quatorze kilos. Ce que j'ai pesé pendant des années, ou rien.

— Si tu réussis, je suis prêt à manger en entier et en une seule fois un gâteau au chocolat. Pour moi, ça équivaut à m'obliger à manger de la merde. Mais tu es très loin des soixante-quatoze kilos, mon pote, et je suis prêt à parier que je vais m'en tenir au chou-fleur.

— Ça marche, mon pote. Je suis prêt à m'affamer pendant des années pour voir ta gueule pleine de glaçage au caramel.

Alors que nous nous éloignions, j'ai songé à la disparité de la situation : Edison pariait sur sa fierté, Fletcher sur un gâteau, et moi, sur mon mariage.

*

En déposant le bagage d'Edison à côté de son lit, j'ai annoncé :

— Je t'ai pris un bungalow séparé, car ça serait trop bizarre de partager la même chambre. Du coup, cela signifie que je ne peux pas garder un œil sur toi. Rien ne t'empêche de dévaliser les Doritos du distributeur. Souviens-toi seulement de ce que je t'ai dit : tout le poids en plus que tu prends avant le coup de starter est autant de poids supplémentaire que tu devras perdre. Les nachos au goût Cool Ranch te coûteront bien plus qu'un dollar cinquante.

— Et le déjeuner ? s'est lamenté Edison. Le petit-déjeuner, c'était n'importe quoi, et j'ai la dalle.

— Tu vas devoir t'y habituer. Quand as-tu vraiment eu faim pour la dernière fois ? Au point de l'éprouver physiquement ?

— J'ai faim tout le temps.

— Tu parles ! Tu confonds faim et *ennui*.

J'étais dure – moi aussi, j'avais faim.

— Je suis à côté. J'ai des recherches à faire. Il y a pléthore de fast-foods dans la rue principale à huit cents mètres d'ici, mais tu vas devoir marcher. Quant à la marche, tu vas devoir t'y habituer aussi.

— Je le crois pas ! De Florence Nightingale à Mussolini en vingt-quatre heures.

— Tu n'as encore rien vu. Bientôt, c'est avec Attila le Hun que tu vas vivre.

Je me suis retirée dans le bungalow mitoyen, une belle petite chambre avec un couvre-lit chenille rose et des rideaux en plumetis bleu. En dépit des touches accueillantes, la chambre avait le caractère anonyme des chambres de motel. Nous y voici, proclamait la chambre exiguë comme une cabine d'essayage. Un toit. Un lit. Une lampe. La télé avec un nombre limité de chaînes. Des toilettes. Un bureau, sans rien dessus, si ce n'est un prospectus du I-Max de Cedar Rapids. Cela, mis à part la nourriture à laquelle nous étions sur le point de renoncer, était tout ce dont on avait besoin, et avoir besoin d'aussi peu de choses avait quelque chose d'horrible.

Heureusement, j'avais du travail. J'ai appelé Carlotta, pour la prévenir que je ne serais pas très présente à Monotonous pendant le reste de la semaine, et j'ai pris un rendez-vous pour Edison chez notre médecin de famille. J'ai allumé mon portable, acceptant le forfait indécent de douze dollars quatre-vingt-quinze par jour pour le Wi-Fi. Moi non plus, je n'avais pas l'habitude de sauter le déjeuner, et j'ai fait de mon mieux pour combattre une irritabilité croissante en reprenant à mon compte les instructions que j'avais données à Edison : *Observe*, me suis-je répété, avec l'impression d'être un mystique soufi. La faim est une expérience étonnamment légère. Qu'on peine à qualifier de souffrance. Dès lors, pourquoi se fait-elle aussi tenace, aussi insistante ? Au point de nous empêcher de penser à autre chose. Il allait falloir s'y habituer. Et qu'elle devienne un plaisir.

Mon ventre a gargouillé : pas de bol.

Incapable de me concentrer sur les annonces immobilières, je me suis faufilée jusqu'au distributeur, obnubilée par ces Doritos. Pour notre gêne à tous les deux, je suis tombée sur Edison.

— Je suis venue prendre une barre de céréales, ai-je affirmé, cherchant de la monnaie.

— Dans ce cas, mets-en deux, a ronchonné mon frère.

De retour devant mon ordinateur, j'ai découvert que

cette barre de céréales contenait autant de calories que les nachos.

J'ai gardé un œil sur le réveil. Tanner et Cody rentraient à la maison à pied, et à une intersection se rejoignaient les rues menant à leurs écoles respectives. Les copains de Tanner continuaient leur chemin, et tous les après-midi, auprès du même chêne, il attendait sa sœur, qui avait un trajet un peu plus long ; les deux ados faisaient ensemble le dernier quart d'heure jusqu'à chez nous.

Je m'étonnais que Tanner, qui était en dernière année de lycée, ait maintenu cette habitude ; probablement un vestige de ce rôle de protecteur auprès de Cody qu'il avait assumé au moment où Cleo s'était muée de mère en dangereux animal domestique – comme ces bébés alligators ou ces pythons qui finissent par ramper jusque dans les égouts. Quand je l'avais relevé de sa charge, Tanner en avait ressenti autant de soulagement que de rancœur. Il était agacé que sa sœur accepte à bras ouverts la seconde femme de leur père. Bien qu'ils continuent de former une sorte de binôme, se serrant les coudes pour protester contre le bannissement par Fletcher de la pizza surgelée, ils menaient désormais des vies radicalement différentes, ce qui ne faisait qu'accroître la disparité due à leur âge. Pourtant Tanner me reprochait la distance sous toutes ses formes qui s'instaurait entre sa sœur et lui.

Les souvenirs qu'avait Cody de leur vraie mère s'évanouissaient rapidement, mais au remariage de leur père Tanner avait été juste assez âgé pour en conclure de façon opportune que, plutôt que de choisir entre son ancienne mère et la nouvelle, il n'avait besoin d'aucune d'elles. Ce qui expliquait ma grande nervosité à l'idée d'annoncer à mon beau-fils ma « stupide mission ». Sans jamais se montrer à proprement parler hostile, Tanner m'avait depuis longtemps fait comprendre que mon rôle dans sa vie serait toujours optionnel. Ce qui le rendait traîtreusement inconséquent – tour à tour affectueux et glacial.

En tournant dans Pine Street, j'ai aperçu Mr. Cool au bout de la rue, appuyé contre le chêne dans l'écorce duquel, des années auparavant, le frère et la sœur avaient gravé leurs initiales.

— Qu'est-ce qui se passe ? a-t-il demandé d'une voix traînante quand je me suis garée le long du trottoir. Service voiturier. Il ne fait pas *si* froid.

Il devait apprécier le dernier quart d'heure de marche en compagnie de sa sœur ; il ne voulait pas qu'on le ramène en voiture.

Je suis descendue du véhicule ; Cody était en retard.

— Il faut qu'on parle.

— Ça ne pouvait pas attendre un quart d'heure ?

— Non.

— Le suspense est insoutenable.

Malheureusement pour moi, il était passé en mode distant et sarcastique.

— C'est si gentil d'attendre ta sœur comme tu le fais. À L.A., on allait partout en voiture, mais, enfant, j'aurais vraiment aimé qu'Edison en fasse autant pour moi.

— *Edison* n'est pas même en état de raccompagner quelqu'un au bout de l'allée.

— C'est ce dont je voulais parler, me suis-je empressée de placer. Et c'est peut-être une bonne chose, finalement, que Cody ne soit pas encore là. Je vais avoir besoin que tu t'occupes de ta sœur pendant un petit moment. Tu sais, de la façon dont tu le faisais avant. Bien sûr, je resterai disponible…

— Alors, comme ça, tu quittes papa, a-t-il déclaré, factuel, une pointe de contentement dans la voix. J'imagine qu'il l'a bien cherché. Au moins, il sera le dépressif le plus en forme de la ville.

— Je ne quitte personne.

À la hâte, j'ai expliqué mon plan sensationnel, en veillant bien à ajouter que je n'étais pas du tout sûre qu'il allait marcher.

Il m'a écoutée jusqu'au bout.

— Alors, comme ça, tu quittes papa.

Exaspérée, j'ai levé les yeux et j'ai aperçu Cody en face dans la rue, l'air accablé. Jamais je n'étais venue les chercher en voiture. Clairement, quelqu'un était mort.

Je lui ai fait un petit signe, et elle s'est dirigée d'un pas lourd jusqu'à leur Arbre, avec sur le dos un sac aussi grand qu'elle.

— Qu'est-ce qui se passe ? a-t-elle demandé d'un ton prudent.

— Monotonous ne lui suffit pas, a répondu Tanner. Pando se lance dans les cures d'amaigrissement.

— Merci, tu m'aides beaucoup.

Ce n'était pas le topo rassurant que j'avais répété. Je me suis lancée dans mon laïus, qui même à mes oreilles semblait exagéré, autodestructeur et délirant, en terminant cette fois par :

— Mais je *reste* votre mère, en *aucun cas* je ne vous quitte, et je *ne quitte pas* non plus votre père !

Cody a froncé les sourcils ; c'étaient beaucoup d'informations à intégrer.

— Est-ce que c'est clair pour papa ?

— Pas autant que cela le devrait, ai-je concédé.

— Tu as dit qu'on pourrait venir vous voir, a-t-elle dit. Pourquoi pas l'inverse ?

— Parce que ton père n'apprécie pas du tout cette idée. Je vais être franche : il est assez furieux. Il pense que votre oncle n'a pas la discipline nécessaire pour maigrir.

— Et toi ?

Il m'était impossible de lui mentir.

— Peut-être pas. Mais la seule façon de le découvrir est d'essayer.

— Donc…, a-t-elle dit d'un ton maussade. Finies, les vraies pâtes, juste des soba gluantes. Finis, les brownies tout chauds qu'on pique pendant que papa est à la cave. Ça va être comme vivre dans un camp de concentration. Finies aussi les sorties à la piscine, parce que tu vas devoir empêcher oncle Edison de se jeter sur des gaufres. Même si je me demande bien comment tu vas t'y prendre.

— Je n'aimerais vraiment pas me retrouver coincé entre ce type et le frigo, a renchéri Tanner. C'est comme se mettre sur le chemin d'un buffle femelle en chaleur.

J'ai eu l'impression que je venais de leur offrir leur sujet de conversation pour le reste du trajet.

*

De retour au Blue Cottages, je me suis plongée dans mon cours en ligne accéléré sur la perte de poids. Une recherche sur le mot « régimes » a retourné quarante-trois millions de résultats. J'ai reconnu les régimes populaires – South Beach, Atkins, régime alterné, index glycémique, Dukan, Weight Watchers, Scarsdale et The Zone –, mais ce n'était que le début. Régimes soupe aux choux, aux smoothies, en fonction du groupe sanguin, mais aussi lavements au café. Régimes pauvres en graisses, pauvres en glucides, pauvres en calories ; régime 2-4-6-8, régime suivant les goûts alimentaires. Régimes aux baies d'açaï, à la soupe de poulet, à l'ananas et à la limonade. Il y avait encore plus dingue : régimes à base de frites, de biscuits de régime, de pizzas, de sucreries, de beurre de cacahuète et de pop-corn. À base de hot dogs, de vin rouge, de vinaigre, de gâteaux, de chocolat, de glace, de petits pots pour bébé, et même un qui préconisait le ver solitaire. J'étais sceptique à l'égard des régimes aux « calories négatives », même si je trouvais l'« air *diet* » intéressant, et que le « régime ciga-rettes » aurait au moins de quoi séduire Edison.

Naviguer dans le labyrinthe du Net était périlleux, car nombre de ces pages n'étaient que des attrape-gogos commerciaux distribuant bel et bien des cookies, mais pas ceux au chocolat. Ce qui m'a frappée le plus en découvrant cette gigantesque industrie, c'est que tous ces protocoles, programmes, compléments et médicaments proposaient le seul produit que les consommateurs américains désiraient sans pouvoir se le procurer : cette petite dose de détermination nécessaire pour suivre le programme, comme un sachet de vinaigrette allégée. Même des procédures onéreuses comme la liposuccion ne vous empêcheraient pas de vous goinfrer une fois le point de ponction cicatrisé, et de réingurgiter chaque gramme de la substance jaunâtre que les chirurgiens avaient aspiré dans un seau. Aucun nutritionniste aux honoraires élevés ne pourrait *s'abstenir de manger* un cupcake à votre place. Quoi que laisse croire l'offre vertigineuse de produits à l'emballage trompeur, la minceur ne se cachait pas dans les rayons. Je venais de pénétrer dans une carrière aux quarante-trois millions de *Pet Rocks*.

Au bout de trois heures de ce régime, je me sentais sale, et j'étais incapable de penser à autre chose qu'à la nourriture.

— Je doute qu'aucune des méthodes que j'ai découvertes soit la solution, ai-je annoncé à Edison lors de notre dîner morose au restaurant Olive Garden. Elles ne font qu'accroître l'obsession. Alors, savoure ton pain de viande tant que tu peux. Je crois que nous allons devoir faire disparaître la nourriture.

— C'est pas ça qu'on appelle « mourir », *man* ? a répliqué Edison en mâchant son petit pain, que seul mon regard noir l'avait empêché de tartiner d'une troisième portion de beurre. Et si on adoptait la méthode du coin ? Le crystal meth.

— Pour que tu sois mince, mais édenté, avec des plaies partout et une lésion cérébrale ?

— Le by-pass gastrique ?

Résistant à l'envie de me jeter sur mon saumon au four, je me suis efforcée de me concentrer profondément sur l'expérience de l'ingestion, et je n'ai pas répondu tout de suite à Edison. J'ai écrasé les miettes roses dans ma bouche ; la texture était sableuse après une cuisson un peu trop longue, et sa saveur sucrée avait quelque chose de dérangeant. Au mieux, le filet était légèrement agréable en bouche, mais uniquement lorsque j'y prêtais une attention soutenue, ce dont je m'abstenais d'ordinaire. C'est probablement à ce moment-là que j'ai commencé à élaborer ma théorie sur le caractère insaisissable de la nourriture. Tout l'après-midi, je m'étais réjouie à la perspective du dîner ; je repenserais peut-être avec nostalgie à ce repas quand des aliments aussi substantiels que le saumon auraient disparu du menu, mais à cet instant, avec ces miettes de poisson sur ma langue, j'avais l'impression de mâcher une chose qui n'était pas là, de la même façon qu'enfant je farfouillais avec fureur dans une boîte de céréales qui ne contenait pas le cadeau promis sur l'emballage. Plus je mâchais, plus je m'interrogeais sur le fait que ce plaisir fugace et insaisissable ait assujetti mes compatriotes au point que nombre d'entre nous étions prêts à nous déshonorer pour lui, à détruire pour lui quantités d'autres plaisirs, comme courir, danser, faire l'amour, et, en cherchant à l'assouvir, *à l'anéantir complètement* – car chaque petite douceur avalée depuis que j'avais commencé à prendre du poids avait eu comme un arrière-goût âpre d'autoreproche – voire, dans des cas extrêmes tels que celui qui guettait mon frère, à mourir pour lui. Le mystère était oppressant.

— Je ne pense pas, ai-je fini par répondre. Le by-pass gastrique est une intervention chirurgicale majeure, au cours de laquelle quantité de choses peuvent mal tourner : infection, attaque. La mort, même, qu'on cherche justement à éviter en se faisant opérer. Réduire ton estomac à la dimension d'un porte-monnaie t'empêchera peut-être de manger en une fois plus que l'équivalent d'un quart de litre de nourriture, mais pas d'avoir faim. La chirurgie sert uniquement à supprimer l'étape de la décision. Mais c'est bien la décision, le problème. Même avec un by-pass, tu peux tricher : peu à peu, tu peux tolérer de plus grandes quantités d'aliments, et te voilà revenu au point de départ. En outre – j'ai dégainé l'argument massue – on t'obligera à arrêter de fumer.

— Laisse tomber, a déclaré Edison.

— Je suis désolée de citer Fletcher, mais il a raison : la volonté est un muscle. Et nous allons devoir nous exercer à toucher nos orteils mentaux...

Je veillais bien à utiliser la première personne du pluriel.

— ... et nous savons tous deux que tu aimes manger, tout comme moi. La vraie question est donc la suivante : qu'est-ce que tu aimes faire d'autre ?

Edison s'est affaissé.

— C'est dur à admettre, sœurette. Mais à ce stade, je ne suis pas sûr qu'il y ait quoi que ce soit d'autre.

— Ah ! me suis-je exclamée d'une voix douce. Nous voici donc au cœur du problème.

Je me suis demandé si, à l'échelle nationale, il ne s'agissait pas là de la réponse à ce mystère. Le problème n'était pas tant que manger soit génial – ça ne l'était pas –, mais que rien d'autre ne l'était. Or, même sans l'être, manger arrivait loin devant tout le reste, qui décidément n'avait rien de bien génial. Et j'étais entourée de millions de personnes incapables de trouver du plaisir dans autre chose qu'un beignet à la confiture.

2

LE DR CORCORAN AVAIT UN STYLE FRANC et sans fioritures que j'avais toujours apprécié. Il livrait des informations fiables avec une neutralité accomplie. Il avait soigné une brûlure au second degré que je m'étais faite avec l'eau bouillante des pâtes et avait évité qu'elle s'infecte. Il avait suturé de façon si nette une blessure que je m'étais infligée en retirant le noyau d'un avocat que je regrettais l'invisibilité de la cicatrice ; avec mon activité de restauration, mes mains étaient quadrillées de précieux tatouages tribaux. Étant donné l'approche factuelle et réservée qui était sa marque de fabrique, j'espérais qu'il se montrerait gentil envers Edison, car ce dernier n'avait nul besoin qu'on le juge durement une fois de plus.

Cependant, lors de notre consultation commune, j'ai remarqué que désormais des rides zébraient le front du bon docteur, ce qui indiquait qu'à ses heures de loisirs il devait souvent troquer sa neutralité contre une mine renfrognée. À la fin de cette consultation, j'interpréterais autrement sa neutralité : c'était du fatalisme. S'il avait fait l'acquisition pour son cabinet d'un pèse-personne aussi robuste, c'est qu'il devait avoir reçu en consultation suffisamment de patients obèses pour amortir son investissement.

— Vous êtes prédiabétique, a déclaré Corcoran sur un ton d'ennui, comme s'il s'agissait d'une évidence, après qu'Edison s'était rhabillé dans la salle d'examen et que nous avions pris place sur les chaises devant son bureau.

Son ton monocorde était presque désinvolte.

— Votre tension est élevée. Avec un IMC supérieur à cinquante-cinq, les probabilités que vous développiez la plupart des cancers sont considérablement plus élevées. Vous souffrez d'œdèmes aux extrémités – c'est de la rétention liquidienne due à une mauvaise circulation. Votre capacité respiratoire est restreinte, et si vous continuez de fumer, l'emphysème est presque inévitable…

— Un problème à la fois, l'ai-je interrompu. Edison est-il en assez bonne santé pour entreprendre un régime extrêmement restrictif sans s'évanouir ?

— Probablement, a répondu Corcoran d'un ton décontracté. On peut faire baisser la tension avec des médicaments. Son cœur est en meilleur état qu'on pourrait le croire, bien qu'il soit un candidat de premier choix pour les maladies cardio-vasculaires. Qu'est-ce que vous avez en tête ?

— Sur la base de ce que j'ai lu, on devra repasser à huit cents, puis à mille deux cents, mais pour commencer, disons entre cinq cents et six cents calories par jour.

Edison n'a pas bronché ; il ne devait pas avoir la moindre notion du peu de nourriture à quoi cela équivalait : deux tiers d'une brioche à la cannelle. Quant à Corcoran, je me souviens l'avoir entendu rire. Ce n'était peut-être pas un rire franc et massif, mais le médecin s'est bel et bien esclaffé.

— C'est ambitieux.

— Avec le poids d'Edison, ça ne sert à rien de se lancer dans cette entreprise si nous ne le sommes pas, ai-je répliqué. Vous pouvez me dire combien il pèse ?

Le médecin a regardé mon frère pour obtenir son auto-risation.

— Ce n'est pas un secret d'État, *man*, a déclaré Edison.

— Cent soixante-quinze kilos.

— Avec le boxer, a ajouté Edison.

Cela aurait pu être pire. J'ai emprunté un carnet et un crayon et j'ai effectué les calculs suivants : 175 – 75 = 100 kilos à perdre ; 100 × 7 800 calories par kilo = 780 000 calories à brûler. J'estimais qu'Edison brûlerait environ 3 000 calories par jour – plus au début, moins à la fin. Donc, 3 000 moins, disons, 800 calories absorbées en moyenne = 2 200 calories en moins par jour. Et 780 000/2 200 = 354,54.

Il s'agissait de jours. Je redoutais d'en parler à Fletcher. Même dans le cas, fort improbable, où Edison resterait sur le droit chemin, nous nous apprêtions à être colocataires pendant un an.

*

J'ai choisi de louer un appartement non meublé, en songeant que l'occupation qui consisterait à rendre le lieu habitable serait la bienvenue. Avant même le démar-rage du marathon, j'avais compris le défi que représen-tait pour moi ce projet spécifique. Jusqu'ici, pour tout ce que j'avais entrepris, des rideaux de la chambre à Baby Monotonous, j'avais dû faire quelque chose. Or, ce projet consistait justement à ne rien faire, ce qui constituait un véritable défi pour quelqu'un comme moi. Le projet en lui-même ne prenait pas de temps, il ouvrait même de monstrueuses plages en plus – j'avais pris conscience avec effarement de la quantité considérable de temps mobilisé dans une journée par la préparation et la consommation des repas, sans oublier la vaisselle. L'achat de matelas serait une miséricorde.

Trois propriétaires d'affilée avaient semblé bien disposés au téléphone, avant de poser les yeux sur Edison et de nous informer avec regret que l'appartement venait d'être loué. Oh, ils s'étaient confondus en excuses – « Mon Dieu, je suis tellement désolé que vous vous soyez déplacés pour rien ! C'est une vraie coïncidence, car cet appartement est sur le marché depuis des semaines ! » –, et c'est ce qui m'avait mis la puce à l'oreille : leur cadence lente et déterminée. Les habitants de l'Iowa avaient une prononciation nasale qui devenait plus marquée lorsqu'ils passaient dans le registre de la plainte. Je crois que les propriétaires craignaient qu'Edison abîme l'appartement. Je me suis demandé s'il y avait matière à faire valoir ici des droits civils. Si Edison avait été noir, ces propriétaires y auraient réfléchi à deux fois avant de lui claquer la porte au nez. Mais après vérification, j'ai découvert que l'Americans with Disabilities Act ne s'appliquait pas aux personnes obèses. Les propriétaires qui refusaient de louer à des gros étaient dans la plus parfaite légalité.

New Holland ne compte guère plus de seize mille habitants, mais la ville continue de s'étendre en périphérie ; en limitant notre recherche à un appartement situé tout au plus à une demi-heure à pied de Solomon Drive, je craignais que nous ne trouvions rien. En voiture avec Edison, j'appréciais ces points de repère familiers susceptibles de lui donner l'impression qu'il était chez lui : le moulin en bois décoratif au centre-ville ; la pâtisserie De Vries qui vendait encore des Dutch letters, cette spécialité de l'Iowa en forme de S fourrée à la pâte d'amande, le parc Norman Borlaug, avec à l'entrée, son arceau de tulipes taillées à hauteur inégale, le haut silo blanc à la périphérie de la ville qui avait toujours marqué la fin de l'interminable trajet de quatre jours depuis L.A. Alors que je m'étais habituée, adulte, aux dimensions du moulin, Edison continuait de trouver sa petite taille dérangeante.

Bientôt, la pâtisserie deviendrait une torture. Même si nous l'avions voulu, il nous aurait été impossible désormais de grimper joyeusement sur le vieux camion de pompiers du parc, car les parents d'aujourd'hui, en véritables rabat-joie, avaient fait envoyer à la casse cet « engin mortel » qui servait de cage à poules. L'usine Himmel's Meatpacking s'étant modernisée, son toit n'arborait plus le cochon rose en plastique qui était sa signature.

Engloutis, ou presque, dans le flot des magasins de chaîne qui polluaient toute la région comme les détritus charriés par une inondation, ces rappels moqueurs et oniriques de nos visites, enfants, chez nos grands-parents semblaient perturber mon frère. Edison n'arrivait pas à s'expliquer ce qu'il faisait ici, et chaque fois que nous allions en ville, l'expression de son visage semblait dire : « Alors, c'est ça ? » Le ciel immense et les grands espaces le rendaient claustrophobe, comme s'il risquait de se noyer dans tout ce vide. Certes, au début décembre, l'endroit n'était pas à son avantage. Les champs étaient sales ; les ciels, gris.

Enfin, dans un lotissement dénommé Prague Porches, nous avons rencontré un homme affable lui-même en grand surpoids. Dennis Novacek avait un abord hautain, mais il s'est déridé à la vue d'un locataire potentiel encore plus gros que lui. Âgé d'au moins cinquante ans, il avait probablement été grand, mais son ventre, qui s'était affaissé pour se centrer autour de son aine, semblait se mouvoir indépendamment du reste de sa silhouette, partant à gauche quand le bonhomme faisait un pas à droite. Comme il avait reconnu en Edison un allié, j'ai laissé mon frère mener la discussion. Ils ont eu besoin tous les deux du même temps interminable pour monter péniblement les marches, et Novacek a alors fait remarquer que si un seul escalier pouvait mettre le sang en ébullition, il en fallait plus pour vous crever vraiment.

Il nous a signalé un Dunkin Donuts à proximité, ainsi qu'un restaurant avec un buffet à volonté, à cinq minutes à peine en voiture. Edison ne s'est pas risqué à le détromper, cherchant au contraire à établir un lien avec lui grâce à leur enthousiasme mutuel pour la pâte au beurre d'ail de chez Pizza Hut. De nouveau, j'ai été satisfaite ; si mon frère se montrait réticent à annoncer à de parfaits étrangers le projet dans lequel il se lançait, il allait bientôt prendre la mesure de son engagement dans toute sa sinistre immédiateté – car le matin suivant le jour où nous aurions récupéré un jeu de clés, la fête serait terminée. À aucun moment, Edison n'a cherché à détromper Novacek sur le fait que nous étions mariés, et bizarrement, c'est la seule chose qui m'ait un peu dérangée.

À l'intérieur, le trois-pièces était plus agréable que ce que laissait supposer son extérieur banal – une grande baie vitrée donnait sur des chênes étiolés qui avaient perdu la plus grande partie de leur feuillage. J'ai alors songé que si ce régime se passait comme prévu, je verrais successivement ces arbres nus et couverts de neige, en bourgeons et en feuilles. Avec son intérieur blanc et propre, l'appartement avait le même dépouillement, la même austérité des motels, et disait clairement : « C'est ça la vie, pas la peine de chercher midi à 14 heures. » C'était une ardoise propre. La cuisine simple et fonctionnelle ne dissimulait dans ses placards ni bouteille de sirop d'érable ni sucre glace. Comme l'appartement avait été rénové récemment, les murs blancs et la moquette beige n'avaient aucune de ces taches qui témoignent des erreurs des autres. Il s'en dégageait une atmosphère légèrement médicinale et punitive, qui n'était pas sans évoquer les centres de désintoxication, et c'est exactement ce que cet endroit allait devenir pour nous. J'ai fait le chèque.

En attendant qu'il soit débité et que Dennis vérifie

ma solvabilité, j'ai laissé Edison au motel et me suis rendue à une adresse en périphérie de la ville, pas très loin des locaux de Baby Monotonous. Là se trouvait le siège d'une entreprise de l'Iowa baptisée Big Presents in Small Packages, ou BPSP, et bien qu'ils imitent une marque nationale populaire, j'aimais l'idée de soutenir une entreprise locale. Leur site web affichait des photos « avant » et « après » qu'il aurait été difficile de falsifier. J'avais demandé l'avis du Dr Corcoran, qui avait suivi des patients ayant entrepris leur protocole : il ne les considérait pas comme des charlatans. J'avais besoin de faire le plein immédiatement ; pour les achats suivants, je pourrais procéder par internet. En poussant avec appréhension la porte inoffensive, je me suis souvenue des livres d'enfants que je lisais à Cody, dans lesquels des terriers ou des armoires banales s'avéraient être des portails vers d'autres mondes.

— Bonjour, que puis-je faire pour vous ?

À peine la trentaine, mais déjà installée dans une maturité de chemisiers fleuris, la réceptionniste aux formes généreuses n'était pas une très bonne publicité pour les produits de ses employeurs – même si, m'étant insurgée récemment contre la discrimination à l'égard des gros, il était malvenu que je m'y livre à mon tour. Elle m'a conduite vers un présentoir vitré.

— En ce moment, tout le monde raffole du cappuccino. Certains ne jurent que par la banane, bien qu'à mon avis elle ait un goût un peu artificiel. Vous avez un faible pour le citron ? Parce qu'on en a toute une gamme.

— Ce n'est pas uniquement pour moi, et mon frère est… un projet ambitieux, ai-je répondu. J'imagine qu'il vaut mieux partir sur un assortiment, pour éviter de se lasser d'un arôme ?

Le rire involontaire de la femme m'a rappelé celui de Corcoran.

— J'ai l'impression que, très vite, vous trouverez que la variété ne fait pas beaucoup de différence.

— Avec vos autres clients, est-ce que ça marche ?

— Bien sûr, si vous suivez le protocole, a-t-elle déclaré d'un ton joyeux.

— Et ils le suivent ?

— Au début, la plupart des gens le suivent au pied de la lettre. Mais pour s'y tenir, il faut un état d'esprit particulier. Et, bien sûr, il y a les récidivistes.

Elle m'a regardée dans les yeux avec un demi-sourire un peu triste.

— On a plein de clients réguliers.

J'en ai déduit qu'il ne s'agissait pas d'une activité où les salariés pouvaient profiter des invendus.

— Moi, j'ai essayé un temps, a-t-elle ajouté, en empilant ma commande. Mais ça n'a fait que me rendre malheureuse. Mon mari m'aime comme je suis, et aujourd'hui je me dis que ça ne sert à rien de tenter de lutter contre la nature. La vie est trop courte.

— La vie de mon frère risque de l'être s'il ne fait rien, ai-je répliqué, et c'est bien le problème.

— Tenez-nous au courant ! s'est-elle exclamée en levant son gobelet Big Gulp pour porter un toast. On a toujours besoin de témoignages pour notre site web.

Le coffre chargé, j'ai appelé Fletcher depuis le parking.

— Un an, a-t-il répété.

— Probablement.

Ce n'était pas dans mon intérêt de minimiser les chiffres.

— On dit qu'en politique une semaine est une éternité. Alors un an…

— Oui, c'est très long.

— Ça devrait me rendre furieux, mais je sais que ça ne durera pas un an. Ça ne durera même pas une semaine.

— Tu parles d'un soutien ! Tu attends tant que ça qu'on se plante ?

— Il va te briser le cœur, Pandora.

J'ai demandé des nouvelles des enfants, et il m'a répondu d'un ton morne. Tanner avait été pris à sécher les cours. Oui, il était puni, mais Fletcher ne m'en a pas dit plus. Toutes ses réponses étaient courtes. Comme s'il répondait à un sondage marketing.

Edison et moi avons emménagé à Prague Porches deux jours plus tard. Quand Dennis Novacek nous y a retrouvés avec les clés, il n'a eu de cesse de nous proposer la location d'appareils ménagers – lave-linge, sèche-linge, lave-vaisselle, home center, tout ce qui lui venait à l'esprit, probablement un équipement laissé par les précédents locataires –, et il s'est adressé non plus à Edison, mais à moi, avec une obséquiosité nouvelle. Évidemment : il avait cherché dans Google le nom figurant sur le chèque. J'imaginais qu'il devait se mordre les doigts de ne pas avoir demandé de loyer plus élevé. J'avais cessé depuis longtemps de prendre comme un compliment le simple fait qu'on me reconnaisse. Pour ce projet, je désirais l'anonymat, et être passée auprès de notre propriétaire du statut de personne à celui de personnage m'a contrariée.

Nos trois sacs ont eu peu d'impact sur tout l'espace. Nous nous sommes employés à défaire nos bagages, mais il n'y avait rien dans quoi entreposer leur contenu, et, chacun dans notre chambre, nous avons empilé nos vêtements sur la moquette. Les lits que j'avais commandés étaient arrivés le matin même, et monter les cadres nous a pris deux ou trois heures ; le poids d'Edison s'est révélé très précieux pour l'assemblage. Sinon, nous n'avions pas même de table – quelle importance, puisqu'il n'y aurait pas de repas ? La scène évoquait deux jeunes mariés fauchés dans un préfabriqué miteux, où, à même le sol, ils pique-niqueraient chichement de pain, de fromage et de vin – un tableau spartiate dont ils chériraient plus tard le souvenir : « Tu te souviens comme on était heureux quand on n'avait rien ? » Je doutais que les choses se passent ainsi pour Edison et moi : « Tu te souviens comme on était heureux quand on ne mangeait rien ? »

— Y a un truc à propos de cet appart, *man*, a dit mon frère, en examinant les volumes austères.

— Quoi ?

Pourtant, je le sentais moi aussi : un bruissement de terreur.

— Ça rend le truc réel. J'imagine qu'on va pas remplir le frigo de bières.

— Non, le réfrigérateur ne risque pas d'être en surtension. Mais vois plutôt les choses du bon côté : on n'aura jamais besoin de le nettoyer.

Une chose de plus qui ne serait pas à faire ; je commençais à me sentir volée.

Ce soir-là était prévue « La Cène », et, nous livrant au type même de réflexions qui deviendraient bientôt superflues, nous avons passé des heures à débattre du choix du restaurant. Au bout du compte, après avoir nettoyé des plans de travail déjà propres, le soir était tombé, et nous avons pu sortir. D'humeur lugubre, nous nous sommes mis en route pour un repas de plus qu'Edison allait devoir « démanger ». Je parle d'Edison, car nous avions omis d'aborder un sujet gênant : bien avant d'avoir perdu cent kilos moi aussi, « l'Incroyable Sœur qui rétrécit » serait devenue la femme invisible. Mais nous aurions tout le temps de résoudre cette disparité dans les mois à venir, et pour le moment je voulais nous voir nous lancer dans cette aventure comme une équipe.

Une fois que nous nous étions mis d'accord sur un petit bistrot qui, au moins, n'était pas une chaîne, j'avais appelé à l'avance pour prévenir que mon compagnon serait un « homme corpulent », afin qu'ils aient l'amabilité de fournir un siège proportionné. Pour m'assurer de disposer d'une table correcte, j'avais fait la réservation au nom de mon entreprise. Tanner avait raison : toutes ces séances photo humiliantes devaient au moins servir à quelque chose. À notre arrivée, comme il convient, le personnel s'est montré courtois ; ils avaient dû prendre dans le bureau du responsable le grand fauteuil au tissu peluché destiné à Edison.

J'ai dit à mon frère qu'il pouvait commander tout ce qu'il voulait. La seule règle de la soirée était que nous devions manger lentement et de façon réfléchie – consciente.

— Tu boulottes la nourriture comme si tu avais peur que quelqu'un vienne te la piquer, ai-je expliqué. Quelqu'un dans ton genre, en fait. C'est comme si tu mangeais en cachette de toi-même. Mais ce soir, tu as le droit. À mon avis, si tu manges autant, c'est parce que tu *n'apprécies pas* la nourriture, et non parce que c'est si bon que tu n'arrives pas à t'arrêter. Tu demandes à la nourriture de te donner quelque chose qui n'est pas en son pouvoir, et du coup, la quantité que tu ingurgites est potentiellement infinie. C'est comme si tu ouvrais le robinet de l'évier pour remplir la baignoire. Tu auras beau l'ouvrir en grand, tu n'arriveras jamais à remplir la baignoire.

— Après l'horrible épisode des toilettes, l'autre jour, j'aimerais autant qu'on oublie les métaphores de salle de bains, sœurette, a déclaré Edison d'un ton distrait, en examinant le menu avec l'intensité que les étudiants d'une yeshiva réservent au Talmud.

— Qu'est-ce que tu en dis, la tarte au chèvre et aux champignons sauvages ou les beignets de « fleurs d'oignon » ?

Ces oignons recouverts de pâte et frits carburaient à mille calories pièce.

— *Je* crois plutôt que tu devrais prendre la dinde froide.

— Où c'est… ?

Il a fini par lever les yeux.

— Oh !

Le temps de l'entrée et de la première corbeille de pain, j'ai essayé de lui enseigner ce que mon filet de saumon m'avait appris quelques jours plus tôt. J'avais dans la main un minuscule morceau de pain aux noix, que j'ai *fletchérisé*.

— Penses-y vraiment, lui ai-je ordonné. À ce que c'est. À ce que ce n'est pas. À ce que tu en retires. Et essaie d'en mémoriser le souvenir pour plus tard. Pour référencer le goût. Pour une grande part, manger relève de l'anticipation. De la répétition, puis de la mémoire. En théorie, on devrait être capable de manger presque entièrement dans sa tête.

— Ça va trop loin pour moi, sœurette.

Pourtant, il a obtempéré. Bien qu'il ait commandé une seconde entrée, au moment où il a terminé la tarte, mangée miette après miette en conscience, il a annulé les beignets aux oignons.

— *Yo*, a-t-il dit alors que nous attendions notre plat principal. (J'avais demandé en cuisine à ce qu'ils fassent durer ce repas le plus longtemps possible.) Tu ne m'as toujours pas dit comment on allait s'y prendre.

J'ai tambouriné des doigts sur la table.

— Serais-tu d'accord avec moi pour dire que tu as une tendance à être *extrême* ?

— « Extrême » comment ?

— Enfin, Edison, regarde-toi. Quand tu manges trop, tu ne te contentes pas de prendre un peu de ventre, tu deviens une rotonde humaine. J'ai pensé que nous pouvions utiliser cette tendance à notre avantage. Si tu as un bouton « marche », tu dois aussi avoir un bouton « arrêt ».

— Je sais pas trop pourquoi, frangine, mais tout ça commence à m'angoisser.

— Tous ces protocoles sur le web, avec leurs règles

et leurs portions précises, ce sont de véritables tortures. Plutôt que de prendre des dizaines de minidécisions de privation par jour, je crois qu'il est plus facile d'en prendre une seule, une grande. Et qu'il n'y ait plus rien à décider après.

J'ai exposé les paramètres. Le moment de sidération passé, Edison a promis de s'en remettre à moi.

La Cène a duré près de quatre heures, et nous avons extrait la moindre goutte de saveur de nos plats comme on essorerait une lavette. J'ai partagé une de mes crevettes géantes tigrées au pili-pili et, ensemble, nous avons disséqué les crustacés, insérant la lame de nos couteaux dans les petits triangles de carapace, au niveau de la queue, pour en extraire les derniers morceaux de chair. Nous avons échangé des portions de nos entrées, découpé le filet mignon bleu d'Edison en lamelles si fines que le bœuf était translucide, nappant chaque lamelle de sauce béarnaise relevée d'un seul grain de poivre rose. Nous avons coupé chacune de mes coquilles Saint-Jacques en six quartiers, comme de minuscules tartes, avant de les agrémenter d'une lamelle de chorizo, d'une feuille de roquette, et d'une lanière de céleri, sorte de haïku comestible. Pendant le dessert, j'ai écrasé les grains de framboise du clafoutis contre mes dents de devant ; le chocolat du moelleux d'Edison semblait noir dans tous les sens du terme – profond, infini et malfaisant, même si nous avions tellement émietté le gâteau que, le temps que nous arrivions à prendre les minuscules morceaux, la glace avait fondu. À la fin du repas, nous avions liquidé les gressins, la caponata, les portions de beurre et les bonbons, et alors que je laissais Edison boire la plus grande partie de la bouteille parce que je ne voulais pas risquer de piquer du nez ce soir entre tous, nous avons bu jusqu'à la dernière goutte le mourvèdre subtilement granuleux à la robe d'encre. Manger ne valait peut-être pas qu'on en fasse tout un plat, mais cet acte était loin d'être négligeable, et je m'en voulais d'avoir, pendant la plus grande partie de ma vie, ingurgité machinalement le contenu de mon assiette, comme s'il s'agissait de nourrir un poêle à charbon. J'allais sucer ce bonbon souvenir pendant des mois, en le roulant dans les recoins de ma mémoire jusqu'à ce qu'il soit poli comme un éclat de verre.

*

Le lendemain matin suscite chez moi moins de nostalgie.

Edison devait avoir la gueule de bois – il avait pris un cognac avec son gâteau –, et il s'est traîné jusqu'à la cuisine, où je remplissais la cafetière italienne que j'avais rapportée de Solomon Drive. (Elle ne manquerait pas à Fletcher, qui à ce moment-là avait banni la caféine.) J'étais moi-même d'humeur grincheuse, et je redoutais l'effet du café noir sur un estomac vide, mais mon frère était une vraie boule de ressentiment et de rancune.

— On peut s'asseoir nulle part, *man* !

— On va s'en occuper. Mais en attendant, sans le *half and half* pour l'adoucir, on ferait mieux de petit-déjeuner avant le café.

— Je ne dirais pas non à une pile de pancakes aux pépites de chocolat…

— … dont le secret est, c'est toi qui le dis – j'ai brandi un sachet de BPSP –, la vanille !

— Ha, ha ! a ronchonné Edison en s'affaissant sur le comptoir. *Man,* le dîner d'hier soir était *mortel.* Je parie qu'ils font un brunch steak et œufs d'enfer.

J'avais piqué deux verres à eau au motel. Dans chacun des verres, j'ai versé un sachet de BPSP : protéines, vitamines, minéraux et électrolytes. J'ai ajouté de l'eau du robinet et remué.

— Mmm, appétissant !

— Laisse tomber l'enthousiasme, petit panda.

Il a avalé sa première gorgée.

— Putain !

À mon tour, j'ai bu une gorgée. Je devais reconnaître que le breuvage était peu épais.

— Espérons que la fraise sera meilleure.

Nous sommes restés avec nos verres à la main, à fixer par la baie vitrée les jeunes chênes dehors, leurs branches frêles comme une métaphore de la faiblesse de notre détermination. Mon sens retrouvé de la saveur ne s'étendait pas à la poudre de protéines aromatisée à la vanille, et j'ai avalé le reste d'un seul trait. Comme je m'y étais attendue, même le fond de café avec lequel j'ai fait passer notre festin liquide a provoqué une réaction acide. Il m'est souvent arrivé de sauter le petit-déjeuner, mais ce matin-là c'était différent, et je me suis sentie lésée, sans la possibilité de retirer une quelconque satisfaction compensatoire. Je n'avais pas même complètement fait l'impasse sur le petit-déjeuner, et j'étais autant en surpoids que la veille au soir. Je n'avais pas de perspective de déjeuner, et encore moins de dîner, susceptible de me réjouir. Tout mon sens de l'ordre avait été chamboulé : ma vie n'avait pas de protocole, de structure, et par-dessus le marché je devais gérer mon grand frère grincheux, puéril et pleurnichard.

— C'est complètement débile, *man*, ne cessait-il de se plaindre, fumant cigarette sur cigarette à la fenêtre entrouverte. J'ai une dalle d'enfer.

— Hier soir, tu as promis de me faire confiance. Tu as promis que tu ne tricherais pas, et tu sais que si ça arrive, je te laisserai tomber plus vite encore qu'il te faut de temps pour dire : « Double Cheese avec des frites. » Tu te souviens des règles : tu peux boire du Coca light, de l'eau – plate ou gazeuse – et des tisanes, mais uniquement avec du citron et un édulcorant artificiel. Je peux acheter des pastilles à la menthe sans sucre. Sinon, quatre verres de cette vase par jour, point barre. Allez viens, on sort, je ne supporte plus d'être ici.

J'étais si soulagée d'avoir loué un appartement non meublé que je me serais embrassé la main. Quelque chose à faire ! Déjà, je revenais sur une précédente résolution, prise dans le délire grisant d'un estomac plein. Au départ, une forme d'ascétisme m'avait semblé appropriée, et, compte tenu de notre histoire familiale, il est assez logique que j'aie envisagé de renoncer à ce qui avait été la cause de toute l'inattention dont j'avais souffert, enfant. Pourtant, au bout d'une demi-heure seulement de moquette beige et de poudre protéinée aromatisée à la vanille, je m'étais juré que, en plus d'un canapé, de deux fauteuils et d'une salle à « manger » qui n'en aurait que le nom, nous ferions avant tout l'acquisition d'une télé.

3

À QUOI BON ESSAYER DE LE NIER ? Ces premiers jours ont été une véritable torture. Nous nous sentions stupides. La suppression de la nourriture nous paraissait arbitraire et, en l'absence de résultats immédiats, vaine. Notre ambition était si démesurée qu'elle paraissait insensée, et je craignais que Fletcher ait raison : jamais nous n'irions au bout de la première semaine. Bien que le maigre milk-shake protéiné ait dû calmer la faim, celle-ci me tenaillait, inexorable, et me donnait l'impression que le temps s'écoulait au ralenti, dans une atmosphère grise et morne. Je me suis surprise à penser que peu m'importait finalement si j'avais pris « un peu » de poids ; comme le soulignait Fletcher, j'avais la quarantaine, et quelques rondeurs étaient tout à fait normales à mon âge. Je n'avais pas à séduire un homme car j'étais déjà mariée, et je mettais en péril cette sécurité avec ce projet irréalisable.

Néanmoins, je suis têtue et, comme l'avaient découvert mes beaux-enfants, plus fière que je ne le prétendais ; la perspective de rentrer à Solomon Drive la queue entre les jambes, avec un bagel et du cream cheese dans chaque main, était un anathème. Je me suis donc appuyée sur l'orgueil d'une part et sur l'affection d'autre part – me récitant souvent la longue liste de maladies mortelles auxquelles mon frère était prédisposé. Bien que leur caractère abstrait soit problématique, les derniers mots prononcés par le Dr Corcoran à la porte de son cabinet avaient fait mouche. « Monsieur Appaloosa, avait-il dit d'un ton grave, je n'ai aucun patient obèse âgé. »

Si Edison constituait, jour après jour, la seule motivation que j'avais de tenir, c'est seulement a posteriori que je peux inférer son corollaire : jour après jour, j'ai constitué pour Edison la seule motivation à tenir.

Le premier soir, Edison était en larmes, pour la deuxième fois en dix jours ; le roc avec lequel j'avais grandi s'était effondré et n'était plus qu'un tas de graviers. Les meubles que nous avions achetés cet après-midi-là ne nous avaient pas encore été livrés, et il était affalé par terre, contre le mur du salon, comme un pouf humain. Il avait déjà sérieusement abusé de ma patience lors de cette expédition shopping, laquelle ne s'était pas révélée aussi distrayante que je l'avais envisagé. Edison, entre critiques et indifférence – deux attitudes qui n'étaient d'aucune aide –, sortait du magasin toutes les cinq minutes pour fumer une cigarette. Il avait retrouvé un peu d'enthousiasme quand j'avais proposé de pousser jusqu'au Hy-Vee, mais l'embellie avait été de courte durée : la liste de courses se limitait à des articles de papeterie, de la vaisselle bon marché, de la tisane, du Coca light, de l'édulcorant et des pastilles à la menthe sans sucre. Il se fichait comme d'une guigne que je meure de faim moi aussi. Nous étions colocataires depuis moins de vingt-quatre heures et déjà, il me tapait sur les nerfs.

Pour moi, l'inconfort ressenti était si faible que c'est cela même qui le rendait fatigant. S'affamer lorsqu'on est en surpoids constitue incontestablement une forme de souffrance bourgeoise, et quand personne ne vous plaint, vous pouvez difficilement vous apitoyer sur votre sort. Edison quant à lui n'avait aucune difficulté à s'apitoyer sur lui-même.

— Pourquoi est-ce que je ne peux pas me faire un sandwich ? s'est-il plaint. Qu'est-ce que ça peut bien faire ?

Je me suis laissée tomber à côté de lui sur le sol.

— Un premier sandwich ne fait qu'ouvrir la voie à un deuxième. Je sais que tu n'as pas l'habitude de ressentir la faim. Mais ça pourrait être pire. Ton corps est conçu pour utiliser la graisse comme carburant. Il fait ce qu'il est censé faire.

— Je m'en tape. Regarde-moi. Je suis toujours un gros lard. La seule différence, c'est que je suis un gros lard malheureux. C'est trop dur. C'est trop dur, Pando. Toute une année comme ça, je vais pas pouvoir.

— Ça va aller…

J'ai ébouriffé les boucles blondes de son visage.

— C'est le moment le plus difficile. Le tout premier jour.

Je me sentais plus forte en l'encourageant, et après lui avoir apporté des feuilles de papier toilette pour qu'il se mouche, je nous ai préparé de la tisane au citron et au gingembre, m'efforçant de paraître enthousiaste tandis que j'essayais de presser la plus petite goutte aromatique de ces sachets tristounets. Plus je me focalisais sur mon frère, moins je souffrais, et je me suis demandé si, avec le temps, la solution pour Edison ne serait pas de se soucier un peu plus de moi.

— Et maintenant ? a demandé Edison en jetant un regard noir à la tasse que je lui offrais. Il est seulement 8 heures du soir, *man* ! La télé n'a pas encore été livrée non plus.

— Eh bien…

Je me suis installée confortablement auprès de lui, serrant dans mes mains le thé de la façon dont Edison avait tenu son verre de cognac la veille au soir – on aurait déjà dit que cela remontait à plusieurs semaines.

— On est ensemble depuis plus de deux mois, et tu ne m'as toujours pas parlé.

— Tu déconnes ! Je suis un vrai moulin à paroles, tu le sais bien.

— Tu ne m'as pas expliqué ce qui s'est passé. Pour que tu en arrives là. Ce n'est pas à cause simplement d'un excès de hamburgers.

— Quoi, tu veux que je sorte mes tripes ?

— Histoire de passer le temps, faute de mieux. Oui. Je veux savoir ce qui a causé chez toi une telle dépression.

— Voyons voir. J'étais marié à une nana canon qui s'est tirée. J'ai un fils que j'ai pas vu depuis qu'il a eu quatre ans. J'ai pas fait l'amour depuis un paquet d'années. J'ai ni thunes ni boulot, et à quarante-quatre ans je dépends pour vivre de ma frangine, qui est célèbre dans tout le pays. Il y a de quoi être déprimé.

— Ça c'est ta version condensée à la *Reader's Digest*, et il est à peine 20 h 13. Je ne pige toujours pas. J'avais l'impression que peu de temps après avoir quitté Tujunga Hills, tu avais fait un carton à Manhattan.

— C'est peut-être un peu exagéré de dire ça. Mais j'ai joué trois ans de suite avec Stan Getz ! Je suis passé dans des salles importantes, *man*. Le Vanguard, le Blue Note. J'ai joué…

— … avec de grosses pointures, ai-je terminé pour lui. Alors, pourquoi est-ce que tu n'as pas continué à jouer avec eux ?

— Écoute, je suis pas nul. Les jazzmen évoluent dans leur style. Et quand j'ai commencé à avoir des problèmes avec Sigrid, je suis peut-être devenu… un peu moins facile. Tu sais, j'étais une vraie star, *man*…

— Comme Travis, ai-je répliqué d'une voix forte. C'est un modèle plutôt dangereux. Travis M. le Connard-Professionnel.

— Je tiens peut-être ça de Travis. En tout cas, ça s'est pas très bien passé. Il m'est arrivé de tout planter et de me barrer, comme ça, en plein milieu d'un concert. Quand le

249

public arrêtait pas de jacasser ou que l'ampli de la basse était trop fort.

— Et tu critiques Keith Jarrett pour avoir fait la même chose.

— Qui se ressemble s'assemble. Mais personne n'en veut à Jarrett…

— C'est ça qui te rend dingue.

— J'ai retenu la leçon, pigé ? J'ai compris que c'était pas super professionnel de me lancer dans ces conneries du genre « c'est comme ça, sinon je joue pas ». Mais ma réputation était faite. Les mecs se sont méfiés, et ils ont plus trop eu envie de jouer avec moi, et j'ai plus eu de propositions pour des concerts importants. Et j'ai jamais joué avec Miles ! Tous les mecs qui ont joué avec lui, ou qui ont juste porté sa trompette, on leur déroule le tapis rouge. Ils peuvent se la jouer tant qu'ils veulent, exiger des peignoirs en soie et engueuler le public à cause de leurs portables…

— Mais tu as pourtant enregistré tous ces CD !

Je connaissais déjà le riff « Si seulement j'avais joué avec Miles ».

— Je sais que tu les as enregistrés, puisque tu m'en as envoyé des exemplaires.

— Tout le monde peut enregistrer un CD, *man*. Mais dégoter un distributeur, obtenir une critique de Ben Ratliff, c'est une autre paire de manches.

— Pourtant, tu as continué à jouer.

— Ouais, mais je descendais marche après marche. Cornelia Street. Small's. Fat Cat. Les gens s'en sont rendu compte. Je reculais au lieu d'avancer. En fait, je t'en ai jamais parlé, mais…

— Quoi ?

J'avais l'impression qu'il y avait tant de choses qu'il ne m'avait pas dites qu'on aurait pu y passer toute la nuit, plutôt qu'une ou deux heures.

Edison a avalé une longue gorgée de sa tisane tiède comme s'il ingurgitait un double whisky, et je me suis demandé si l'intérêt principal de l'alcool ne résidait pas plutôt dans l'accessoire – dans le verre, et non ce qu'il contenait.

— Il y a eu toute cette période, au milieu des années 1990... *Garde alternée* n'était plus diffusée depuis quoi, douze, treize ans ? Mais pas mal de clubistes ont commencé à regarder la série. Alors, pendant un temps, j'ai essayé de me vendre comme « le véritable Caleb Fields ». J'étais même répertorié dans *Voice* sous le nom de Caleb Fields.

Au moins, il semblait penaud.

— Ça a marché ?

Il a haussé les épaules.

— Ça a attiré quelques curieux. On fait avec ce qu'on a, pas vrai ? Et puis, bon... c'est quand même quelque chose. Ça nous rend dingues, par moments, mais Travis a été une vraie star de la télé. Ça fait de nous des gens à part, sœurette.

J'ai failli ne rien répondre, mais c'était parce que j'avais gardé pour moi ce genre de remarques que, après toutes ces années ainsi que deux mois dans la même maison, mon frère et moi nous connaissions aussi mal.

— Ce que tu veux dire, c'est que toi, tu es à part.

Quand Edison m'a regardée, la lueur incendiaire dans ses prunelles n'était pas due aux larmes.

— Écoute, j'ai bossé vachement *dur*. Je suis peut-être un peu rouillé pour le moment, mais tu m'as vu : pendant la plus grande partie de ma vie, j'ai joué six ou sept heures par jour. J'ai fait des pieds et des mains pour percer – dans ce métier, personne te déroule le tapis rouge et vient te proposer un concert simplement parce que t'as une bonne tête. J'ai écouté et j'ai fait mes gammes, de Jelly Roll Morton à Monk, en passant par Chick, Bley.

À l'époque, on pouvait pas dégoter tous ces enregistrements, même rares, sur iTunes ; j'ai recherché tous leurs morceaux, tout ce que ces mecs avaient enregistré…

— Tu as déjà cuisiné un dîner pour soixante-cinq convives ?

Je me suis délibérément abstenue de jouer la carte Baby Monotonous.

— À passer trois nuits blanches d'affilée à émincer des oignons et à confectionner des pâtes à tarte… ?

— S'il te plaît, parle pas de bouffe, *man*.

— Moi aussi, j'ai travaillé dur. À ce compte-là, beaucoup de gens sont « à part ». Et il y a une grande différence entre se sentir à part et se sentir privilégié. Avoir l'impression que les choses te sont dues.

— J'ai peut-être l'impression que les choses me sont dues. J'ai un truc, je…

— Tu as du *talent*, pas moi.

— Stop. Écoute, tout ça, ça nous mène nulle part.

— Au contraire, mais c'est un endroit où tu ne veux pas aller.

Une minute s'est écoulée dans le silence.

— Ma vie, c'est de la merde. Pour toi, ça marche, et moi, je suis coincé dans cent soixante-quinze kilos de merde. Je peux pas croire que tu cherches à m'enfoncer encore plus.

— Bien sûr que non ! On a grandi en se faisant des idées fausses, Edison. J'ai essayé de le faire comprendre à Tanner et à Cody, mais sans grand succès. Toute cette obsession de… Je crois que tu te soucies bien trop de ce que les gens pensent de toi.

Je n'aurais pas cru possible de voir Edison s'avachir davantage contre la plinthe.

— Les gens pensent pas à moi, sœurette, plus maintenant. Tu sais, quand j'ai essayé de jouer la carte « Caleb Fields » ? Il y en avait toujours, dans le public, qui quittaient la salle en colère. Ils s'attendaient à voir Sinclair Vanpelt. Tu le crois, ça ? Ce petit con qui croyait qu'un adagio était une pâtisserie italienne ?

J'ai éclaté de rire.

— Elle est bonne !

J'ai tapoté son genou et je me suis levée. Nous avions gardé le « dîner » pour plus tard ; dire que, le matin même, je n'avais pas la moindre idée qu'on puisse se réjouir d'avaler un sachet protéiné ! Je me suis dirigée vers la cuisine avec enthousiasme.

— Comment tu te sens ? lui ai-je demandé pendant que je remuais les boissons.

— Un peu sonné. D'une humeur de chien. Gros.

— Compte tenu de ta corpulence, d'ici à demain matin, tu devrais déjà avoir perdu près de sept cents grammes.

— Et tu pourras voir la différence ?

— Un voyage de mille lieues…

— Laisse tomber le sermon, ma sœur.

« Sermon » : le mot m'évoquait un aliment préparé avec de la farine de maïs.

— Je te propose plutôt de l'avaler, en guise de dessert.

*

Le lendemain matin, Edison était surpris d'avoir tenu vingt-quatre heures en avalant seulement quatre sachets mélangés à de l'eau, et sa satisfaction a un peu allégé son irritabilité. J'étais extrêmement soulagée que nous ayons passé le premier jour, et pour le deuxième, je nous avais préparé un emploi du temps. Cependant, dès qu'il s'agissait de faire des courses, nous étions gênés par le besoin constant que nous avions d'aller aux toilettes. Nous étions censés boire deux litres de liquide par jour, en plus des milk-shakes, et, sans aliments solides, l'eau a besoin d'être éliminée tout de suite. Deux fois, nous avons dû battre en retraite vers les toilettes de notre appartement avant de réussir à aller jusqu'au Walmart, et une fois là-bas Edison a refusé de bouger et a voulu rester dans la voiture.

— Comme dit le proverbe, « l'ignorance est une bénédiction », a déclaré en plaisantant l'homme corpulent qui se trouvait derrière moi à la caisse.

Il désignait le pèse-personne professionnel dans son carton, dont l'encombrement nécessitait un chariot plate-forme.

— Ça, c'est sûr, a surenchéri aimablement la femme devant moi. J'aime autant ne pas savoir.

— Certes, l'ignorance est une chose, me suis-je aventurée, mais le leurre en est une autre.

— Le leurre, c'est ce qui rend la vie supportable, a poursuivi le philosophe dans mon dos, en déposant son pack de Bud sur le tapis. S'ils se voyaient trop clairement dans le miroir, tous les êtres humains se balanceraient d'un pont.

J'ai éclaté de rire.

— Mon frère et moi venons de commencer cette horrible diète liquide. Et si on ne se met pas à noter nos progrès, on va vraiment se balancer d'un pont.

Son pack de bière sur les épaules, l'homme m'a emboîté le pas et m'a proposé de m'aider à charger le pèse-personne dans le coffre. Un agriculteur, j'ai supposé ; plutôt musculeux, il aurait été sacrément baraqué si l'agriculture ne s'était pas autant mécanisée.

— Bon courage, madame, a-t-il dit en refermant le coffre.

Il devait avoir aperçu la silhouette massive d'Edison dans le siège passager.

— Mais n'oubliez pas, le droit de se mentir à soi-même est ce qui fait de ce pays un pays libre !

— C'est pas vrai ! Personne dans ce bled a jamais

appris à *la boucler* ? a râlé Edison une fois que l'homme a été parti. Partout où on va, en moins de cinq secondes, il y a un plouc qui s'imagine qu'il est ton nouveau meilleur ami. Je le crois pas ! Au moins, à New York, des inconnus te tiennent pas la jambe pour un oui pour un non.

J'aurais pu défendre le sens de la convivialité des habitants de l'Iowa, ainsi que leur capacité à rendre les interactions banales plus profondes, personnelles et gratifiantes, mais le moment était mal choisi.

*

Plus tard cet après-midi-là, j'ai appelé à la maison et je suis tombée sur Cody.

— Je me fiche de ce que disent papa et Tanner, a-t-elle affirmé d'une voix tranquille. Moi, je trouve formidable ce que tu fais.

Je lui ai passé Edison, et pour une fois c'est Cody qui a parlé le plus. Quand mon frère a raccroché, il paraissait décontenancé, comme s'il était incapable de trouver ses mots. Je lui ai demandé ce que Cody lui avait dit.

— On devrait jamais laisser des gamines surfer sur internet, a-t-il affirmé en râlant. Elle a fait des recherches. Sur l'obésité. Elle a pas arrêté de dire « Je t'aime, oncle Edison » et « Maman te donne une vraie chance, et si tu ne la saisis pas, tu risques de mourir ». J'ai entendu parler du harcèlement qu'exercent certains gosses dont les parents fument. C'est pareil. C'est insupportable. C'est rien d'autre que du chantage.

À 18 heures, nous sommes allés voir un film, qui ne m'a laissé aucun souvenir. Tout ce que je me rappelle, c'est l'odeur du pop-corn à l'arôme artificiel de beurre. Lorsqu'on suit le programme BPSP (que nous avions commencé à surnommer « Bon pour se pendre »), les odeurs deviennent très intenses, au point que je me suis demandé si nous ne risquions pas d'ingérer par le nez une partie des mille cinq cents calories que contenait un grand seau à pop-corn. Incapable de décider si cette odeur salée dans la salle de cinéma était un bonheur ou une torture, je conclurais bientôt que si on avait le choix entre les deux, il fallait choisir le bonheur.

Ce soir-là, la télé – un petit écran LED de 61 cm, alors qu'Edison avait souhaité un monstre plasma de 165 cm – n'avait toujours pas été livrée. Au moins, les deux fauteuils relax étaient arrivés, et nous n'avons pas eu à reprendre, affalés sur le sol, l'histoire de mon frère là où nous nous étions arrêtés.

Cette deuxième journée, quand je ne m'occupais pas à concocter des recettes dans ma tête – ajouter des cranberries à du pain de maïs ou relever des boulettes d'agneau avec du fenouil et du paprika –, je songeais au peu qu'Edison m'avait raconté de lui jusqu'à présent. Sur le plan professionnel, il avait dû se battre plus que ce qu'il avait jamais avoué. J'avais fait preuve d'autocomplaisance : comme je voulais admirer mon frère, j'avais, des années durant, pris son numéro de fanfaron pour argent comptant.

À l'époque, je trouvais qu'il avait une chance inouïe, mais avoir autant d'opportunités à vingt ans à peine est loin d'en être une. À cet âge, quand tout marche bien pour vous, vous pensez que ce n'est que le début, que vous avez été instantanément identifié comme l'un des Élus. De plus en plus, je m'opposais à ces catégorisations, non seulement en ce qui concernait Edison, mais aussi pour moi et mes enfants. Bien sûr, il n'y avait rien de mal à avoir le sentiment de sa valeur, si c'était mérité. Mais Edison, à sa façon indolente et présomptueuse, s'était toujours pensé exceptionnel. Jeune adulte, cela lui aurait fait le plus grand bien, par exemple, de travailler sur une chaîne de montage de climatiseurs. Je n'ai jamais travaillé aussi dur qu'à l'époque de Breadbasket, et en transpirant au-dessus de quinze litres de sauce tomate, j'avais commencé à remarquer tous ceux autour de moi qui travaillaient dur – livreurs, boulangers, employés des postes, dont, la plupart du temps, on taisait le labeur. Personne ne leur avait jamais dit qu'ils étaient à part.

À l'instant où il avait décidé de faire profiter Steven Spielberg de ses talents littéraires, Tanner s'attendait à la même reconnaissance immédiate. Seul remède à cette arrogance crasse : aller chercher des cafés latte pendant dix ans et suer sang et eau, des nuits entières, afin de réécrire des scénarios qui, on le sait maintenant, n'intéressent personne. Petit à petit, on commence alors à comprendre que l'emploi auquel on aspire est plus dur à obtenir qu'on ne l'aurait cru, que l'offre en chair fraîche, en jeunes qui se pensent tout droit sortis de la cuisse de Jupiter, est inépuisable, et que le talent qu'on a n'est pas aussi unique qu'on le pensait. Cela procède sûrement d'un talent rare – réussir à doucher le sentiment de sa propre importance sans éteindre en soi le feu de la passion –, mais les jeunes qui y parviennent deviennent non seulement des cracks dans leur domaine, mais aussi des êtres humains supportables.

Peut-être existait-il dans le jazz un équivalent au tribut dont mon frère devait s'acquitter maintenant, en milieu de vie. Quoi qu'il en soit, Edison se serait sans doute mieux porté si on lui avait fait passer son immaturité à un âge où il était en capacité de rebondir. À chaque génération, il est effarant de constater le nombre de jeunes gens prometteurs qui se prennent pour des génies en attente d'être découverts, et il peut être désastreux de voir valider cette estime de soi injustifiée dans l'antichambre de sa vie d'adulte. Je déteste devoir l'avouer, d'autant que je garde de ma scolarité un souvenir plutôt triste – sans compter qu'adolescents nous avons perdu notre mère –, mais la vérité est qu'Edison et moi avons été gâtés, baignant dans la gloire d'un père que tous nos camarades de classe reconnaissaient à la vie comme à l'écran. À dix-sept ans, à l'âge où il a commencé à voler de ses propres ailes, mon frère aurait eu besoin d'un bon coup de pied aux fesses, et je ne pouvais m'empêcher de faire le rapprochement entre notre éducation d'enfants gâtés, cette attitude de privilégié qu'il avait conservée quand des artistes en vue avaient commencé à lui faire du pied à l'époque où il n'était encore qu'un débutant prometteur, et sa corpulence actuelle.

Je me souviens d'Edison à cette époque, quand j'étais allée lui rendre visite à New York pour la première fois. Il avait de l'énergie à revendre, et des musiciens plus âgés se nourrissaient de son approche novatrice au piano. Cette fraîcheur était électrisante et contagieuse ; je comprenais pourquoi tous avaient envie de jouer avec lui. Plus tard seulement, j'oserais poser la question perfide : son nom de famille lui avait-il ouvert des portes ? La série diffusant alors ses dernières saisons, il devait avoir suscité quelques regards perplexes en se faisant appeler « Appaloosa ». Je ne cherche nullement à nier le talent de mon frère, mais quand on est jeune et que la mer s'ouvre trop facilement devant soi, on ne prend pas conscience de cette vérité : quantité de gens ont du talent. Même une nouveauté non pertinente peut sortir du lot.

Quoi qu'il en soit, cela avait dû être un choc pour lui quand, vers l'âge de trente ans, son extraordinaire ascension dans la stratosphère du jazz s'était arrêtée. (J'étais effarée qu'il ait été jusqu'à se faire appeler Caleb Fields, même brièvement.) Je n'ai jamais envié les personnes qui connaissent tôt la réussite, car celle-ci les condamne à se remémorer à tout jamais les souvenirs de leur passé glorieux qu'elles n'ont pas eu la sagesse d'apprécier alors. Il aurait sans doute mieux valu qu'Edison échoue en milieu de carrière, ce qui l'aurait obligé à choisir une autre voie. À la quarantaine, il ne pouvait concevoir de faire autre chose qu'être pianiste de jazz, et toutes ces années il avait réussi à trouver juste assez de travail pour rester dans la partie. C'était un piège. Dans l'industrie du divertissement à L.A., j'en avais vu des gens dont la carrière s'arrêtait de progresser et qui restaient en marge, pleins de rancœur envers des metteurs en scène de vrais films à Hollywood ou des acteurs se produisant dans de vraies pièces à Broadway. Ces semi-ratés obtiennent souvent juste assez de retours positifs pour ne pas abandonner, mais dans un certain sens ces petits succès occasionnels sont pires que tout. L'échec autorise le relâchement.

— Alors, ai-je lancé tandis que nous buvions le dernier sachet de BPSP – nous avions appris à les siroter à un rythme contemplatif. Au moment où nous nous sommes arrêtés, tu avais viré à la star capricieuse, et tu commençais à en payer les conséquences. Que s'est-il passé ensuite ?

— Quelque chose de pas très clean… Promets-moi seulement de ne pas piquer de crise.

— À cinq cent quatre-vingts calories par jour, je n'ai pas l'énergie pour piquer une crise.

— Sigrid. Quand elle était enceinte. De huit mois à peu près. Elle s'est pointée à une de mes répétitions, et j'étais défoncé.

— Qu'est-ce que tu avais pris ?

— Pas du hash, ç'aurait été trop nul d'en faire toute une histoire. De la vraie came.

— Tu avais pris de l'*héroïne* ?

— Tu m'avais promis de ne pas piquer de crise ! J'ai jamais été accro au truc. Il faut *dix ans* en moyenne pour devenir *physiquement* accro à cette merde, et personne ici dans l'*Iowa* pige ça.

— Nous avons l'un des problèmes de meth les plus sérieux de ce pays, alors ne la ramène pas.

— Enfin bon, ouais, j'ai essayé. Tu sais pourquoi Bird était aussi génial ? Il était raide défoncé. Et t'as besoin de te défoncer pour comprendre cette musique. Il jouait comme ça parce qu'il en avait rien à foutre de rien. Tu veux que je me tape de « ce que les gens pensent de moi » ? File-moi de la dope.

— Tu ne crois quand même pas que je vais gober ça ? Que prendre de l'héroïne est une sorte d'obligation professionnelle, comme faire des gammes ?

— En tout cas, Sigrid non plus, elle a pas gobé ça. J'avais déjà tiré un peu trop sur la corde en étant pas toujours très... « attentionné » comme tu dirais. Elle était enceinte, et la poudre a été la goutte d'eau. Cet après-midi-là, elle a quitté le studio et a fait ses valises.

— Tu as continué à en prendre ?

— Nan. C'était un peu *trop* bon, si tu vois ce que je veux dire. Ça me faisait flipper. Toi qui crois que j'ai aucune discipline...

— Je n'ai jamais dit ça, c'est Fletcher. Et regarde : deux jours avec huit sachets de cette espèce de régurgité.

— Nan, c'était un petit flirt, quelques mois maxi. J'y ai jamais retouché depuis. Mais pour Sigrid, c'était trop tard. J'ai voulu qu'on se remette ensemble après la naissance de Carson, mais je m'étais bourré la gueule au Jack Daniel's avant d'aller la voir. J'étais super nerveux. C'était pas la meilleure façon de plaider mon cas. On peut pas dire que je l'aie impressionnée.

— Est-ce que... tu buvais beaucoup ?

— Ouais, pendant un temps. Mais j'ai aussi arrêté la picole. C'est pas possible de bien jouer quand on est déchiré. Je me suis laissé aller.

— J'ai l'impression qu'il y a toujours eu quelque chose.

— S'il te plaît, viens pas me dire que j'ai une « personnalité addictive ».

— Ce n'est pas moi qui l'ai dit.

— Sur l'échelle des addictions, une grande pizza aux pepperoni semblait la moins mauvaise option. Je pouvais continuer à jouer du piano.

— Mais quand as-tu arrêté d'acheter des parts pour commander toute la pizza ? Et surtout, pourquoi ? Quand tu es venu nous voir il y a quatre ans, tu étais aussi mince qu'avant.

Edison s'est frotté le visage.

— C'est difficile de remettre les événements dans l'ordre. La dernière fois que je suis venu te voir, j'étais peut-être plus tout à fait en haut de l'affiche ; j'avais plus joué au Vanguard depuis, quoi ? dix ans peut-être. Mais c'est surtout parce que la proprio a jamais voulu me pardonner d'être sorti de scène alors que des abrutis au bar continuaient de jacasser. J'étais dans mes droits. Et si ç'avait été Jarrett ? Elle aurait soutenu les musiciens et viré ces crétins incultes par la peau du cul.

— Edison… Tu essayais de m'expliquer pourquoi tu avais commencé à trop manger.

— Et tu crois que je fais quoi ? J'essaie, *man* ! Mais faut déjà que je mette la table, tu me suis ? À ce moment-là, j'avais encore un réseau, une réputation. Des tas de musicos, même les plus jeunes, étaient *reconnaissants* de jouer avec moi. Mais t'as la moindre idée de ce qu'on est *payé* en jouant dans un lieu comme le Cornelia ? Le week-end, une centaine de dollars à tout casser. Et ça, c'est sans compter le dîner et le trajet en taxi. Le Jazz Gallery paie *que dalle*. Dans des clubs comme le Barbès à Brooklyn, je dois m'estimer heureux si je repars avec quarante dollars en poche. Je jouais partout où je pouvais, mais je commençais à plus être dans la course, *man*. À être à la bourre pour payer le loyer. Une fois, j'ai eu trois mois d'arriérés, et j'allais me faire foutre dehors si je faisais rien. Je voyais pas d'autre moyen de m'en sortir, *man*. J'ai pas vu d'autre moyen de m'en sortir...

Edison secouait la tête, le menton dans sa main. Je lui ai laissé du temps.

— Alors, a-t-il repris, j'ai vendu le putain de piano.

— Oh non !

Le Schimmel d'Edison était le premier achat conséquent qu'il avait réalisé avec les gains de ses premières années lucratives, et c'était aussi son bien le plus précieux. D'une dimension inférieure à un mètre quatre-vingts, ce n'était pas un piano à queue, mais il avait considérablement compliqué les déménagements d'Edison.

— Je croyais que tu l'avais mis dans un garde-meubles.

— Il est dans un garde-meubles. Mais chez quelqu'un d'autre.

— Il valait combien ?

— Plus que ce que j'ai pu en obtenir, a-t-il répondu d'un ton amer. Je jure que le jour où on a enlevé de chez moi mon instrument, ça a été pire que celui où Sigrid est partie. Et le *timing* non plus était pas terrible. Lorsque les déménageurs sont partis, je suis sorti m'acheter des clopes. Et qu'est-ce que je vois dans le kiosque ? Le dernier numéro du magazine *New York*, avec en couverture ma sœur, et son sourire éclatant. Un peu plus *ronde* que dans mes souvenirs, c'est pour ça qu'il m'a fallu une seconde...

— Tu devrais te réjouir que j'aie trois ou quatre kilos à perdre, ai-répondu froidement, sinon tu te retrouverais tout seul à faire ce régime.

— Susceptible, à ce que je vois ! Je me traite de connard obèse, tu peux bien supporter qu'on dise de toi que tu es *ronde*.

Effectivement, j'étais susceptible – et irritable. J'enviais à Edison ses cigarettes, cette distraction qui lui occupait les mains. Les pastilles à la menthe, ça ne le faisait pas. Cette conversion, parce qu'elle n'était pas entrecoupée par l'égouttage des macaronis, était éprouvante. Au moins, avec l'élimination provoquée par les tisanes et le Coca light, je n'arrêtais pas d'aller aux toilettes. Et j'attendais maintenant avec impatience mes envies de pisser : au moins, ça me donnait quelque chose à faire.

— Je t'ai demandé ce qui avait déclenché cette orgie de bouffe, ai-je répliqué, mais tu continues d'éviter le sujet.

— Non, pas du tout. Ce jour-là, j'ai vendu mon piano pour rester en vie, et c'était ni plus ni moins du cannibalisme, *man* ; c'était comme se bouffer le bras pour éviter de crever de faim. Au même moment, j'apprends que ma petite sœur s'en met plein les fouilles, qu'elle est une sorte… d'entrepreneur de l'année ! Si ce n'est pas remuer le couteau dans la plaie ! Je dirais que c'est là que ça a commencé. J'ai foncé dans un boui-boui au coin qui servait des travers de porc pas terribles. Des muffins au maïs, de la purée. Quand j'ai eu terminé la première assiette, j'en ai commandé une seconde. Puis j'ai pris le gâteau pâteux. Je crois bien que j'en ai mangé aussi deux parts. J'avais l'impression, je sais pas, que je méritais au moins cette bonne bouffe. Je ne me souviens même pas si je me suis senti rassasié.

— Je ne pige pas. Quel est le rapport entre un article sur des marionnettes et toi ?

— Te fais pas plus bête que tu n'es. On dirait que ça te fait un bien fou, alors vas-y : profite. L'important, c'est que l'un de nous en retire quelque chose, et je te dis d'avance que ça sera pas moi.

J'ai plissé les yeux.

— Tu n'es quand même pas en train de me rendre responsable de ton obésité ?

Edison a levé les yeux au ciel.

— C'est pas toi, c'est moi *par rapport à* toi, pigé ?

D'accord. Je n'étais pas disposée à jouer les innocentes

au point de passer pour une imbécile. Les frères et sœurs se mesurent constamment les uns aux autres. Pourtant, je n'avais jamais envié Edison pour ses succès ; je les avais même tellement vénérés, des années durant, que je n'avais rien vu des difficultés qu'il avait traversées. Si je m'étais jamais vantée de diriger ma propre activité de restauration, c'était seulement pour l'impressionner. J'étais abasourdie de constater qu'être de trois ans sa cadette puisse faire autant de différence.

— Je n'essayais pas de te *battre*.

— Peut-être, mais tu as réussi. Et si tu me bats sans même essayer, c'est encore pire.

— Et qu'est-ce que ça m'a apporté ? Travis me déteste. Il n'arrête pas de faire comme si je n'étais rien d'autre qu'une femme au foyer. Et apparemment, toi aussi, tu me détestes…

— Lâche-moi, tu veux ? Peut-être que je m'éclaterais pas à fabriquer des poupées. Mais être reconnue dans tout le pays comme *entrepreneur*, avoir des articles dans les magazines, et ramasser je ne sais combien de fric au passage… Dire que ça t'a rien apporté, c'est du grand n'importe quoi. Quant au fait que Travis te déteste, à la façon dont tu le dis, franchement, j'aimerais bien que ce type me déteste comme ça. C'est un compliment, ce degré de rancœur. Toi, tu le rends furieux. Moi, je le fais rire.

— Si tu tiens tant que ça à impressionner Travis – ou à faire qu'il t'en veuille, ce qui, d'après ce que j'ai compris, est ce qu'il y a de mieux après –, tu n'as qu'à maigrir.

— Oh, s'il te plaît ! Tout le monde peut se mettre au régime.

— Non, c'est faux. C'est justement ce que les gens n'arrivent pas à faire. Les derniers jours ont été durs, hein ? Ils l'ont été pour moi. C'est insupportable. Je n'arrête pas de penser à la bouffe.

— Être l'homme le plus mince de l'année, c'est pas vraiment le genre de célébrité que j'attendais.

— Personne sans doute ne rêve d'être un ancien obèse. Mais personne non plus ne rêve d'être obèse. Dans la rue, c'est tout ce qu'on voit de toi. Tu es aussi massif qu'une baraque, mais pour le reste tu es invisible.

— Peut-être que ça me convient.

— Tu parles. Un pianiste de jazz qui a l'ambition de devenir mondialement célèbre cherche avant tout à passer inaperçu…

— Si tu me comprenais un peu, tu verrais bien que je le pense.

Il a allumé une autre cigarette. Je commençais à regretter de le laisser fumer dans l'appartement : celui-ci empestait déjà, et la consommation d'Edison avait grimpé en flèche. Mais lui arracher sa dernière béquille aurait ressemblé à un abus de faiblesse.

— Tu ne l'as pas acheté, j'imagine.

Ce n'était pas vraiment une question.

— Acheté quoi ?

Il savait parfaitement de quoi je parlais.

— Le magazine *New York* avec ta sœur en couverture. Mais tu as pris tes Camel et tu as tourné les talons.

— Ça coûtait cinq dollars !

— Tu ne l'aurais pas acheté même s'il n'avait coûté que dix cents.

La raillerie avait une tonalité douloureuse.

— Mais revenons-en au piano. Je n'arrive pas à comprendre que tu ne sois pas venu me voir avant de vendre le Schimmel.

— Tu peux pas comprendre. Tu as tellement l'habitude d'être la cadette de la famille que tu ne peux pas imaginer ce que c'est d'être moi.

— Si je traversais une mauvaise passe, je n'hésiterais

pas à me tourner vers toi si je savais que tu pouvais me prêter de l'argent.

— Exactement.

— Je ne comprends pas.

— Non, on dirait bien que non.

— Est-ce que ça a à voir avec l'ordre d'aînesse ou une bêtise de ce genre ?

— Tu peux bien lui donner le nom que tu veux. Je suis ton grand frère. Ce qui signifie que c'est à *toi* d'acheter le magazine *New York* avec moi en couverture. Que c'est *toi* qui viens *me* demander de l'argent, et que je te le donne. Que je ne veux pas vivre de la charité de ma petite sœur.

Bizarrement, quelles qu'aient été dans le passé les réserves d'Edison par rapport au fait de bénéficier de mes largesses, elles s'étaient évanouies. C'était évident à la façon dont il avait insisté, la veille, pour qu'on achète l'écran plasma de cent soixante-cinq centimètres. Comme c'est le cas pour la plupart des dirigeants d'entreprise, mes profits étaient limités – l'argent l'est toujours –, et une part importante du bénéfice avait été réinjectée dans l'activité. Mais il se passe quelque chose de sinistre dès que les gens vous classent dans la catégorie des nantis. Comme si votre argent, par nature inépuisable, n'était pas réel, et que, du coup, votre générosité ne l'était pas non plus.

— En plus, a ajouté Edison, c'est après avoir vendu le Schimmel et vu ta photo en une du magazine que j'ai pensé que tu aurais pu m'aider. Ton activité de restauration, c'est à peine si elle faisait des bénéfices. De ce que tu avais dit au téléphone de Baby Moronic...

— *Monotonous.*

— ... ça semblait un peu dingue. J'ai cru que t'avais pété les plombs. Et quand un joueur de sax ténor m'a dit qu'il avait acheté une marionnette pour l'anniversaire de sa femme, j'ai pas fait le rapprochement.

— C'est parce qu'à chaque fois que je te parle de moi, tu as la tête ailleurs. Je m'en rends compte, tu sais. Tes « hmm » et « ah » sont tous au mauvais endroit.

— Le prends pas mal, mais ce trip sur la restauration… Ton déménagement dans l'*Iowa*… Puis ton mariage avec un commercial muet comme une tombe qui vend des semences et qui s'est tapé un délire de devenir ébéniste… En plus, j'ai rien en commun avec lui… La seule raison que j'ai de trouver ça fascinant, c'est que tu es ma sœur.

— Et ce n'est pas suffisant ?

— Bien sûr que si. Dans un sens. Mais on vit dans des mondes totalement différents, *man*. Je fais des bœufs à Manhattan jusqu'au petit matin, alors que toi, tu nages dans tout ce… maïs.

Moi qui avais longtemps aspiré à être ennuyeuse, apparemment, j'avais atteint mon but. Alors quel était mon problème ? Pour commencer, j'avais la migraine. Je me sentais faible. Je n'arrivais pas à comprendre pourquoi je m'infligeais ces privations. Mon mari me manquait, et Edison n'était pas le seul à pouvoir s'ennuyer en compagnie d'un membre de sa fratrie. Je n'arrivais pas à me concentrer sur ce que je faisais dans cet appartement fade et quasiment vide, et je mettais sur le compte de notre brouillard mental commun le fait qu'Edison et moi semblions incapables de tirer le fil cohérent de son histoire.

J'ai appuyé là où ça faisait mal.

— Revenons à notre sujet, ai-je déclaré. Ce Schimmel devait valoir des milliers de dollars. Ça a dû te permettre de voir venir.

— Ça m'a effectivement permis un truc, a murmuré Edison.

— Tu peux préciser ?

Il s'est couvert le visage de ses mains.

— Je l'ai bouffé, *man*. J'ai bouffé mon piano.

— Oh, *Edison* !

267

On aurait dit notre mère.

— Je vivais à New York, je n'allais pas réchauffer une boîte de soupe ! J'ai toujours vu les choses en grand. Ou plutôt en gros. Manger au restaurant, ça coûte cher.

— Je…

J'ai levé les mains.

— Je n'arrive pas à en croire mes oreilles ! Tu étais la star du lycée.

— Fais un effort, et tu comprendras. OK, j'étais plutôt pas mal avant. Mais c'était avant. Une fois que je suis devenu gros, ça avait plus d'importance, que je reprenne une part de côtes de porc. Quand on est mince, on a quelque chose à protéger, un investissement à préserver, un pouvoir à garder. Mais quand on est déjà gros, on a rien à perdre à l'être encore plus. D'accord, grossir m'a pas vraiment aidé sur le plan professionnel. Surtout avec les jeunes musicos : ce gros type de quarante ans que j'étais devenu foutait en l'air leur image. Peu à peu, au Voice, j'ai remarqué que des groupes avec lesquels je jouais depuis cinq ans étaient annoncés avec un autre pianiste. Et ça n'a fait que me donner envie de bouffer encore plus. Parce que ça passait le temps. Parce que j'avais la dalle. Parce que j'avais les boules.

» J'ai commencé à faire les mariages… Et il y a eu cette fois-là, à Long Island. Le groupe de musiciens était pas censé toucher au buffet. On devait nous servir une assiette, dans la cuisine, comme des nègres, en fait. Mais personne l'a dit de cette façon, texto. Alors, j'ai tenté le coup, et entre les parties j'ai fait sa fête au buffet. La bouffe était super bonne – gambas, homard, rôti de bœuf –, et je me suis peut-être lâché. *Un peu*. On s'est fait sonner les cloches en partant, et l'*heureux couple* a retenu deux cents dollars sur notre cachet, que le groupe a répercutés sur moi. Deux cents dollars ! On était un quintet, donc notre cachet divisé par cinq, ça faisait seulement trois cents dollars par personne *avant* ma retenue pour mauvaise conduite. Alors j'ai récupéré en tout et pour tout cent dollars. Jamais j'ai bouffé pour deux cents dollars de leur foutu buffet ! Mais il suffit qu'on me regarde pour qu'on pense que je me suis farci tout le rosbif. C'est comme les hochements de tête désapprobateurs au restaurant, alors que je fais que manger mon club-sandwich à la dinde pareil que n'importe qui. C'est comme si j'entendais les types assis au comptoir : « Ces gros porcs passent leur temps à se plaindre de problèmes thyroïdiens, mais à chaque fois qu'on les voit bouffer, ils se goinfrent de beignets d'oignons… »

» Enfin bon. En tout cas, après le fiasco de ce mariage, ma réputation en a pris un sacré coup, et j'avais toutes sortes d'avertissements avant d'être engagé pour un concert : « On sait pas si ça va t'intéresser, vu que la bouffe n'est pas comprise » ou : « Interdiction de t'approcher du buffet. » C'était super insultant. C'est pas comme si je pouvais pas passer cinq minutes sans mordre dans un cheeseburger.

» Tu vois le tableau, petit panda ? C'est devenu super chaud pour l'argent. Des musicos se sont mis à m'éviter, alors qu'ils auraient dû remercier leur bonne étoile de jouer avec une pointure comme moi. Je devenais obèse – bien sûr que je m'en rendais compte, et bien sûr que ça me prenait la tête. Ça marche comme ça : devenir gros fait grossir encore plus. C'est tellement l'horreur de grossir que ça te conduit tout droit dans les bras d'un chawarma d'agneau. Et quand il y a trop de chawarma, il y a moins de concerts, et toujours plus de bouffe pour oublier, et encore moins de concerts. On appelle ça un *cercle vicieux*. Le Schimmel m'a aidé à payer les arriérés, mais après avoir bouffé le reste, je suis revenu au point de départ. Impossible pour moi de garder l'appartement, même à Williamsburg. Ce quartier se la pète un peu, si tu veux mon avis, mais peu importe.

» Alors j'ai décidé de tout mettre au garde-meubles.

Slack m'a filé un coup de main, a loué une camionnette. Des milliers de CD. Des cartons entiers de partitions. Toute une bibliothèque de biographies de jazzmen. J'avais un coffret de douze 33 tours de Miles : *Chronicle* – tous les albums qu'il a enregistrés chez Prestige. Édition limitée, numérotée, pressée à dix mille exemplaires. Magnifique coffret, marron, doux au toucher, avec des pochettes bien lourdes. Une biographie, des photos, un livret pour chaque album. J'aurais dû le vendre quand j'en avais eu l'occasion, mais j'arrivais pas à m'y résoudre, *man*. Je pouvais pas m'en séparer.

Il paraissait si morose que je n'ai pu m'empêcher de lui poser la question :

— Mais tes affaires sont toujours au garde-meubles, n'est-ce pas ?

Edison a regardé par la vitre les lumières du Burger King qui filtraient à travers les arbres.

— J'ai commencé à avoir du retard dans ces paiements-là aussi. Je suis retourné chez Box My Pad au printemps dernier, avec l'idée de négocier un truc pour les paiements en retard. Mais ils avaient déjà proposé le contenu de mon box à une vente aux enchères. Sauf si celui qui a remporté la vente était un dingue de jazz, j'imagine qu'il a balancé la plupart de mes trucs à la poubelle. Des dizaines d'affiches de concert encadrées, certaines en allemand, en français, en japonais. Ma chaîne stéréo. Mes vinyles – y compris celui de maman, *Magnolia Blossoms*, j'en ai bien peur. Toutes mes photographies, à part la poignée que j'ai pu mettre en ligne sur mon site web. Des vêtements, même si la plupart ne m'iraient plus aujourd'hui.

— Alors, c'est ce qui est arrivé à ton trench en cuir ? ai-je demandé d'une voix douce.

— J'arrête pas d'avoir cette image du coffret de Miles sur un matelas moisi. Abîmé par la pluie. Les disques cassés. Et tous ces CD. Mon portable est assez vieux, avec peu de mémoire par rapport aux standards actuels. J'avais seulement pu transférer une partie de toute cette musique sur l'ordi.

— Tu as *tout* perdu ?

Edison a écarté les bras.

— Ce que tu vois, c'est ce que j'ai.

Loin de me considérer comme une indécrottable matérialiste, cet aveu m'a pourtant fait l'effet d'un véritable choc. Parfois, il est si difficile d'avoir une certitude sur ce que et qui nous sommes, l'idée que nous avons de nous-mêmes est si précaire, si aléatoire que ces totems matériels sont comme des fils de guidage. Les affiches d'Edison avaient été des emblèmes qu'il pouvait toucher, des preuves tangibles que toutes ces tournées européennes n'avaient pas été le fruit de son imagination. Pour l'avoir accompagné dans de nombreux temples de la musique à New York, je savais le mal qu'il s'était donné pour compiler cette précieuse CDthèque qui devait maintenant soit encombrer la cave nauséabonde d'un éboueur dépité, soit avoir été dispersée par les mouettes. C'était le dernier exemplaire de *Magnolia Blossoms* que possédait notre famille. Et la disparition de ce trench en cuir m'attristait.

— C'est à ce moment-là que tu as commencé à dormir sur le canapé de tes amis ?

— Non. Tu dois te douter qu'à ce moment-là certains amis se sont faits rares. Mais un noyau dur se serait mis en quatre pour moi, *man*. L'info s'est répandue que j'avais du mal à payer un endroit où crécher, et ils m'ont trouvé un truc. Ce club à Red Hook…

— Three Bars in Four-Four, ça s'appelait.

(Au 44 Visitation Place, adresse dont je me souvenais, riche en évocations.)

— Le club que tu as dirigé, ai-je ajouté.

— C'est pas tout à fait ça. À vrai dire, je l'ai jamais

271

vraiment dirigé, même si je peux comprendre pourquoi, au téléphone, tu as peut-être… euh… eu cette impression.

— Oui, c'est ce que j'avais compris.

— Il y avait une chambre au-dessus du club. En fait, le Three Bars a rien d'une entreprise traditionnelle, il a pas les moyens de payer une femme de ménage, et tout le concept du lieu était de rester ouvert hyper tard, à des heures où des employés ont surtout envie de rentrer chez eux. L'idée était que je nettoie après la fermeture, en échange de quoi je pouvais loger gratuitement dans cette chambre du deuxième étage. Bien sûr, c'était pas conforme aux normes, c'était guère plus qu'un placard avec une prise électrique. Une seule fenêtre, couverte de toiles d'araignée. Mais j'avais pas besoin de grand-chose, et je pouvais utiliser les toilettes du club pour me laver. Pendant la journée, aux heures de fermeture du Three Bars, je travaillais sur le piano du club, et en logeant au-dessus je suis devenu en quelque sorte le pianiste maison. Slack et les autres passaient après leurs concerts, étant donné qu'à ce moment-là, tout le monde ou presque avait déménagé à Brooklyn. C'était super comme endroit, vraiment cool. Ça l'est toujours, pour autant que je sache. Franchement, pendant un temps, les choses ont pas été si terribles.

— Alors, pourquoi est-ce que tu n'y vis plus ? Ce n'était pas le luxe, mais apparemment tu pouvais jouer.

— Ben… Le Three Bars vend de la bouffe. Pas juste des burgers, mais du poisson, de la salade de poulet aux mangues et aux noix de cajou. Des frites maison pas dégueu…

Je n'aimais pas la tournure que prenait la conversation. Edison fuyait mon regard.

— Ils ont commencé à remarquer que des trucs disparaissaient, a-t-il poursuivi d'un ton réticent. Dans la cuisine.

— Oh, Edison ! me suis-je exclamée, avec de nouveau cette intonation maternelle. On dirait que tes amis se sont vraiment mis en quatre pour toi. Un peu de contrôle…

— C'est bon, c'est bon. On m'a déjà fait la leçon, merci. Mais ce n'était pas aussi facile pour moi qu'avant de bouger, et balayer m'épuisait. Quand je mettais tous ces verres dans le lave-vaisselle, j'étais dans la cuisine. Pas de frigo en haut, et on m'avait déconseillé de stocker des aliments secs, à cause des rats. À 6 heures du mat', j'avais une dalle d'enfer, et rien à Red Hook n'était encore ouvert à cette heure-là. J'ai toujours tout remis en place, avec les couvercles en plastique. Et cette salade au poulet était vraiment mortelle.

— C'est sûr que ça a tué quelque chose.

— Ouais. Ma dernière chance.

J'ai fait tinter mon verre de milk-shake au cappuccino contre le sien.

— Ton avant-dernière chance, ai-je répliqué, et on a avalé nos infâmes mixtures.

4

APRÈS L'AVOIR LAISSÉ DANS SON CARTON PRÈS DE LA PORTE, à occuper l'espace de façon oppressive, nous avons fini par déballer le pèse-personne le quatrième jour. Pour fuir le mélodrame sans intérêt d'une lecture numérique, j'avais choisi le modèle ancien et démodé, avec un large cadran blanc agrémenté d'une aiguille rouge. Nous avons placé notre nouvelle sentinelle à côté de la baie vitrée, au garde-à-vous contre le mur, sa grosse tête ronde montant la garde, tandis que je secouais les troisièmes sachets de la journée pour en extraire le moindre grain de poudre. Nous avions déjà des avis bien arrêtés sur les arômes. Edison aimait le caramel ; je commençais à former l'opinion que seule la vanille pouvait tenir la distance.

L'heure de notre première pesée était arrivée. J'ai décidé d'attendre avant d'avaler mon milk-shake. Pourquoi ajouter des grammes supplémentaires à un total potentiellement démoralisant ? À l'avenir, nous allions devoir évaluer nos progrès au même moment de la journée, car le poids peut varier de plus de deux kilos sur une journée, et je ne voulais pas que nous nous découragions alors que le BPSP, abréviation que nous avions d'ores et déjà abandonnée au profit du surnom « Dégueulis », constituait notre seule source d'alimentation. À ce moment-là,

Edison avait cruellement besoin d'une preuve tangible pour s'accrocher. Compte tenu de sa corpulence, nous ne pouvions pas vraiment voir de différence après quatre jours de ce régime, et je commençais à comprendre la perversion de ce constat inversé. On pouvait manger la totalité d'un cheesecake, se regarder dans le miroir, et la belle affaire : ni vu ni connu.

Pour ma part, j'avais démarré cette expérience sans point de comparaison. Dans la frénésie et la nausée chroniques des années Breadbasket, j'avais fondu, et je ne pesais plus à l'époque qu'un petit cinquante-trois kilos : la récompense de toute une vie. La plus grande partie de mon existence, j'avais tourné autour de cinquante-neuf kilos, ce qui, pour un mètre soixante-dix, plaçait mon IMC à un ratio irréprochable de 20.4, et c'est ainsi que je me voyais : *Je pèse cinquante-neuf kilos.* Pourtant, depuis que j'avais résolu de montrer à Fletcher qu'il ne réussirait pas à me malmener avec ses fleurettes de brocoli, j'avais fui comme la peste le pèse-personne de notre salle de bains.

Une forme de lâcheté on ne peut plus contemporaine. Mes compatriotes se sont peut-être alliés pour amplifier ce qui constituait les proportions normales, et les tailles de vêtements ont diminué aussi furieusement que les niveaux universitaires enflaient. (Je viens de voir sur CNN que Levi's envisageait d'introduire les coupes *slight*, *demi* et *bold*, tout en réfléchissant à une quatrième, *supreme curve*, pour les postérieurs les plus arrondis. Je m'imagine sans mal l'hilarité générale lors de cette réunion commerciale.) Mais sommes-nous pour autant entrés dans l'ère de l'absolution du tour de taille ? Au contraire : le poids est désormais sujet aux interprétations les plus impitoyables. Je considérais – sans pour autant comprendre pourquoi, puisqu'au fond je n'y croyais pas – que le nombre affiché sur le cadran du pèse-personne était un jugement de ma personnalité. Il évaluait si j'étais forte, si je gardais mon sang-froid, si j'étais une personne que n'importe qui d'autre pourrait raisonnablement avoir envie d'être. Puisque j'avais veillé, chez moi, à éviter soigneusement mon confesseur dans la salle de bains, le pèse-personne de Prague Porches qualifierait lui aussi, au moyen d'une valeur numérique précise, la tendance que j'avais à m'adonner à ce qui, selon mon ami agriculteur de Walmart, rendait la vie « supportable » : se leurrer soi-même.

Edison et moi nous retrouvions confrontés à notre juge avec l'appréhension d'élèves expédiés dans le bureau du principal. Vaillamment, je me suis portée volontaire pour passer la première. J'ai retiré mes chaussures. Enlevé mon pull. Ôté les pièces de monnaie de mes poches, ainsi que le peigne. Tel un sacrifice humain, je suis montée sur la balance. L'aiguille rouge a décrit un arc gracieux mais inexorable vers le haut : 76.

Mes joues se sont embrasées. Je suis descendue du pèse-personne comme s'il me brûlait la plante des pieds. Ma tête me disait qu'il n'y avait aucune raison valable de prendre à cœur ce nombre. Même par contumace temporaire, j'étais une bonne mère. Avec Edison tout du moins, j'étais une sœur dévouée ; si Fletcher ne le refusait pas, je restais aussi une épouse dévouée. À ce jour, j'avais créé deux entreprises, la seconde étant un succès éblouissant. Ces aspects-là de ma vie comptaient. Par ailleurs, j'avais commencé à reprendre les choses en main, et plus mon poids de départ était élevé, plus je serais en capacité d'accompagner Edison dans son éreintante mission. Pourtant, aucun de ces arguments réconfortants ne venaient tempérer d'un iota mon cuisant sentiment de honte.

— Eh bien…, ai-je déclaré, confuse, c'est un sacré choc.

— Ça te donne peut-être une idée de ce que c'est, de peser cent soixante-quinze kilos.

— Ce n'est qu'un nombre.

Un nombre qui signifiait que j'avais pris deux fois plus de poids ces dernières années que ce que j'avais pensé.

— Monte sur la balance.

Après avoir retiré ses chaussures, Edison a obtempéré, les yeux fermés.

— À toi de lire le nombre. Si ces milk-shakes dégueu servent à rien, s'il te plaît, dis-le-moi gentiment.

— Cent soixante et onze kilos ! Edison, en seulement quatre jours, tu as perdu quatre kilos !

— Pas trop nul, hein ?

— « Nul » ? Mais c'est génial ! Ces sachets débiles marchent !

Une fois qu'Edison est descendu du piédestal de sa gloire, j'ai pris ses mains et me suis mise à sauter de joie.

— Il faut fêter ça… ! Sauf que je ne sais pas comment.

En effet, notre abstinence invalidait tous les moyens festifs traditionnels. Impossible de déboucher une bouteille de champagne ou de réserver une table. J'ai mélangé mollement nos boissons, et nous avons trinqué avec l'élixir grumeleux et dilué de notre salut.

Ce soir-là, nous avons néanmoins réussi à préserver une atmosphère de fête ; nous avons branché l'ordinateur d'Edison sur notre nouvelle chaîne et avons dansé dans le salon, son iTunes en mode « party shuffle », le bien nommé : la moindre étincelle festive que nous pouvions grappiller était bienvenue. Dire que mon frère a « dansé » est peut-être un peu exagéré, mais moi, oui, tandis qu'il se trémoussait dans la pièce en décrivant dans l'air des mouvements de mains à la manière d'une danseuse orientale. Avec la privation d'un sens, les autres, dont l'odorat, gagnaient en acuité ; en outre, sans m'en rendre compte, mon oreille s'était éduquée au jazz pendant le cours intensif dispensé par mon frère à Solomon Drive. Plutôt qu'éclater dans un fracas de riffs discordants – que je me représentais sous forme de meubles de jardin rouillés et de jeux de société incomplets entassés dans un garage en pagaille –, la musique paraissait plus mélodieuse et ordonnée. Quand nous avons joué au jeu du « c'est qui ? », j'ai au moins réussi à reconnaître Charlie Parker.

Mais je me souviens surtout de la façon dont je me suis soudain arrêtée.

— Edison. Attends. Je ne sais pas pour toi… mais moi, *je n'ai pas faim.*

Edison a regardé son ventre.

— Euh, ouais, t'as raison, sœurette. Moi non plus.

— Tu n'as pas un goût bizarre dans la bouche ?

— Maintenant que tu le dis, j'ai l'impression qu'un animal s'y est terré pour crever.

— C'est la cétose ! J'ai lu des choses là-dessus, sans jamais y croire vraiment.

Cette soirée est alors devenue officiellement notre Cétose Party : ce moment magique où nos corps ont lâché prise, abandonnant l'idée de revoir un jour des plats à emporter, et se sont résignés à manger sur place, à puiser dans leurs ressources.

*

Notre projet se déroulait merveilleusement bien ! Edison est devenu moins critique concernant le processus, et a admis avoir plus d'énergie que quand il se goinfrait, même s'il refusait de reconnaître que les pics vertigineux de cétose n'étaient pas sans rappeler l'héroïne. C'étaient Edison et Pandora contre le reste du monde, comme à l'époque où nous étions des gamins. Lors de nos promenades – exercice qui avait aussi le mérite de tuer le temps –, nous partagions une supériorité grandissante sur nos congénères qui continuaient de se vautrer dans le caniveau des délices terrestres, et, la tête haute et le port impérial, nous relevions le défi des fast-foods. Nous humions à pleins poumons l'odeur salée des frites, et notre nez éduqué de parfumeur était capable de faire la différence entre l'huile de palme et la graisse de bœuf, de détecter le piquant du ketchup ou le velouté de la mayonnaise. Passer devant KFC était comme faire du shopping sans avoir un sou vaillant en poche, mais jamais nous n'avons été tentés. À l'instar des superhéros, nous étions invincibles, nous avions des pouvoirs spéciaux. Alors que je m'étais imaginé être très loin des préoccupations liées au statut social, le fait de subsister grâce à quatre minces sachets de poudre de protéines par jour alors que tout le monde autour de moi se goinfrait de seaux entiers de beignets de poulet extracrispy constituait mon expérience la plus ardente d'un ressenti aristocratique. Cette impression de *s'élever au-dessus* est devenue particulièrement forte pendant la période de Noël, quand, au Hy-Vee, nous glissions, indifférents, devant des dindes farcies et des mince pies, et que nous nous préoccupions seulement d'alimenter, hautains, nos réserves de serviettes en papier et de packs roses d'aspartame.

Bien sûr, nous avions l'un et l'autre nos mauvais jours – des jours que je préfère oublier. Je ne sais pas trop ce qui les déclenchait, mais certains matins je me réveillais avec la pensée : *Oh non, je n'en peux plus !* et, à tâtons, je cherchais mes vêtements, en proie à des relents de misanthropie. Tout ce sur quoi je posais les yeux déclenchait chez moi une rage folle : les sachets de thé froids et mouillés sur le comptoir, le sac à recycler renversé et les bouteilles de Coca light bavant sur le lino, les traces de dentifrice qu'Edison avait laissées sécher sur l'évier de la salle de bains, ses loupés dans les toilettes qu'il n'essuyait jamais, mais, surtout, mon frère obèse et nonchalant, a fortiori s'il faisait la moindre remarque *enjouée*. Puisque je ne pouvais abandonner mon entreprise pendant toute la durée du rush de Noël, j'étais retournée travailler, et les employés pour lesquels je pensais nourrir la plus grande affection ne m'inspiraient que de la haine. Quand ils me demandaient mon avis à propos d'une commande, je répliquais d'un ton sec que nous n'étions qu'une entreprise de jouets qu'on avait montée en épingle, que rien de ce que nous faisions n'avait d'importance, et qu'ils pouvaient au moins essayer de prendre tout seuls quelques décisions insignifiantes. Puis je levais les yeux vers la pendule pour constater, incrédule et *indignée*, que seules dix minutes venaient de s'écouler.

Ces soirées-là, à Prague Porches, tout ce qu'il y avait à la télé paraissait débile, et je préparais de la tisane que je n'avais aucune envie de boire, avant d'en reverser la plus grande partie dans l'évier. D'ordinaire encline à trouver aussi apaisants qu'une berceuse les rythmes répétitifs du quotidien, jamais je ne m'étais ennuyée à ce point, comme si mon ennui n'était plus seulement une souffrance mais aussi une arme ; et quand je la braquais vers Edison avec un regard fixe et noir comme de la suie, c'était comme si je pointais un bazooka sur lui. Ses jacasseries sur des musiciens que les gens sains d'esprit n'écoutaient plus m'ennuyaient. Ses lamentations sur les terribles épreuves de sa vie m'ennuyaient, d'autant que, pour une bonne part, il ne pouvait que s'en prendre à lui si les choses avaient mal tourné. Et la musique que déversait son ordinateur ressemblait à une musique de fou – démente, perçante, et aussi crissante qu'un ongle sur un tableau noir. Il avait appris à ne pas considérer cette dyspepsie comme une attaque contre lui, d'autant qu'il en avait une version toute personnelle : affalé dans son fauteuil, immobile pendant des heures, sombrant et sortant rancunier d'un demi-sommeil. Ces jours noirs duraient une éternité, et une fois l'orage passé, la restauration d'une sérénité aérienne et d'une faste suprématie sur toutes ces petites gens et leurs petits problèmes de nourriture prenait plus encore alors des allures de victoire.

Raison pour laquelle ce qui s'est passé la première semaine de janvier a semblé si inexplicable. Nous avions trouvé notre rythme de croisière. J'avais déjà laissé Edison seul des jours entiers pour aller travailler, et à mon retour je le trouvais invariablement devant la télé, à regarder l'émission de cuisine 30 Minutes Meals en sirotant son Coca light. Une fois, je lui avais fait une remarque : « Tu crois vraiment que c'est bien l'émission qu'il te faut ? », ce à quoi il avait répondu : « C'est du porno alimentaire. Au moins, en arrivant, tu ne m'as pas trouvé en train de me branler. » J'avais pensé que c'était inoffensif.

Outre les visites de Cody qui étaient toujours un vrai rayon de soleil, j'étais restée en contact téléphonique régulier avec ma famille, mais les échanges avec Fletcher avaient été si cryptiques et froids que quand il m'a proposé de nous voir, j'ai sauté sur l'occasion. J'ai dit à Edison que je retrouvais Fletcher après le travail dans notre café préféré, et sa réaction a été un peu étrange :

— Pourquoi tu vas le voir ?

— C'est mon mari, gros bêta. La question serait plutôt de savoir pourquoi je vis ici avec toi.

Avec une pointe d'ostentation peut-être – mon nouveau moi avait adopté la marche comme mode de déplacement –, je suis arrivée à pied au Java joint, même si, avec le manque de trottoirs à New Holland, il serait plus exact de dire que je me suis efforcée de contourner les flaques glissantes sur les accotements et d'éviter les camions qui passaient dans un bruit de ferraille. Avec la même ostentation, Fletcher est arrivé à vélo, enveloppé de lycra, bien trop léger par ce temps. J'ai attendu qu'il fixe l'antivol et qu'il enlève ses lumières. Un peu gauches, nous nous sommes serrés dans les bras, avant de nous engouffrer à l'intérieur du café.

— Tu sais, dès qu'il fera meilleur, je songe à récupérer mon vélo, ai-je dit.

— Bien sûr, a-t-il répondu, pris au dépourvu.

Nous avons pris place l'un en face de l'autre dans un box, et il a mis ses mains autour de son cou pour les réchauffer. Il a commandé un verre de lait de soja et un muffin à la banane à la farine complète et sans lactose, ce qui, avant, aurait contrasté benoîtement avec mon habituelle pâtisserie – un pain aux raisins à la ricotta –, mais qui prenait une nuance plus indulgente à côté de ma tasse de thé noir esseulée.

— Tu en veux ? a-t-il proposé.

— Non, merci.

Refuser de la nourriture ne me demandait aucun effort. Je n'étais pas concernée.

— Ce truc est énorme.

Penché sur son muffin, il en a avalé, gêné, une bouchée. J'avais l'habitude. Quand, pour me montrer sociable à l'heure du déjeuner, je rejoignais mes salariés avec un verre d'eau gazeuse agrémenté d'une tranche de citron, je les voyais manger de façon furtive, leur assiette tout près d'eux, protégeant leur repas de leur main.

— Tu sais, tu es vraiment… beaucoup mieux, a-t-il concédé, en abandonnant son muffin.

— J'ai perdu près de sept kilos. En un mois seulement. Edison, lui, en a perdu dix-sept et demi. Quand on est aussi gros, on perd facilement au début.

— Je dois avouer que je n'aurais jamais cru qu'il avait les tripes pour le faire.

— Il est à fond dedans maintenant. Ou plutôt, *nous* sommes à fond dedans.

— Avant, quand tu disais « nous », c'était de toi et moi que tu parlais.

— Ça peut encore être le cas, ai-je répondu. C'est un

projet à durée limitée, avec un objectif. Pas un nouvel état de fait.

— Il le sait ?

— Bien sûr que oui !

— Noël, a lancé Fletcher, c'était déprimant. Je ne vois pas comment ça aurait pu bien se passer.

— Écoute, on en a parlé. Ce type de fêtes s'articule autour des repas. Même si tu avais levé mon exil, Edison et moi aurions gâché l'ambiance. Les gens se sentent bizarres quand ils se retrouvent à manger en notre présence. Et puis, généralement, cette période est épuisante. C'était super de chercher des cadeaux pour les enfants, mais j'ai été plutôt soulagée de faire l'impasse sur le reste cette année.

— J'ai l'impression de me retrouver dans la même situation qu'après ma rupture avec Cleo. Ce sentiment de vide, d'avoir à se forcer pour faire les choses.

Il a pris sur lui pour ajouter :

— Tu me manques.

J'ai posé ma main sur la sienne.

— Toi aussi, tu me manques. Je sais que je te demande beaucoup, mais ça marche avec Edison, et ça me rend heureuse. J'ai l'impression de faire une différence, une grande différence, pour quelqu'un…

— Moi aussi, je suis quelqu'un. Et tu fais une différence pour moi.

— Tu n'as pas besoin de moi de la même façon. Et puis, ce n'est pas pour toujours. Mais ne laisse pas ton côté macho prendre le dessus.

— Voilà ce que je suis venu te dire. Te *supplier* de faire… S'il te plaît, rentre à la maison. D'après ce que tu dis, ton frère est lancé. Pourquoi est-ce que tu ne pourrais pas être son « entraîneur personnel » depuis la maison ? Va le voir, téléphone-lui, motive-le, fais tout ce qu'il faut. Mais cette séparation, ce n'est pas bon. Je ne veux pas m'habituer à ton absence. Tu peux continuer à jouer les mère Teresa s'il le faut, mais d'un peu plus loin.

Venant de Fletcher, toute proposition qui incluait Edison dans nos vies était un compromis majeur. Et j'ai été tentée d'accepter. À Prague Porches, mon lit était grand et froid. Notre binôme de frère et sœur me fournissait une nourriture émotionnelle carencée dépourvu d'un minéral vital dont l'absence était cumulative ; si cela devait durer plus longtemps, je risquais par exemple de perdre mes cheveux. Mais je ne pouvais pas me résoudre à savoir Edison seul des soirées entières, sans manger, dans l'appartement.

Fletcher a brisé le silence.

— J'ai dit que je te suppliais.

Les hommes ne se prosternent pas facilement, et je me demande bien pourquoi, alors que se mettre ainsi à la merci d'un tiers est tellement plus efficace que le harcèlement et la force. Fletcher m'avait attendrie, penché sur les miettes tristes de son muffin trop sec qu'il regrettait d'avoir commandé – dans l'Amérique d'aujourd'hui, même un mauvais muffin est susceptible d'induire un handicap social –, et je n'ai pu répondre par un « non » franc et massif.

— Je vais y réfléchir, ai-je déclaré.

Nous avons parlé des enfants, et il semblait évident que les choses dégénéraient considérablement entre Tanner et Fletcher. Pendant des années, j'avais servi de tampon, géré les disputes sur la nourriture en offrant aux enfants des soupapes de sécurité avec mes macaronis au fromage. J'avais infléchi leur méfiance, qui s'était muée en raillerie commune grâce à la marionnette Fletcher. Pour décourager les ambitions hasardeuses de mon beau-fils, je n'avais pas hésité à travestir certains souvenirs de mon enfance peu enviable, alors que Fletcher optait pour l'impératif : *Va* à l'université ! J'avais assisté à ce genre de bras de fer entre Travis et Edison quand ce dernier avait dix-sept ans, l'âge exact auquel les jeunes hommes font la découverte géniale qu'ils n'ont pas à obéir à leurs parents. Malheur à tous les parents en guerre contre un adolescent : cette bataille est perdue d'avance.

— Je n'ai pas arrêté de lui dire de venir nous voir, mais il annule constamment, ai-je dit. J'ai parfois l'impression que vous continuez à vous parler uniquement parce que vous considérez tous les deux ce régime comme stupide.

— Ce n'est peut-être pas tout à fait faux, a admis Fletcher. Il ne croit pas que tu vas revenir. Il apprend à vivre sans toi. J'imagine que c'est aussi ce que je fais – sans grand résultat. Ce n'est pas que Tanner s'en fiche. Au contraire, c'est que cela l'affecte.

Quand nous nous sommes séparés à côté de son vélo, il faisait trop froid pour s'attarder, mais en fixant son casque Fletcher n'a pu résister à l'envie de formuler une dernière déclaration, laquelle est venue quelque peu gâcher l'habileté de ses précédentes suppliques.

— Vivre comme ça avec ton frère à plus de quarante ans, c'est un peu bizarre, Pandora. En plus d'être régressif. C'est comme si tu retournais à tes treize ans, quand ta mère vient de mourir, que ton père t'ignore et que tu t'accroches à ton grand frère comme s'il était un port dans la tempête. Ça s'est passé il y a près de trente ans. Je doute que tout ça soit très sain.

— Au contraire, tout a changé. J'ai l'impression de remonter le temps de quarante-quatre ans, et d'être l'aînée. Maintenant, c'est moi le boss. Quand je dis « va faire un tour », Edison sort marcher. Il prend ses quatre sachets par jour, et *pas une seule fois* il n'a triché. Il en a peut-être marre d'être le « grand frère ». Je crois qu'il aime qu'on lui dise quoi faire. Quant au fait que ce ne soit pas très « sain » que j'habite avec lui, je ne vois pas en quoi ça l'est moins qu'il y a un mois.

— Chérie, je suis désolée de te le dire, mais j'ai fait un peu de recherches sur internet. Tu connais le pourcentage de personnes qui perdent plus de quinze kilos et qui ne les ont pas repris au bout de cinq ans ? 5 %. Et ça inclut même ces pauvres types qui passent par la chirurgie bariatrique et qui se nourrissent de deux cuillerées à café de tapioca. Qui perdent parfois plus de cinquante kilos. Tu sais combien de kilos, en moyenne, ils ne reprennent pas avec le temps ?

— Je ne suis pas sûre de vouloir le savoir.

— Un peu plus de *trois* kilos.

— Pourquoi es-tu si négatif… (J'ai cherché une expression d'Edison, dont la familiarité du langage était contagieuse.) … *sur ce coup-là* ?

— J'essaie de te protéger.

— Tu essaies surtout de me décourager.

— Si c'est le cas, je suis désolé. Ce n'est pas ce que je cherche. Simplement, je me suis dit que tu devais être au courant des faits.

— Les statistiques n'ont rien à voir avec le destin personnel, sinon tu aurais 2,2 enfants.

— Tu as raison, a concédé Fletcher. Bien sûr que tu as raison.

En se penchant pour m'embrasser, il m'a heurté le front avec sa visière, et nous avons éclaté de rire.

— *S'il te plaît*, rentre chez nous, m'a-t-il implorée, une fois que nous avons réussi à nous embrasser. Je ne me mêlerai plus de ton programme de perte de poids. Mais je te veux dans mon lit.

Alors que je m'enfuyais vers Prague Porches, j'ai bien dû le reconnaître : cette requête était on ne peut plus raisonnable.

Quand je suis rentrée, Edison s'activait à nettoyer notre table en stratifié blanc avec des serviettes en papier.

— Salut, sœurette. Je fais juste un peu de ménage, pigé ? Alors, c'était comment le café avec ta moitié ? Des nouvelles de la maison ? Une idée de quand Cody compte passer ? J'ai téléchargé des morceaux pour elle. Il est temps qu'elle fasse la connaissance de Monk.

Se découvrir d'étonnantes réserves d'énergie pendant la cétose est une chose, mais basculer dans l'hyperactivité en est une autre. Une odeur forte et épicée se mêlait à l'habituelle fumée de tabac, et me donnait l'impression que je souffrais d'hallucinations olfactives.

— Notre rendez-vous s'est bien passé, ai-je répondu, circonspecte. Tu sais, il ne peut pas y avoir d'autres taches sur cette table que celles de nos tasses de thé. Je ne vois pas pourquoi tu te donnes autant de mal.

— Quitte à faire quelque chose, autant le faire bien. Je me défendais pas mal pour nettoyer les tables au Three Bars avant qu'ils me fichent dehors.

En dépit de sa frénésie de nettoyage, il a jeté les serviettes en papier sur le comptoir de la cuisine, au-dessus de la poubelle. Il s'est lavé les mains avec la minutie d'un Macbeth, s'est aspergé le visage et s'est essuyé la bouche avec un torchon.

— Edison, ai-je demandé, suivant mon intuition, comment est ton haleine aujourd'hui ?

— Tu ferais mieux de ne pas m'approcher ! Je crois que j'ai été un peu léger sur les liquides. Tu vois ce que je veux dire : rat crevé. Alors, qu'est-ce qu'il y a au programme de ce soir ? Un Scrabble ? Un stud à sept cartes ? Il y a une comédie romantique avec Jennifer Aniston à 20 h 30 ; c'est pas trop mon truc, mais je sais que tu es fan de ce genre de films, et j'imagine que je pourrai supporter de le regarder.

287

Si Edison se portait volontaire pour regarder un film avec Jennifer Aniston, c'est que quelque chose clochait. Je suis passée derrière l'îlot de cuisine, où Edison m'a barré le chemin.

— Pardon, ai-je articulé en passant le bras derrière lui pour glisser les serviettes en papier dans la fente de la poubelle.

J'ai rencontré de la résistance. J'ai retiré le haut de la poubelle, et les deux ou trois choses que j'avais jetées ce matin-là dans un nouveau sac – des sachets BPSP vides, une boîte vide de laxatifs, ainsi que l'emballage de deux romans remarquablement longs que j'avais commandés sur Amazon – se retrouvaient maintenant sur le dessus. Un autre sac crissait en dessous, d'où pointaient les angles d'un carton replié. C'est alors que j'ai identifié l'odeur : du pepperoni, et une pâte fourrée au beurre d'ail.

— Edison, comment tu as pu ?

— Comment j'ai pu quoi ?

J'hésitais entre me mettre à hurler ou à pleurer.

— Demain, c'est l'anniversaire de notre premier mois. Pourquoi tout ficher en l'air ? Après avoir perdu dix-sept kilos et demi ?

— Je vois pas de quoi tu parles.

Son attitude commençait déjà à passer d'innocente à hostile.

— Laisse tomber, tu veux ! me suis-je écriée, furieuse. Tu as laissé le carton. Pourquoi ruiner un parcours sans faute avec une minable pizza ?

Edison a croisé les bras, les yeux plissés.

— À ton avis ? *J'ai eu la dalle.*

— C'est normal ! Mais après tout ce qu'on a sacrifié, est-ce que ça en valait la peine ? S'empiffrer comme ça en douce d'une pizza toute grasse que tu as probablement liquidée en moins de temps qu'il en faut pour le dire ?

— Ouais, si tu veux savoir, c'était *génial*. C'est la meilleure putain de pizza que j'ai jamais mangée !

— Je ne te crois pas. Je suis sûre que ta pizza avait comme un arrière-goût de *bêtise*, de *haine de toi* et de TRAHISON !

— C'est *toi* qui te sens trahie. Tout ça, c'était *ton* idée, et je suis censé respecter les règles de *ton* programme, et être un bon petit soldat parce que ma petite sœur me l'a demandé ! J'ai beau être obèse, je suis toujours un homme, et si *je* veux commander une pizza, alors je le fais !

— Tu as un sacré culot ! Tu crois que c'est comme ça que j'ai envie de vivre ? À ouvrir des petits sachets protéinés et à imaginer des distractions pour remplir des soirées interminables à jouer les baby-sitters avec mon frère aîné ? Je suis peut-être un peu en surpoids – en fait, techniquement parlant, je suis repassée à un IMC acceptable pour ma taille –, mais je n'avais pas à suivre ce régime de malade ! Il m'aurait suffi de diminuer les glucides et de ne pas prendre de dessert, comme une personne normale, et je serais parvenue au même résultat. Tu ne crois pas que mon mari me manque ? Tu crois que ça me plaît de dormir seule toutes les nuits, alors qu'un bel homme accueillant m'attend dans le quartier d'à côté ? Tu crois que ça me plaît d'être devenue une mère absente, comme si je n'avais plus la garde des enfants et que Fletcher et moi avions déjà divorcé ? J'ai TOUT risqué pour toi, et tu balances tout ça pour une pizza ? Je suis furieuse ! Tu n'es qu'un MÔME ingrat et égoïste doublé d'un PAUVRE TYPE !

J'avais déjà fait preuve de mauvaise humeur à son égard, mais en y repensant je ne crois pas que je me sois jamais mise en colère contre lui. En y repensant, je doute de m'être jamais mise en colère contre personne.

— Tu m'as laissé seul, s'est-il défendu d'une voix boudeuse. J'étais en crise, et personne n'était là pour m'aider.

— Je dois être en mesure de te laisser seul ! À tout le

289

moins, j'ai une entreprise à faire tourner. Si je dois te tenir la main vingt-quatre heures sur vingt-quatre au cas où tu serais possédé par un zombie prêt à tuer pour un cheeseburger, ça ne marchera jamais !

Je me suis laissée tomber dans un fauteuil. L'adrénaline refluait, me laissant faible.

— Tu sais que j'étais justement en train de faire tes louanges ? Fletcher n'en revenait pas. De tout le poids que tu avais perdu. De la volonté dont tu fais preuve. Et en rentrant, *voilà* ! Fletcher n'arrêtait pas de répéter que tu n'en étais pas capable, et il avait *raison*.

— Il prétendait que je ne tiendrais pas une semaine. Il avait tort sur ce point.

— Et alors, maintenant que tu as prouvé que tu pouvais au moins tenir une semaine, c'est gagné ? L'objectif était que tu repasses à *soixante-quinze* kilos. Et j'imagine que tu te souviens parfaitement de ce que j'ai dit quand on a commencé.

— Quoi ?

Il le savait pertinemment.

— J'ai dit que si jamais tu trichais, l'expérience serait terminée et que je m'en irais. Tu ne peux pas avoir oublié ce petit détail quand tu as commandé ta pizza. Donc soit tu veux te débrouiller tout seul, soit tu veux rester obèse. Alors, qu'est-ce qui est vrai ?

Edison a baissé les yeux vers ses mains. La perte de ces dix-sept kilos et demi avait réduit l'épaisseur de son cou, mais il gardait les proportions d'un petit garçon.

— Je voulais pas tout foutre en l'air. J'ai fait un écart, c'est tout. Je repasse aux putains de sachets demain.

— Tu m'as déjà fait cette promesse. Et puis, tu n'as pas besoin de moi. Manifestement, tu as mis au point ton propre protocole : le régime Pizza Hut. Alors, vas-y. On n'a pas besoin d'être deux pour commander une pizza aux saucisses et au jalapeño.

— Si, j'ai besoin de toi, a-t-il murmuré. Je peux pas faire ça tout seul. J'ai merdé. Je suis désolé.

— Tu crois que moi, ton équipière, je suis naïve à ce point ? Que je ne pense pas ce que je dis ? Après tout, je suis ta petite sœur, je voue une véritable admiration à mon grand frère, quoi qu'il manigance.

— Je t'assure que je t'ai prise au sérieux, *man*. Mais merde, quand tu vas aux Alcooliques anonymes et que tu avoues que tu as replongé, on te fiche pas dehors. On te dit pas : « T'es qu'un nullard, et on en a rien à foutre de toi et de ce qui peut bien t'arriver. » Au contraire, on te dit : « On fait tous des erreurs, et on est là pour te soutenir un jour après l'autre. » Je vois pas pourquoi tu pourrais pas en faire autant.

— Je ne peux pas continuer si je ne peux pas te faire confiance. Je n'ai aucune envie de rentrer tous les soirs et de devoir fouiller la poubelle.

— Ça sera pas comme ça, *man*. Allez, petit panda !

Il s'est agenouillé auprès de mon fauteuil, adoptant une posture de prétendant, mais il allait avoir du mal à se redresser.

— Fais-nous de la tisane. Et après, on regardera le film avec Jennifer Aniston.

À croire qu'Edison avait épié le tête-à-tête avec Fletcher ; il semblait mettre tout son cœur à essayer de *battre* mon mari dans ses supplications. Pourtant, il y avait un sourire sur son visage à l'expression exagérée de chien battu. Il avait toujours su comment obtenir de notre mère l'autorisation d'aller à un concert de Roy Orbison alors qu'il était privé de sorties, tout comme Caleb Fields avait mené Mimi Barnes par le bout du nez ; pour ce que j'en savais, Edison, en regardant *Garde alternée*, était passé maître dans l'art d'user les nerfs des femmes. En outre, il savait que la perspective d'avoir fait tout ce chemin pour jeter l'éponge maintenant me rendait malade.

— Regarde les choses comme ça, sœurette, a-t-il ajouté, habile. C'est comme ces suicidés qui laissent des tubes vides de Percocet dans toute la pièce. À ton avis, pourquoi j'ai laissé le carton vide dans la poubelle ? J'aurais très bien pu le porter dans la poubelle dehors et commettre ainsi le crime parfait. Je voulais me faire prendre ! C'était – comment on dit déjà ? – un *appel au secours* !

Mais alors que mon frère montrait tous les signes d'être en train de s'amuser, soudain, son visage est devenu livide, et s'est mis à luire d'une légère transpiration. Son expression de détresse ne semblait pas feinte, même si un malaise physique aurait sans doute constitué un bien meilleur subterfuge.

— Oh, *man*. Je me sens pas bien, Pando. J'ai besoin de ton aide. Il faut que je me relève *pronto*.

Au moment où je l'ai aidé à se redresser, il avait défait sa ceinture. Il s'est hâté vers la salle de bains en se dandinant, son jean glissant le long de ses jambes. Quand il en est ressorti dix minutes plus tard, il a dû s'allonger sur le canapé. Je lui ai apporté un Coca light.

— Tu ne peux pas sortir d'un mois de diète liquide en avalant une pizza aux pepperoni.

— Ouais, sans déc', a-t-il murmuré. T'es contente, maintenant ? J'ai eu que ce que je méritais. Et quant à mon envie de gerber, j'ai comme qui dirait l'impression que c'est pas tout à fait fini.

Après deux allers-retours supplémentaires d'Edison aux toilettes, nous avons fini, ce soir-là, par regarder *Friends With Money*, tandis qu'allongé mon frère tentait de récupérer. Puis je suis allée à mon tour aux toilettes – qui empestaient toujours –, et Edison m'a arrêtée alors que je partais me coucher.

— *Yo*, Pando. Tout est OK ? Je suis à fond dedans, *man* : quatre sachets par jour, point barre. Mais j'ai besoin d'un soutien moral. De quelqu'un avec qui traîner. Et jusque-là, ça a été super. Les promenades, tout ça. Aller au centre commercial. Jamais j'aurais cru acheter un jour une ceinture plus petite. C'est pas que je considère que ce soit normal, ce que tu fais pour moi. Je sais que je te prive de ta famille. Mais si tu lâches l'affaire pour cette fois, si tu me pardonnes, je te *jure* que ça se reproduira plus.

J'ai apprécié qu'il n'essaie pas de faire comme si rien ne s'était passé, sans reconnaître ma concession.

— D'accord, ai-je dit. Mais tu as utilisé ta seule carte « sortie de prison ». Un autre carton de pizza dans cette poubelle et tu te retrouves tout seul, pigé ? Maman était facile à manipuler. Pas moi.

— À vos ordres, madame !

— Et brosse-toi les dents. Tu as une haleine de chacal à trois mètres. Pire, de chacal avec supplément fromage.

*

Le lendemain, j'ai appelé Fletcher.

— Ça me touche énormément que tu veuilles que je revienne. Même en restant le coach d'Edison. Seulement, je…

— Tu ne rentres pas.

— Toute cette logistique… Gérer les choses de loin, ça ne serait pas pareil. Avoir quelqu'un vers qui se tourner et avec qui fêter ses progrès, qui suit le même régime, en tout cas pour l'instant, ça aide vraiment.

— Tu es en train de me dire que ton paresseux et hypocrite de frère n'a rien avalé d'autre en un mois que ces malheureuses boissons protéinées ? Et que tu ne l'as pas surpris en train de s'envoyer des gâteaux et que tu lui aurais dit : « Ce n'est pas grave, mon chou, tu t'es encore empiffré, mais je vais fermer les yeux pour cette fois » ?

— Exact. Je te l'ai dit : s'il triche, c'est terminé.

J'ai raccroché, malheureuse. Pas seulement à cause du

mensonge. En rentrant du Java Joint, je m'étais autorisée à envisager sérieusement de rentrer à Solomon Drive : je pourrais appeler régulièrement Edison, passer le voir à Prague Porches, faire des balades avec lui. Et puis, il était lancé, maintenant. Mais quand j'avais trouvé ce carton à pizza dans la poubelle, j'avais pris conscience qu'une implication à distance ne pourrait jamais marcher. Et c'est peut-être ce que ce carton à pizza avait initialement pour but de démontrer.

5

EN RÉFLÉCHISSANT AUX REVERS D'EDISON À NEW YORK – je les avais relatés en détail à Oliver, en espérant que déverser ainsi les confidences de mon frère auprès de ce vaisseau étanche qu'était mon meilleur ami ne faisait pas de moi une moucharde –, je n'avais pas trouvé de réponse simple à l'éternelle question de la poule et de l'œuf, autrement dit de savoir si sa dépression était la conséquence de son obésité ou inversement. Son poids avait limité ses opportunités professionnelles, ce qui était déprimant, ce qui le poussait à manger, ce qui le faisait grossir. Il limitait ses opportunités sentimentales et sexuelles, ce qui était déprimant, ce qui le poussait à manger, ce qui le faisait grossir. Je devais bien admettre que si toutes ces épreuves vous contraignaient à vendre votre principal instrument de travail, et que votre morveuse de sœur que vous n'aviez jamais crue capable de grand-chose – au contraire, vous la considériez comme votre supportrice attitrée – acquérait soudain une renommée nationale, effectivement, cela devait être dur à encaisser.

Pourtant, le refrain « ma sœur est célèbre, et moi je suis un raté » n'était qu'un rouage d'une spirale descendante menant au découragement. Edison n'avait pas fondé de famille, et sa carrière s'était écroulée. Il avait dû avoir des amis, mais ces dernières années, en mettant leur bonne volonté à rude épreuve, il en avait plus perdu qu'il ne s'en était fait de nouveaux. Je m'en suis lamentée auprès d'Oliver, le soir dans mon bureau après la journée de travail : « Le problème, c'est qu'il n'a aucun projet pour le motiver. »

— Si, il en a un, a répondu Oliver. C'était d'ailleurs là toute l'idée. Mais si jamais il redescend à soixante-quinze kilos, alors la seule perspective qu'il a s'évanouira.

— Je sais, ai-je acquiescé en éteignant mon ordinateur pour la journée. Quand je me suis lancée dans ce projet, j'ai craint qu'il soit trop lourd à gérer pour moi. Mais le vrai projet est en fait bien plus ambitieux. Il ne s'agit ni plus ni moins que de redonner à mon frère aîné une raison de vivre.

— Tu ne peux le faire pour personne, a répondu Oliver sans hésiter.

— Je peux essayer de le pousser dans la bonne direction.

— Quoi, tu veux l'amener à penser qu'il peut relancer sa carrière ? Lui rappeler son incroyable parcours ? Lui suggérer de sortir un album solo ? Le pousser à recommencer à se vanter de toutes ces stars qui ont reconnu son talent inégalé ?

Le ton était impassible. Bien qu'il ait gardé pour lui ses sérieuses réserves quant à la bêtise que constituait mon projet de Prague Porches, je connaissais intimement Oliver depuis quatorze ans, et il n'avait nul besoin de se montrer diplomate avec moi.

— Exactement, ai-je répondu d'un ton sec. Étayer cette même vanité, cette attitude qui consiste à dire « si je ne peux pas être célèbre, alors je me fous du reste ! » et qui a abouti à son obésité. Reconstruire à partir des fondations cet égocentrique que personne, pas même toi, n'arrivait à supporter.

— Je n'ai jamais dit que je ne pouvais pas le supporter, a protesté innocemment Oliver.

— Mmm. Donc, l'amener à se vanter de sa carrière n'est pas la solution. Après tout, la réussite n'a pas été la solution pour moi.

Regardant mon bureau en désordre, j'ai hoché la tête.

— Bien sûr, ai-je poursuivi, je suis heureuse d'avoir pu offrir à Fletcher l'espace dont il avait besoin pour créer ses meubles. En plus, je n'aurais jamais été en mesure de financer cette sorte de clinique privée si je n'avais pas eu de l'argent devant moi. Et oui, pendant un temps, Mono-tonous, ça a vraiment été génial. Mais, tôt ou tard, ces poupées vont devenir ringardes, et quand soudain plus personne ne voudra en entendre parler, je crois que je serai soulagée. Pour moi, la vraie surprise a été de me rendre compte que la réussite professionnelle n'avait finalement pas autant d'importance que ça. Ce n'est pas une raison de vivre.

— Alors, quelle est la réponse ? L'*amour* ?

— Si c'est ça la réponse, Edison est mal barré. Je n'ai pas vraiment l'étoffe d'une marieuse.

— Mais dis-moi, Pandora, qu'est-ce qu'il fabrique à longueur de journée ?

J'ai haussé les épaules.

— Un peu de courses. YouTube. Beaucoup de télé. Quand je rentre, on parle.

— De quoi ?

— De nous, ai-je avancé prudemment ; je ne voulais pas qu'Oliver ait l'impression d'avoir été supplanté. Mais personne ne peut réfléchir sur soi en permanence, et on commence à être un peu à court de sujets. C'est un peu gênant à dire, mais le reste du temps, on parle principale-ment de nourriture.

Oliver a éclaté de rire.

— Comment ça ?

— Par exemple, on parle de nos plats préférés quand on était enfants, les « nouilles à l'espagnole » de ma mère, avec du parmesan et des tonnes de croûtons frits. Ou encore, entre les Coco Pops et les Choco Flakes, lesquelles se ramollissaient le plus, la couleur que prenait le lait avec des Fruit Loops dedans…

— Intéressant.

— Crois-le ou non, mais oui. Les souvenirs qu'on déclenche sont hallucinogènes. Et tu sais que je lis beaucoup ? Je n'ai jamais lu autant depuis l'université. Je crois que si j'avais un peu d'ambition, je m'attaquerais à *Guerre et Paix*. À la place, j'ai dévoré *How to Cook Everything*, de Mark Bittman – et ses mille cinquante-six pages. Et quand Edison a du mal à dormir, je lui lis des recettes de cuisine. Enfant, il me lisait *La Petite Poule rousse*. Maintenant, je lui lis « Le Poulet frit facile ».

— Écoute, pourquoi il ne se trouverait pas un boulot ? Tu es la première à croire aux vertus du travail. Il n'y a rien de pire pour entretenir une angoisse existentielle que de se retrouver avec du temps et rien à faire.

— Mais qui accepterait de recruter Edison ?

— Toi, a répondu Oliver. Fais-le travailler ici.

— Ah ! Je ne vois pas ce qui pourrait lui faire moins envie.

— Il *n'avait pas envie* de perdre du poids non plus, et pour l'instant ce régime de taré est son seul salut. Le problème est que c'est temporaire.

— Je vais y réfléchir. Mais je ne peux pas m'empêcher de penser que la vraie réponse est bien plus subtile. D'une façon ou d'une autre, il doit apprendre à apprécier les joies de la vie ordinaire.

Cela étant dit, je n'ai jamais vraiment adhéré à cette expression. Ces joies auxquelles elle faisait allusion, qui semblaient à tort dérisoires, n'avaient rien d'ordinaire.

— Quoi, tu veux parler de la joie d'un toast parfaitement grillé ? a suggéré Oliver avec malice. De la première gorgée d'un petit sauvignon blanc acide à la fin d'une très longue journée ?

— Merci. Pour le moment, je fais l'impasse sur ces plaisirs bon marché. Mais il doit bien y avoir autre chose dans la vie que la nourriture et l'alcool.

*

Oui, il y avait autre chose, et je me suis employée à le découvrir : percevoir le crissement sec et aigu de la neige fraîche quand j'ai refusé qu'un temps peu clément nous dissuade de nos promenades. Se rendre compte qu'en dépit d'une température de moins neuf degrés marcher d'un pas vif après une tempête de neige provoquait une légère transpiration, et que nous avions chaud en rentrant. Ouvrir le coffret de *Garde alternée* que Cody m'avait rapporté de mon bureau et me rouler par terre de rire. Appeler Travis, lui annoncer qu'Edison avait maintenant perdu trente et un kilos, et tirer une petite satisfaction du manque de sincérité manifeste de ses encouragements.

Pour le reste, j'en ai conclu qu'Oliver avait raison : Edison pouvait supporter de goûter aux plaisirs d'un dur labeur, un de ceux qui ne déclenchent pas à la fin un tonnerre d'applaudissements. Naturellement, Edison a résisté à l'idée que je devienne, dans ce domaine-là aussi, son chef impitoyable. Pourtant, une fois qu'il a eu accepté, avec réticence, de faire un essai à Monotonous, il a été soulagé de sortir de l'appartement, et les journées passaient plus vite quand il était occupé. Avec l'humilité d'une femme, il a appris à coudre. Je l'ai aussi mis à contribution pour les enregistrements, sa voix sonore étant parfaite pour les vantards auxquels on n'avait toujours servi que des desserts. Les autres employés ont commencé à l'apprécier et à admirer son abstinence alimentaire infaillible – plus aucun carton de pizza n'avait surgi de notre poubelle –, tandis qu'il se lançait dans des discours passionnés sur les méfaits des brioches à la cannelle. Tout en cousant des vestes en jean miniatures, il racontait sur un mode festif les plus extravagants de ses gueuletons, travers de porc et côtelettes d'agneau, récits on ne peut plus populaires avant le déjeuner.

Après avoir cédé à l'étreinte molle et douce du sandwich aux boulettes de viande et tout perdu au passage, de sa stature professionnelle à son coffret collector des CD de Miles, pour terminer sur le rebord d'une baignoire, braguette baissée, tandis que sa sœur chassait ses crottes comme s'il s'était agi d'œufs de Pâques, mon frère avait mis en pratique le préalable notoire à toute guérison, bien connu des alcooliques : il avait touché le fond. Néanmoins, je ne considère pas que toucher le fond soit thérapeutique du simple fait qu'on atteint un stade où les choses ne peuvent être pires. Les choses peuvent toujours être pires. C'est plutôt que quand on fait exploser tout ce qui semble nous garder en vie, on se réveille le lendemain perplexe, surpris et peut-être même un peu furieux d'être toujours là. Quelques tripatouillages, et la malédiction tout comme le salut de notre vie se trouvent là, devant nous. Pour Edison, cette découverte devait s'être accompagnée de l'intuition que, tout du long, « se faire un nom » alors qu'il en avait déjà un n'avait été qu'un petit extra, une cerise Maraschino sur un truc énorme. Pas de gros, d'*énorme*.

Néanmoins, la musique constituait l'un des plaisirs d'une vie « ordinaire ». Non pas celle vantée sur des affiches ou en regard du nom de musiciens célèbres, mais la musique en soi, et pour Edison cela signifiait en jouer. J'avais le sentiment qu'il avait oublié l'exaltation que lui procurait le fait même de jouer du piano. Alors j'en ai loué un, un piano droit, dont l'apparence modeste, je l'espérais, induirait une certaine décontraction.

Je m'étais mise d'accord avec Novacek pour qu'il laisse entrer les livreurs de piano cet après-midi-là, et quand nous sommes rentrés de Monotonous, l'instrument était là, formant un angle droit avec le pèse-personne. J'ai été déçue par la réaction d'Edison. Mon frère était loin de jubiler. Il semblait inquiet.

— Je sais pas, sœurette, a-t-il dit, à bonne distance du piano. Je suis pas mal rouillé.

— Le piano aussi. Et je ne veux pas que tu « travailles » l'instrument. C'est plutôt une forme de thérapie par la musique. Tu devais *aimer* jouer du piano avant. Je ne veux pas que tu t'exerces et que tu sois frustré d'avoir perdu ta dextérité, ou que tu réfléchisses à la façon dont tu pourrais faire ton retour sur scène à New York. J'ai toujours pensé que tu étais un super pianiste, mais là n'est pas la question. En toute franchise, Edison, je ne sais pas si tu seras encore un pianiste de jazz de renommée internationale.

J'ai essayé d'y mettre le plus de formes possible.

— Je crois qu'il est important pour toi d'être capable de vivre avec l'éventualité que tu ne redeviendras pas ce pianiste que tu étais. Mais personne ne peut te retirer la musique, ni le bonheur d'en jouer.

Il s'est approché du clavier avec appréhension. D'une main, il a plaqué un accord, mineur, un peu compliqué, et son angoisse a résonné dans la pièce.

Il ne voulait pas de public, pas même sa sœur. C'était une première, mais pas nécessairement une mauvaise chose.

— On n'a plus de tisane cranberry-orange, ai-je déclaré. Je fais un saut au Hy-Vee, pendant que vous deux faites connaissance.

Au début, il ne s'est mis au piano que pendant mon

absence, et j'ai inventé des prétextes pour lui permettre de rester seul. Mais après une dizaine de jours environ, alors que je rentrais d'un nouveau rendez-vous laconique et laborieux au Java Joint avec Tanner, qui acceptait au moins de me rencontrer en territoire neutre, j'ai trouvé Edison en train de jouer « Bridge Over Troubled Water ».

— Je t'en prie, continue, l'ai-je supplié.

Ce qu'il a fait.

À bon entendeur : toute personne qui suit une diète liquide devrait jouer d'un instrument de musique, et je regrettais que ce ne soit pas mon cas. Le piano nécessitait une plus grande implication que la télé, et après le travail Edison se jetait sur le clavier de la même manière qu'il se jetait auparavant sur les placards de la cuisine. Les riffs songeurs et pensifs de mon frère emplissaient de vie notre appartement, comme une sorte de compensation à l'absence du bruissement des sacs de courses sur le comptoir et du cliquetis des couverts sur la table, à l'inexistence de l'arôme des tartes en train de cuire. Peu à peu, son jeu s'est fait plus léger, plus suggestif, plus assuré, mais j'hésitais presque à le lui dire, car j'avais affirmé dès le début que l'objectif n'était pas de bien jouer.

Comme je ne l'encourageais pas à affiner son jeu dans le but de replonger dans la jungle de Manhattan, mais seulement pour nous distraire, Edison, au fil du temps, s'est aventuré en dehors de la niche musicale qu'il s'était trouvée, s'offrant des incursions dans le ragtime, parmi les tubes du top 40 comme « Tiny Dancer » d'Elton John, les classiques comme « Starman » de David Bowie, ainsi que les medleys de Queen, de R.E.M. et de Billy Joel. Il acceptait de jouer ce qu'on lui demandait, et se lançait alors dans des versions improvisées des tubes un peu guimauves avec lesquels j'avais grandi : Crosby, Stills and Nash, James Taylor, Carole King. Il jouait aussi des airs de comédies musicales ! Celles de *Chess* et de *Sweeney*

Todd. Mon affinité croissante avec le jazz était réelle, mais je ne peux vous décrire le soulagement de passer enfin à autre chose.

Cody a commencé à venir prendre des leçons, même si, avec la nouvelle approche éclectique d'Edison, l'enseignement était mutuel : elle lui faisait découvrir Lyle Lovett tandis qu'il l'initiait à Thelonious Monk. Les cours de piano conféraient à ses visites une structure bienvenue ; car, socialement parlant, il est toujours un peu « maigre » de ne pouvoir offrir à son hôte que du Coca light. Ainsi dépourvues de la distraction du repas, ces soirées avaient ce caractère un peu austère et authentique, et une intensité à laquelle je repense avec nostalgie. La suppression des froufrous de l'hospitalité éradiquait aussi les bavardages inutiles – sur la météo et telle nouvelle paire de chaussures. Les otages livrés à eux-mêmes peuvent sans doute aussi en témoigner : la rapidité avec laquelle on en vient à parler de l'essentiel est tout bonnement étonnante.

Ainsi Cody a commencé à aborder ouvertement ses inquiétudes concernant le choix de son futur métier et le nombre effroyable de troubles du comportement alimentaire parmi ses camarades de classe. Elle nous a parlé de l'humiliation qu'elle avait ressentie en étant contrainte de suivre un cours de « compétences sociales », parce qu'on considérait qu'elle faisait preuve d'une attitude de retrait jugée inacceptable.

— C'est débile, a-t-elle déclaré. On se retrouve avec six autres élèves et une prof qui pense qu'elle est cool parce qu'elle a un papillon tatoué sur la cheville. Tous les matins, on doit remplir un tableau intitulé « Mon état aujourd'hui ». Puis Miss Hannigan – pardon, *Nancy* –, debout devant la classe, se met à crier « Je vous aime ! » en brandissant le poing, le regard noir. Soi-disant pour qu'on se rende compte que les choses que les gens disent sont parfois en contradiction avec leurs « indices non verbaux ». Franchement, si on a besoin d'« apprendre » ce truc, c'est qu'on est franchement irrécupérables. Maintenant, tout le monde sait que je me suis retrouvée avec ces nuls, et ça va me poursuivre. Où est le mal à être « en retrait » ? Qu'est-ce que ça peut faire ? Quand je n'ai rien à dire, je ne dis rien. Pas comme la plupart des gens.

Auparavant, la « plupart des gens » aurait pu viser son oncle, mais Edison avait abandonné ses monologues sur le jazz. Il parlait de l'échec de son mariage et de quelques brèves aventures. Il a fini par avouer l'un de ses pires moments liés à sa compulsion alimentaire : l'année précédente, il avait été contraint de limer le bracelet en métal que je lui avais offert en cadeau à l'occasion de son départ pour New York, à dix-sept ans, parce que le métal mordait dans son poignet rebondi. Quand son oncle est devenu plus sentimental en évoquant ce fils dont il était séparé, Cody l'a arrêté immédiatement : avait-il vraiment essayé d'instaurer un droit de visite ? Il a alors admis qu'au début il n'avait cessé de remettre la chose à plus tard. Il craignait que Sigrid ait farci la tête de son fils de mensonges sur lui (ou, pire, qu'elle lui ait dit la vérité). Puis, ces dernières années, alors que Carson était suffisamment âgé pour se faire sa propre opinion, il avait été trop honteux de sa corpulence pour organiser une rencontre : « Ce garçon a peut-être fantasmé pendant des années sur l'idée de rencontrer son père, d'aller en randonnée ou de pêcher en eau profonde avec lui. Pas sûr qu'il en ait encore envie quand il découvrira que son vieux pèse pas loin de deux cents kilos. C'était trop dur, *man*, d'ouvrir la porte à mon seul et unique fils et de lire la déception sur son visage. »

*

Plus que quiconque, j'appréciais que la perte de poids d'Edison soit graduelle, et tous les matins à 9 heures, nous affrontions ensemble la sentinelle postée près de la fenêtre – notant le verdict au moyen d'un feutre noir à pointe fine sur un calendrier mensuel punaisé à côté. Curieusement, la perte de poids n'était pas systématique : Edison stagnait, consterné, pendant quelques jours, puis perdait un kilo et demi d'un seul coup. Cependant, le processus était d'une lenteur épuisante, et passé la perte rapide des premières semaines, les progrès de mon frère se sont encore ralentis. Comme il avait perdu dix-sept kilos et demi le premier mois, il n'avait pu s'empêcher de calculer qu'il réussirait à perdre en six mois les cent kilos qu'il s'était fixés. Faux. La graisse a besoin de calories pour se maintenir, et on brûle moins de calories en maigrissant. « C'est un algorithme », lui avais-je expliqué. Mais Edison n'avait jamais été bon en maths.

En dépit de la lenteur laborieuse de l'exercice, c'est de façon soudaine que j'ai fini par reconnaître le frère avec lequel j'avais grandi.

Un samedi de mars, en fin d'après-midi, je suis sortie pour acheter du papier toilette et de la tisane au Hy-Vee. Edison était resté à l'appartement pour jouer du piano, et quand je suis rentrée il était assis devant l'instrument. Un rayon de soleil coupait à travers les stores, illuminant son visage, soulignant ses joues dont les pommettes hautes avaient autrefois constitué l'élément marquant. Combinés à ses cheveux brillants, toujours décoiffés, ces pleins qui s'élevaient sur des creux concaves expliquaient en partie pourquoi un si grand nombre de mes copines de collège adoraient passer chez nous à Tujunga Hills, dans l'espoir que mon frère aîné, si cool avec sa silhouette de liane, ses jeans taille basse et ses chemises ouvertes sur son torse, leur dirait bonjour en les croisant dans l'entrée.

Depuis que cet imposteur de frère avait surgi à l'aéroport

de Cedar Rapids, les pommettes d'Edison avaient disparu comme les noyaux dans la chair juteuse des prunes. Même si, naturellement, j'avais par la suite appris à reconnaître mon frère dans ce nouveau corps, en fait, je n'avais pas retrouvé celui avec lequel j'avais grandi. Je m'étais entraînée à identifier une tout autre personne, qui par le plus grand des hasards portait le même nom excentrique.

Pourtant, en cet instant, le vigoureux soleil printanier avait exhumé ses pommettes comme les trésors d'une fouille archéologique. La chair dessous était plongée dans l'ombre, tandis que, sur son front, la masse coagulée par la concentration formait des plis nets et non plus des replis ondulants. Et je l'ai vu. J'ai vu Edison, l'Edison dont je me souvenais. C'était comme si l'homme avec lequel j'avais en réalité cohabité depuis des mois venait de m'être rendu au bout de nombreuses années passées à se terrer. Incapable de me maîtriser, je me suis exclamée bêtement :

— C'est toi, je te vois !

Perplexe, Edison a levé la tête d'un accord tiré d'un des morceaux préférés de Cody, « Quitting Time » par The Roches.

— Cool, a-t-il répondu d'un ton hésitant. Ravi d'apprendre que je suis toujours un être en trois dimensions.

Je me suis avancée dans son dos et je l'ai pris dans mes bras. Les épaules plus fermes m'évoquaient des souvenirs, ceux où il me portait sur son dos avant de me laisser tomber sur le canapé. Jamais je n'aurais imaginé que le frère avec lequel j'avais grandi deviendrait obèse. Et j'avais eu beau faire, je n'avais pas réussi à comprendre pourquoi cela semblait si important. J'avais essayé de me raccrocher aux implications de l'obésité sur la santé, mais je n'étais pas dupe : je ne m'étais pas lancée dans ce projet avec le seul objectif de prévenir le diabète. Je voulais retrouver mon grand frère.

— Je suis si fière de toi, lui ai-je dit.

— Au moins, je peux être célèbre pour quelque chose. Même si, d'après ce que j'ai vu à la télé, la concurrence est rude, y compris dans la catégorie « j'étais un gros tas ».

— Tu fais partie du groupe de tête dans ce qui est devenu le sport national.

— Je ne suis pas encore en finale.

La moindre allusion au fait que, désormais, tout était dans la poche, qu'il pouvait se la couler douce, voire tricher un peu, était un anathème. Chaque journée était difficile ; impossible de dire qu'il ne lui restait « plus » que cinquante-six kilos à perdre.

— Tu connais le processus, ai-je tenté. Tu sais donc qu'il est fortement recommandé d'interrompre le régime au bout de trois mois…

— Non.

— Simplement pendant une semaine. En mangeant de façon très saine…

— NON.

— Mais tu pourras le reprendre tout de suite après !

— Qu'est-ce qui t'a échappé, dans le mot « non » ?

— C'est devenu un cliché horrible.

— Comme si j'en avais quelque chose à foutre.

Ayant moi-même qualifié ses tendances d'« extrêmes », j'ai attendu deux semaines avant de reparler de cette interruption prescrite, parce que je savais ce qu'il me répondrait. Ignorant peu ou prou les risques encourus si on ne respectait pas le protocole, je ne m'étais pas donné la peine de faire des recherches sur le sujet, convaincue de toute façon que je me heurterais à un mur. Si Edison avait une « personnalité addictive », il était désormais accro aux sachets de Dégueulis.

6

OLIVER ALLBLESS ÉTAIT MON GOUROU en matière d'infor-
matique. Quand mon ordinateur crachait des messages
d'erreur ou que je devais définir un mot de passe pour
mon routeur, je l'appelais. Je l'avais recruté à l'époque
de Breadbasket pour qu'il me donne un coup de main ;
il préparait alors son diplôme d'ingénieur à l'université
de l'Iowa et avait besoin d'argent. À un moment, nous
sommes sortis ensemble pendant six mois environ, et
quand j'en suis arrivée à la conclusion que mes sentiments pour lui étaient un peu trop ronds, trop assourdis
– trop tièdes et lisses, dépourvus de ce tranchant, de cette
tension ou de cette résistance essentielle que j'ai plus tard
trouvés en pagaille chez Fletcher –, il a accepté ce rejet
avec le calme naturel duquel découlait probablement
dès le départ la tiédeur de mes sentiments. Depuis, nous
étions amis. À mesure que s'accroissaient les exigences
technologiques de la vie moderne, je m'étais sentie un
peu coupable de l'appeler si souvent pour résoudre la dernière crise avec mon imprimante. Je ne voulais pas qu'il
se sente utilisé, même si je savais qu'il appréciait d'être
utile. Quand je l'ai pris sous contrat à Baby Monotonous,
il a au moins pu retirer quelque chose en échange de ses
services, même s'il n'a pas manqué de me faire savoir

qu'il m'aurait conseillée gratuitement sur la mise à jour technologique des marionnettes. Si Oliver avait toujours un faible pour moi – cet ingénieur télécoms si sensible, à l'allure dégingandée, ne s'était jamais marié –, j'y étais habituée, et lui aussi. Il était vaguement possible que je sois l'amour de sa vie, même si, pour son bien, j'espérais qu'il n'en était rien.

Quand Baby Monotonous a décollé, Oliver a été bien plus excité que moi. Mais il était plus réservé quant à mon projet actuel. Arrangeant quant au fait d'être lui-même utilisé, il était sensible à tout ce qui aurait pu indiquer qu'Edison profitait de ma nature généreuse. Après que je lui avais expliqué le cadre de notre régime, il avait passé des heures en ligne à faire des recherches sur BPSP, afin de s'assurer qu'aucune histoire sordide ne courait à leur propos. J'étais mariée, et bien mariée, et je n'avais à aucun moment laissé entendre que cet état de fait était susceptible de changer ; ce rôle d'ange gardien qu'Oliver avait endossé témoignait d'un altruisme qui dépassait mon entendement. Après mon emménagement à Prague Porches, la seule préoccupation qu'il s'était autorisé à exprimer était que cette situation risquait d'éloigner Fletcher.

Nous étions confrontés à des problèmes concernant le mécanisme numérique de certaines poupées – nous avions eu quelques retours, ce qui n'était jamais arrivé auparavant –, et j'avais demandé à Oliver de passer pour essayer de déterminer la cause du problème. Tandis qu'il désassemblait une marionnette, il n'arrêtait pas de relever la tête vers moi, et son tournevis restait suspendu dans l'air. Avant de partir, il m'a demandé :

— Tu as le temps de prendre un verre, ou quelle que soit l'excuse qui te convienne, pour parler de ton régime de dingues ?

— Laisse-moi d'abord voir avec Edison.

— Tu dois demander la permission à ton *frère* ?

— D'habitude, on rentre ensemble, ai-je répondu d'un ton désinvolte.

Maintenant que le temps s'était radouci, j'avais demandé à Cody de m'apporter mon vélo, et j'avais acheté un VTT pour qu'Edison et moi puissions aller travailler et revenir ensemble.

— Pas de souci, a affirmé mon frère, occupé à terminer la couture d'un imperméable miniature. Je t'attendrai pour « dîner ».

Poussant mon vélo, j'ai accompagné Oliver à un café tout proche, où j'ai commandé machinalement une eau gazeuse avec une rondelle de citron. Bien qu'il se soit abstenu de manger en ma présence depuis près de quatre mois, il a commandé cette fois un club-sandwich avec des frites.

— Tiens, a-t-il proposé en me tendant un quart de son sandwich. Mange.

J'ai eu un mouvement de recul.

— Tu sais bien que je ne peux pas.

— Pourquoi ?

— Je ne triche jamais. Et je t'assure que ça a été une vraie découverte – il est en fait plus facile d'être parfait que simplement un peu mauvais. Je commence à comprendre l'attirance que peuvent susciter les couvents. C'est moins dur d'être un saint accompli qu'un pécheur médiocre.

— Manger n'est pas un péché. C'est ce que font les mammifères pour survivre.

— Apparemment, ce n'est pas nécessaire, ai-je répondu d'un ton léger. Une autre de mes découvertes.

D'un air grave, Oliver a posé son sandwich.

— Combien tu pèses ?

J'ai versé de l'édulcorant dans mon eau gazeuse. Le goût de nickel que j'avais en permanence sur les gencives me tapait sur les nerfs, et j'aurais essayé n'importe quoi pour le masquer.

— Ce n'est pas une question qu'on pose à une femme.

— D'accord. Prenons les choses autrement : combien tu pesais au départ ?

— Soixante-seize kilos, à ma grande horreur, et ce, après quatre jours de jeûne. C'est fou, mais je continue de le cacher à Fletcher, alors que ça n'avait rien d'un secret, puisqu'il pouvait le *voir*...

— Et combien as-tu perdu ? m'a-t-il coupée.

L'impatience d'Oliver m'a surprise. Les taquineries relatives à la dynamique de mon mariage étaient un élément de base de notre amitié.

— C'est une question piège ? ai-je demandé.

Mais il savait que je ne pourrais résister à l'occasion de fanfaronner.

— Vingt-trois kilos cinq cents, si tu veux savoir. Et près de vingt-quatre kilos cinq cents avec ce que j'ai perdu avant de trouver le courage de...

— Quand, pour la dernière fois, as-tu pesé aussi peu ?

— Quand j'avais quinze ans, ai-je répondu à voix basse.

— Tout ça doit *s'arrêter*.

— Je sais que très bientôt...

— C'est *maintenant* que tu dois arrêter. J'ai consulté le site de BPSP. Ça fait quatre mois, et tu étais censée arrêter les sachets pendant au moins une semaine au bout de trois mois. Tu l'as fait ?

— Je n'ai pas réussi à convaincre Edison de s'arrêter. Il craint que...

— Même Edison va devoir finir par retourner au pays de la nourriture, puis il devra apprendre à manger des portions normales. Tu as dit qu'être « parfait » était plus facile que d'être un pécheur. Mais tu as une vision bien déformée de la perfection, Pandora. La perfection, c'est manger ce dont on a besoin, ni plus mais ni *moins* non plus.

— C'est facile à dire pour toi. Tout le monde n'a pas ton métabolisme.

Oliver était l'un de ces « happy few » qui mangent quand bon leur semble, mais dont la silhouette longiligne n'a que peu varié depuis leurs dix-huit ans. La seule chose que sa stabilité lui coûtait était l'incompréhension des autres.

— Tu n'arrives plus à te concentrer. Quand j'ai essayé de t'expliquer ce qui clochait avec les mécanismes de rétractation, j'ai bien vu que tu avais du mal à suivre. Je doute que tu puisses résumer ce que je t'ai dit même si ta vie était en jeu.

Refusant de me livrer à son petit test, j'ai resserré mon manteau autour de moi. Le geste était défensif, même si j'avais froid.

— Il y a ça aussi.

Il a montré la doudoune, que d'ordinaire j'aurais abandonnée à l'arrivée du printemps.

— Je suis sûr que tu ne t'en rends pas compte, mais il fait *très chaud* ici. Le lieu est surchauffé, comme Baby Monotonous. Tu as monté les radiateurs à fond. Il fait près de dix degrés dehors, et tes employés viennent travailler en manches courtes.

— Je suis frileuse, la belle affaire !

— Tu parais petite, et dans tous les sens du terme. Craintive autant que maigre. Tes cheveux sont plats et secs. Tu flottes dans tes vêtements. Ton visage paraît plus vieux de cinq ans. Tu as le teint aussi gris qu'un trottoir. Et tu es faible. Pour monter les quelques marches de ce café, tu as dû t'agripper à la rampe pour te hisser.

Sa description ne collait pas le moins du monde avec l'expérience que je faisais de mon corps flottant, catégorie poids plume. J'avais l'impression d'être presque en mesure de voler. Oliver se montrait injuste, et il essayait

312

de me spolier. De me voler quelque chose de précieux, d'intime, qui m'appartenait.

Oliver a levé les mains.

— Tu as toujours eu la tête sur les épaules ! À croire que tu as perdu l'esprit. C'est ce jeûne. Tu es incapable de penser correctement. Et *parce que* tu ne penses plus correctement, tu ne *t'en rends pas compte*. Dès le départ, tu m'as dit que tu devrais recommencer à manger avant ton frère. On dirait maintenant que tu l'as oublié. Tu prétends que manger est « superflu », et tu le dis peut-être pour plaisanter, mais crois-moi, ça n'a rien d'une plaisanterie !

— J'avais prévu de laisser tomber les sachets quand Edison et moi étions censés reprendre une diète solide au bout des trois mois.

Je m'efforçais de m'exprimer de façon nuancée et calme ; or, avant, jamais je n'avais eu à feindre ces qualités.

— Mais après qu'il a refusé… le moment était passé.

— Quand on rate l'embranchement pour New Holland sur l'autoroute, on fait demi-tour à la sortie suivante, on ne continue pas jusqu'en Californie. Tu as tout d'une junkie. Et tu as l'air complètement à cran.

— C'est Edison le junkie, ai-je répondu vivement. Ce n'est pas dans ma personnalité.

— Parfait, dans ce cas, prouve-le.

Il a fait signe à notre serveuse qui passait.

— Mademoiselle ! Mon amie aimerait… un bol de soupe. De soupe à la tomate.

— Non ! ai-je paniqué. Je ne peux pas !

— Apportez la soupe, a-t-il ordonné d'un ton brusque.

Cette manifestation de force ne lui ressemblait absolument pas : Oliver était un homme réservé, sympathique et intelligent, et j'appréciais d'échanger avec lui parce qu'il était toujours de mon avis.

— Et *pourquoi* est-ce que tu ne pourrais pas la manger ? a-t-il ajouté en s'adressant à moi.

— Je ne suis pas prête, ai-je plaidé.

— Tu es plus que prête. Tu as largement dépassé les bornes.

Je ne pouvais que m'insurger face à son constat. C'était Edison, la « personnalité addictive ». C'était Edison, la personne à problèmes. Moi, j'étais ordinaire : du riz blanc. Et ma personnalité ordinaire me vaccinait contre des comportements trop bizarres ou trop stupides. Je n'étais pas « construite » pour les troubles alimentaires.

La soupe est arrivée. La serveuse nous a regardés et, peu désireuse de se retrouver impliquée dans notre rapport de forces, l'a placée entre nous deux. Oliver l'a poussée vers moi. L'odeur m'a étourdie. J'étais habituée aux effets vertigineux des arômes, mais cette livraison de contrebande a suscité en moi une telle angoisse que mon cœur s'est emballé. J'ai baissé la tête. La soupe rosâtre provenait d'une conserve, et était probablement pleine de sucre. Elle était à la fois appétissante et écœurante. Avec ma cuillère, j'ai mis les croûtons sur le côté, comme des bateaux qui rentreraient au port. Le simple fait d'être assise devant cette bouillasse avait des allures de perfidie.

— Tu sais que je ne mange même pas dans mes rêves ? ai-je dit d'un ton humble. Je rêve tout le temps de nourriture. Mais elle m'est toujours enlevée, ou alors je la regarde sans pouvoir desserrer les lèvres. Il y a même ce cauchemar récurrent dans lequel, assise à une table, je mets quelque chose dans ma bouche et commence à mâcher. Dans le rêve, j'ai simplement oublié, j'ai la tête ailleurs, j'ai baissé la garde. Je reprends toujours mes esprits avant d'avaler et je recrache tout.

— Ce que tu décris relève de la maladie mentale. Maintenant, prends un peu de soupe avec la cuillère.

J'ai croisé les bras.

— Après en avoir parlé aussi longuement ensemble, je suis surprise que tu ne mesures pas la profondeur de mon engagement envers Edison. Manger derrière son dos serait de la tricherie. De la pire sorte qui soit.

— En ruinant ta santé, c'est toi-même que tu trahis. Pour le moment, Edison n'a pas à le savoir.

— Mais… il n'y a aucune cérémonie !

Depuis des mois, je n'avais cessé de penser à cet instant. Je savais qu'il y avait des règles à suivre pour mettre fin à une diète liquide – ces règles, Oliver les connaissait, et cette soupe les respectait –, mais j'avais imaginé quantité de plats succulents avec lesquels je romprais mon jeûne, comme une vichyssoise froide agrémentée de menthe et d'un zeste de citron. Un dé à coudre de vin blanc jeune, versé dans un joli verre acheté pour l'occasion. Je *n'aimais* même pas la soupe à la tomate en conserve.

— On n'est pas à l'église, a déclaré Oliver. Depuis qu'on est arrivés ici, tu tangues comme si tu étais sur le point de t'évanouir. D'un point de vue médical, ce que tu fais est dangereux. Si tu ne finis pas cette soupe, je te jure que je te conduis à l'hôpital.

J'ai pris une cuillerée de soupe, l'ai levée à hauteur des yeux, et je l'ai fixée comme s'il s'agissait de ciguë. Les cauchemars sont revenus en force, ceux qui me réveillaient souvent avec des sueurs froides, si jamais j'avalais ne serait-ce qu'un spectre de *nourriture solide*. Cette cuillerée me terrifiait. Et c'est peut-être ce qui a provoqué le déclic.

J'ai été terrifiée à l'idée que cela me terrifiait.

J'ai fini la soupe.

*

De retour à Prague Porches ce soir-là, j'ai papoté avec Edison, quand tout ce que je voulais, c'était me ruer vers la salle de bains pour me brosser les dents. Je craignais que mon frère entende le bruit de la brosse, car ce n'était pas dans mes habitudes de faire un brin de toilette avant le Dégueulis du soir. J'ai avalé le mien dans la cuisine, en espérant que l'arôme malté masquerait celui de la soupe. Puisque je n'avais pas été capable de résister aux croûtons mi-ramollis mi-croustillants flottant en bordure du bol, j'avais officiellement franchi la ligne et absorbé de la nourriture solide.

Je ne me sentais pas seulement déloyale. J'avais l'impression d'être exilée, expulsée de l'Éden, un jardin éternellement virginal où Ève est à jamais préservée de manger la pomme, parce qu'elle ne mange rien. Dès le premier livre de la Bible, la nourriture est associée au mal, et je me sentais contaminée. Rétrogradée au rang d'une bonne à rien qui doit décider si elle peut ou non reprendre un cookie, je n'étais plus à part ; pourtant, j'étais bien celle qui avait reproché à Edison son besoin de faire partie des Élus. J'avais anéanti un record parfait, et si jamais je devais battre mon record personnel de jeûne, je devrais recommencer au premier jour – revivre ces premières vingt-quatre heures horribles, insupportables, à choisir des meubles alors que tout ce que je voulais vraiment, c'était aller m'acheter un sandwich.

Troublée, j'ai refusé une partie de Scrabble et je suis allée me coucher tôt, affirmant être fatiguée, alors qu'en fait j'étais en proie à la nausée. Une fois allongée, j'ai pris conscience d'une sensation que, faute de l'avoir éprouvée depuis longtemps, je n'ai pas reconnue de prime abord. Je n'avais pas envie de vomir. J'avais faim.

*

De mon retour à l'alimentation solide, je me souviens surtout de la déception. J'avais tellement idéalisé les repas que, après avoir recommencé à manger, j'ai trouvé la nourriture d'une banalité affligeante. Certes, j'avais mangé toute ma vie, et je savais à quoi m'attendre. Mais j'avais ressenti la même attente que celle qu'on peut éprouver à la perspective de tomber amoureuse ou d'avoir son premier enfant. Mais une escalope de poulet restait une escalope de poulet. Elle était vite avalée, et peu importait qu'elle soit relevée d'un peu de pesto ou d'une sauce thaïe au curry. Aucun repas, quel que soit le soin accordé à sa préparation, ne résoudrait la question de ce qu'on pouvait bien faire de sa vie, indépendamment de la bouffe.

Plus choquant encore, cette impression mi-figue mi-raisin s'étendait au fait d'être mince, que j'avais élevé au rang de renaissance et de transformation, celles-là mêmes que tous les évangélistes d'Iowa essayaient de promouvoir par la prière. Oh, une fois mon énergie retrouvée, j'ai savouré la légèreté ; être capable de courir jusqu'à la voiture avant la fin du parcmètre sans être essoufflée ! Et, bien sûr, au départ, c'était génial de voir les grosseurs qui s'étaient accrochées à moi comme des parasites suceurs de sang desserrer peu à peu leur emprise et disparaître dans la cave, quelle qu'elle soit, de laquelle elles étaient remontées. Mais pendant les années où j'avais grossi, je m'étais entraînée à ne pas voir ces expansions ; ce n'est qu'en perdant du poids que j'ai commencé véritablement à les remarquer.

Au bout de deux mois de Dégueulis, j'avais courageusement installé un miroir en pied dans ma chambre, et quand j'étais redescendue à cinquante-neuf kilos j'avais arrêté de détourner la tête en passant devant. Une fois que j'avais supporté de regarder l'image qui m'était renvoyée, j'avais fait face, nue, à ce miroir avec une fréquence gênante. Aussi, un soir avant d'aller me coucher, un ou deux jours après avoir recommencé à manger, j'ai fermé la porte de ma chambre afin d'apprécier cet organisme dont j'étais pourvue.

Quel soulagement de ne plus ressentir de honte, et c'était probablement l'émotion la plus intense que déclenchait mon nouveau corps : une non-émotion. Mais j'avais la quarantaine, et, grosse ou mince, je faisais mon âge. Maintenant que j'avais poussé trop loin ce régime, je profitais de la « marge » que j'enviais sur les photographies de l'époque de Breadbasket – mais cette « marge » se traduisait par des seins minuscules et tombants, striés de plis sous les mamelons. Quand j'inspirais profondément, les côtes ressortaient en sillons parallèles sous ma poitrine, mais je n'en tirais pas grande fierté. Sur le plan esthétique, j'appréciais de voir pointer mes os iliaques comme des boules de glace, cependant l'excès de peau qui pendouillait à l'arrière de mes bras et à l'intérieur de mes cuisses n'avait rien de glamour. Quand bien même j'étais un être relativement symétrique, je ne serais jamais un canon, et je ne l'avais d'ailleurs jamais été, même pendant ces quelques années où les femmes font tourner les têtes. L'impression, physique, d'être enfin moi-même était le seul aspect de ma circonférence réduite que je trouvais agréable. Quelques mois plus tôt, c'était comme si une partie de mon corps avait appartenu à une autre. Pourtant, même cette satisfaction était modérée. Dès lors, une silhouette amincie avait ce même goût de « trop peu » que la réussite professionnelle. Dans la vie, y avait-il une seule chose qui tenait ses promesses ?

Sous le coup de cette révélation, je me suis inquiétée pour Edison. La descente après une perte de vingt-quatre kilos cinq cents était troublante ; celle qui suivrait une perte de cent un kilos pourrait s'avérer déprimante. Pour une fois, j'avais dépassé mon objectif, et me revenait en pleine figure quantité d'autres problèmes que le fait d'être un peu plus mince ne résolvait pas. Au téléphone, Fletcher et moi étions devenus si distants que nous ne nous disputions même plus. Il était étrange de regretter cette hostilité, mais sans elle il manquait cette tension essentielle – dont l'absence m'avait fait mettre un terme à ma relation avec Oliver. À quelques mois du diplôme, Tanner séchait les cours de façon chronique, et s'il échouait il devrait suivre les cours de l'université d'été ou redoubler ce semestre l'année suivante. Je commençais à m'ennuyer fermement chez Baby Monotonous, mais si je mettais la clé sous la porte ou que je revendais, je n'avais pas la moindre idée de ce que je pourrais faire ensuite. Quant à Edison… Jamais mon frère n'avait fait la moindre allusion à sa vie après le régime. Dans quelle tourmente se retrouverait-il happé quand les choses qu'il avait laissées en plan à New York lui reviendraient de plein fouet, une fois qu'il aurait atteint son objectif et découvert que peser soixante-quatorze kilos ne changeait pas vraiment grand-chose ?

*

Méfiant, Oliver avait insisté pour superviser ma réadaptation, et il a donc fait un crochet par Monotonous tous les soirs de la semaine suivante. Edison a trouvé cela tellement curieux qu'il m'a pressée de lui dire si Oliver et moi étions ensemble. J'ai été abasourdie par le mordant que je percevais dans l'accusation formulée par mon frère. Passe encore s'il avait voulu protéger Fletcher, mais ce n'était pas le cas. Fletcher s'était montré impitoyable pendant tout le temps où mon frère avait habité chez nous, et depuis Edison s'était lâché à travers de nombreuses plaisanteries vengeresses, baptisant mon mari « Fletcher de malheur » (qu'il déclinait en *râleur*, *emmerdeur* et autre *éjaculateur* sur lesquels je me garderais bien d'épiloguer). En théorie, il aurait dû faire ses choux gras du cocufiage de son beau-frère.

J'ai menti à Edison en prétendant que je sollicitais Oliver sur la façon dont nous pouvions modifier le mécanisme des poupées pour l'adapter aux clés USB, ce qui permettrait aux clients de remplacer des enregistrements dont ils se seraient lassés par de nouvelles expressions (pas une mauvaise idée). Pourtant, la réalité était bien plus cocasse : ce n'était pas une aventure, mais un dîner torride et illicite que je cachais.

Oliver et moi sommes retournés au même café tous les soirs. J'avais souffert de diarrhée intense, mais, cela mis à part, la reprise d'une alimentation solide s'était déroulée sans mauvaise surprise. J'emportais une brosse à dents et je fonçais aux toilettes pour me brosser les dents avant de rentrer vers ce lieu qui, confusément, avait commencé à ressembler à un foyer. Une fois là-bas, je partageais un sachet de protéines avec Edison, ce qui me servait de couverture et me fournissait d'autres nutriments dont j'avais besoin.

Quelques jours plus tôt seulement, avec quelle impatience j'avais attendu ces préparations ! Maintenant, je détournais la tête en avalant la mienne de crainte qu'Edison voie mes haut-le-cœur. Alors qu'avant je me passionnais pour les parfums des tisanes, j'ai rangé dans un placard les sachets posés sur le comptoir, pour ne plus avoir devant les yeux ces épouvantables boîtes. Naturellement, cette révulsion soudaine pour ces symboles de ma torture auto-infligée était rationnelle : aurait-elle duré un peu plus longtemps, cette stratégie punitive aurait pu me tuer. Mais la vraie nourriture ne me réussissait pas non plus, et non parce que je l'absorbais en cachette de mon frère. Après avoir subsisté avec quatre misérables sachets de protéines par jour, je n'étais plus convaincue, comme Oliver l'avait remarqué, que j'avais besoin d'aliments solides pour vivre. Même si j'adhérais à ces prémices, la nourriture était devenue arbitraire, et effrayante. De la panique, c'est ce que je ressentais en m'asseyant pour manger.

Je n'étais pas la seule à être touchée par cette hystérie. La même frénésie régnait partout sur internet : réquisitoires contre le sucre, astuces consistant à manger dans

320

de petites assiettes ou à boire des litres et des litres d'eau, reportages sur des célébrités prétendant faire « quatre-vingts repas par jour », tableaux répertoriant l'index glycémique des panais et des pommes de terre. Elle s'exprimait par l'augmentation des demandes de cercueils XXL, par la fabrication de montagnes russes aux poutrelles renforcées, d'ascenseurs conçus pour supporter deux fois leur charge. Elle se traduisait par les ventes accrues de vêtements pour « formes généreuses », par le retour du corset. Elle se voyait dans le marché des extenseurs de ceinture de sécurité des sièges d'avion, des lunettes de toilette « Big John », des tabourets pour douche supportant des charges de trois cent soixante kilos, des « LuvSeats » pour faire l'amour, adaptés aux *couples corpulents*. Elle se manifestait dans l'essor des sites web comme BigPeopleDating.com, mais aussi dans le prestige des jeans taille 0 et dans le nombre d'élèves qui, dans la classe de Cody, avaient été hospitalisées pour avoir refusé de manger ou s'être fait vomir. Comment ne pas s'interroger sur l'intérêt d'un microprocesseur, d'un télescope spatial ou d'un accélérateur de particules quand nous avions perdu la plus animale de toutes les maîtrises ? À quoi bon découvrir le boson de Higgs ou se pencher sur l'économie des voitures à hydrogène ? Nous ne savions plus comment manger.

*

Le dimanche marquant le début de ma deuxième semaine de festins furtifs, j'ai eu des remords à l'idée que je laissais mon frère tout seul. Pendant le dîner avec Oliver, j'ai avalé à toute vitesse un poulet chasseur avec la négligence que je m'étais juré d'éviter en décembre lorsque j'avais mangé mon saumon et m'étais précipitée vers les toilettes. Je n'arrivais pas à remettre la main sur ma brosse à dents, et je n'avais pas le temps de filer au drugstore ; j'avais promis à Edison que je serais rentrée à temps pour *Mad Men*, série à laquelle, ne serait-ce que pour faire enrager Travis, nous étions devenus accros. Alors j'ai ôté de mes dents les petits bouts de poivron vert, je me suis rincé la bouche et j'ai croisé les doigts.

À Prague Porches, j'ai dilué les sachets de notre dîner, détournant la tête pour en éviter l'odeur. Assis sur la banquette du piano, Edison me regardait avec un calme perturbant qui a déclenché chez moi une poussée d'hyper-activité – j'ai allumé la télé même si la série ne devait pas commencer avant dix bonnes minutes, tapoté les coussins, raconté l'intrigue de l'épisode précédent, dont nous nous souvenions parfaitement tous les deux. Il restait cinq minutes, et j'apportais nos Dégueulis quand Edison a foncé vers moi avec la précision d'un missile d'interception. Se penchant pour renifler, il a déclaré :

— Chorizo.

— N'importe quoi !

Il s'est dirigé vers notre poubelle et a soulevé le couvercle.

— Qu'est-ce que tu cherches ?

— Un carton à pizza. Ou un truc du genre.

Je ne m'étais pas montrée à ce point négligente.

— Sachets de tisane et blisters de Senokot. Comme d'habitude.

— C'est ce qui m'a mis la puce à l'oreille, *man*.

Il m'a poussée du doigt.

— T'as la courante.

— Non !

— L'appartement n'est pas très grand, sœurette. Je *t'entends*. Et personne n'a la chiasse avec ce régime.

Il s'est penché vers moi, avec sur le visage cet air de désapprobation parentale.

— Petit panda, comment tu as pu ?

— Comment j'ai pu quoi ?

— Après tous ces sacrifices !

Il faisait de grands gestes en marchant.

— Dis-moi, est-ce que ça en valait le coup ? Tout ça pour une saucisse dégueu ?

Le jeu était terminé. J'ai baissé la tête en sanglotant.

— Je suis désolée !

— Tu n'es qu'une ÉGOÏSTE ! a hurlé Edison. Doublée d'une GARCE !

— Ce n'était pas mon idée ! C'est Oliver qui m'a forcée !

Mais, incapable de poursuivre, Edison a alors éclaté de rire – un rire tonitruant, énorme, que je n'avais pas entendu depuis une éternité.

— Tu as gobé ça tout cru ! Je te fais marcher, sœurette. T'as rien à expliquer. Regarde à quel point t'es canon. Toute mince et jolie comme un cœur. Bien sûr que tu ne peux pas continuer à cinq cent quatre-vingts calories par jour, tu crèverais, *man* ! Mais pourquoi t'as fait ça en douce ? Ça se voyait comme le nez au milieu du visage, j'attendais que tu m'en parles.

— Je t'ai laissé tomber.

Je ne pouvais pas m'arrêter de pleurer. Edison avait repris de la force, et quand il m'a serrée dans ses bras, il m'a soulevée du sol. Puis il m'a reposée doucement et m'a ébouriffé les cheveux.

— Écoute, j'ai vachement apprécié ton accompagnement. Mais il est temps pour toi de quitter le navire. Simplement, mange pas en douce, d'accord ? Ça pourrait être encore mieux que la Food Channel. Au moins, je pourrais regarder.

J'ai séché mes larmes.

— Dis comme ça, ça paraît un peu malsain.

— Je suis pas au bout. J'ai encore cinquante-quatre gros kilos à perdre. Alors, voici ce que je te propose : je cuisine pour toi. Je te prépare ton petit-déjeuner, les déjeuners que tu emportes au boulot, et tous les soirs je te concocte un succulent dîner.

— Tu pourrais le supporter ?

— *J'adorerais* ça, *man.* Je pourrais faire les courses, découper les aliments, les faire cuire, les sentir, et croix de bois, croix de fer, je te jure que je ne tricherais pas. Tu commençais à être un peu pâlotte, frangine. Allez, *go.*

Il m'a lancé la télécommande.

— On a déjà loupé cinq minutes, et je sais que Don Draper t'excite.

C'est ainsi qu'Edison a commencé à cuisiner. C'était un vrai chef. Nous invitions Cody, et Oliver, et un soir nous avons réussi à persuader Tanner de venir dîner. Edison l'a régalé de ses anecdotes sur son départ pour la côte Est à dix-sept ans – à ce moment-là, j'ai senti que mon frère était sur le point de remporter le long combat qu'il avait engagé pour gagner les faveurs de son neveu, car pour la première fois depuis des années mon beau-fils a été manifestement impressionné : « *Sans déc'* ? » s'exclamait-il, ou : « Tu t'es tiré avec seulement *vingt dollars* en poche ? » Les repas étaient légers et nourrissants, et pas une fois je n'ai surpris le chef à grappiller une bouchée quand il pensait que tout le monde avait le dos tourné. Qui l'aurait cru ? Comme mon soupirant de jadis, pour éviter de laisser goutter ses mains par terre, il les secouait instinctivement, *floc-floc,* au-dessus de l'évier avant d'attraper un torchon. Edison prenait un plaisir inouï dans son nouveau rôle de chef cuisinier, et pas uniquement par voyeurisme calorique. Après ses mois de privation, il débordait du besoin de *satisfaire* quelqu'un. Était-ce les exercices d'aérobic ? Son tour de taille fondait, mais son cœur, lui, devenait plus grand.

7

CETTE FOIS, JE N'AVAIS PAS ÉTÉ INVITÉE AU JAVA POINT. J'avais été sommée de m'y rendre.

Nous sommes arrivés au même moment. J'ai retiré ma veste, puis j'ai marqué une pause pendant une fraction de seconde avant de me glisser dans le box, ma façon à moi de crâner un peu. Au cours des six semaines pendant lesquelles Fletcher et moi ne nous étions pas vus, j'avais perdu encore cinq kilos cinq cents avant de me stabiliser ; c'était la première fois que Fletcher voyait le produit fini. Qui plus est, mes goûts en matière de vêtements étaient devenus un peu plus osés, tout du moins selon mes propres critères : jean noir moulant, chemisier turquoise décolleté. Comme, dans l'intimité de ma chambre et face à mon miroir, mes nouvelles formes avaient été une réelle déception, cette seule récompense – l'admiration de mon mari – n'en était que plus importante.

Tandis qu'il me détaillait de manière furtive, j'ai surpris dans ses yeux une lueur que je n'avais pas vue depuis longtemps. Pourtant, ma silhouette l'excitait et l'agaçait tout à la fois.

— De nouveaux vêtements, à ce que je vois.

— Les vieux ne me vont plus.

— Tu as l'air...

J'ai attendu. Je l'avais mérité. C'était ma récompense.

— Tu as l'air un peu fragile.

— *Merci.*

Je n'en revenais pas de son manque de générosité. Manifestement, il voulait être le mince. Le sportif. La personne parfaite, et il avait besoin à côté de lui d'une souillon faillible, pour le contraste.

Fletcher a ravalé ses autres critiques, mais les compliments que j'avais attendus n'arrivaient pas.

— Peu importe pour l'instant. Il faut qu'on parle de Tanner.

— Vas-y, dégaine.

J'avais horreur de me montrer sèche, mais il m'avait blessée.

— Il a laissé tomber le lycée.

— C'est ridicule. Il est à deux mois du diplôme.

— C'est délibéré. Il pense qu'il est *exceptionnel.* De son point de vue, il abandonne juste à temps, avant de devenir un diplômé ordinaire, comme tous les autres.

— Ce pays regorge de jeunes sans diplôme.

— C'est ce que je lui ai dit. Mais il le fait aussi pour me contrarier, et dans ce sens ça marche.

— Qu'est-ce que vous prendrez ?

Fletcher avait appris à ne pas commander de muffin.

— Du thé vert sans théine et sans sucre, a-t-il répondu.

— Deux, s'il vous plaît, ai-je ajouté.

Match nul.

— Ce n'est pas tout, a poursuivi Fletcher. Il y a deux jours, pendant que j'étais à la cave en train de travailler sur une commande urgente, il a fait son sac et il est parti. Il n'a pas laissé de mot. Son ordinateur n'est plus là, ses T-shirts préférés non plus. Il n'a même pas pris son portable pour que je ne le contacte pas et que je ne sache pas où il est. Aucun de ses amis n'a eu de ses nouvelles. J'étais si désespéré que j'ai contacté *Cleo.* Aucune info, si ce n'est que j'ai découvert, crois-le ou non, qu'elle était devenue une Régénérée.

— Prévisible. Une autre forme d'addiction... À ton avis, où a-t-il bien pu aller ?

— Où ailleurs qu'en *Californie* ? Comme ton crétin de père. Tanner a été recalé en histoire américaine, comme dans tout le reste. La seule histoire qu'il ait intégrée, c'est celle de *ta famille*. Avant de partir, il avait même commencé à se faire appeler « Tanner Appaloosa ». *Feuerbach*, d'après ce qu'il m'a dit, « n'est pas vendeur ».

— Est-ce qu'il a de l'argent ?

— Il a sûrement dû vider son pauvre compte d'épargne. Et mon portefeuille.

— Je suis vraiment désolée.

Mais j'avais du mal à me sentir concernée par ce qu'il racontait. J'étais « vraiment désolée », comme je l'aurais été en essayant de réconforter un voisin ou un employé.

— Il y a plus en jeu ici que son diplôme. Je veux que mon fils travaille. Je ne veux pas qu'il se prélasse en attendant un héritage ou une manne qui lui tomberait du ciel. Je veux qu'il comprenne que la vie ne nous est pas uniquement donnée, mais qu'on se doit aussi de la façonner. Mais aujourd'hui, à l'école, on dit aux enfants qu'ils sont des petits anges, qu'ils sont merveilleux du simple fait qu'ils sont en vie, et ils le croient. Et ils vont dans le monde et s'attendent à ce que tout un chacun s'incline devant eux. C'est dangereux, Pandora. Cette façon de penser qu'ils sont la huitième merveille du monde, ça les rend stupides et ça fait d'eux des proies.

Fletcher avait la gorge nouée par l'émotion, mais il y avait aussi de la colère dans ses propos, et celle-ci était dirigée contre moi.

— Nous sommes complètement d'accord en ce qui concerne notre fils, c'est pourquoi je ne comprends pas que tu persistes à te comporter comme s'il y avait matière à nous disputer.

— Il n'a pas pêché tout ça sur Facebook, en regardant *L'Incroyable Famille Kardashian* ou encore en écoutant ses profs. C'est toi, et ton frère. Vous vous moquez de Travis, mais uniquement pour rappeler au passage à tout le monde que votre père était une star de la télé. C'est l'héritage sur lequel compte Tanner, et c'est pire encore que de l'argent. Même si après toutes ces couvertures de magazine que tu as faites, il s'imagine probablement que tu lui refileras un gros paquet tôt ou tard.

— Je ne lui ai jamais fait miroiter de trésor au bout de l'arc-en-ciel. Je n'ai jamais mis en avant le fait d'avoir grandi comme une « Appaloosa ». D'ailleurs, est-ce que je n'utilise pas le nom d'Halfdanarson ? En fait, j'ai plutôt cherché à cadrer les choses avec les enfants, en leur expliquant que la célébrité que j'avais désirée ou obtenue n'était pas le plus important, que c'était même plutôt quelque chose de déprimant.

— Ils ne t'ont pas crue.

Je comprenais son point de vue. Il était peine perdue de vouloir convaincre des personnes faibles et ignorantes – des enfants par exemple – qu'elles étaient mieux loties en étant faibles et ignorantes. Cela paraissait suspect, un subterfuge de la classe dirigeante pour consolider ses avantages. Pendant des années, Travis avait essayé de nous convaincre, enfants, que nous n'aimerions pas les avocats « visqueux » parce qu'il voulait tous les avocats mûrs pour lui.

— Je ne vois pas ce que je peux faire, ai-je déclaré.

— Je veux que mes gamins soient *solides*…

Pour une fois, Fletcher ne s'intéressait pas aux détails pratiques.

— Je ne veux pas qu'ils pensent qu'il existe un raccourci facile. Je veux des enfants que plus personne n'a aujourd'hui. Qui tiennent bon, font leur part, et n'attendent pas de piston ni de coup de main. Mais ton frère a bourré la tête des miens avec toutes ses conneries. Sur l'obligation de « faire honneur » à son talent, sur sa philosophie de la vie, sur son insouciance par rapport à des choses aussi triviales qu'un diplôme de fin de cursus secondaire, a fortiori un diplôme universitaire. À ton avis, qui a donné à Tanner l'idée de laisser tomber le lycée ? Ton gros lard de frère lui aussi a lâché l'école à dix-sept ans.

— En ce moment, Edison est un bien meilleur modèle pour nos enfants que nous deux. Il ne prend aucun « raccourci ». Il n'a pas choisi le by-pass ni la liposuccion. Il se prive de repas, jour après jour, depuis des mois, et c'est exactement la sorte de labeur et d'humilité que tu encourages.

— Non, je ne marche pas. Faire quelque chose d'aussi stupide que prendre des dizaines et des dizaines de kilos puis les perdre. Tu parles d'un comportement constructif ! C'est comme transporter un tas de briques à un bout du jardin et les rapporter ensuite au point d'origine.

— Que tu le veuilles ou non, Cody est admirative.

— Cody a la grippe, et sa mère n'est pas là pour s'occuper d'elle. Une mère que je pensais lui avoir trouvée il y a sept ans, mais apparemment non puisqu'il semble que je n'aie fait venir chez nous, et seulement pendant un temps, que la *sœur* d'un bon à rien.

J'ai fini mon thé. Tout ça ne menait à rien. Nous ne faisions que tourner en rond : tu nous as trahie, ta loyauté devrait aller en premier à ta famille, pourquoi ton frère a-t-il autant d'importance, c'est seulement temporaire mais Edison a besoin de moi. Pourquoi repasser le même disque rayé ?

J'ai promis à Fletcher de l'avertir si Tanner me contactait, non sans lui faire remarquer que faute d'un signe de notre fils nous ne pouvions rien faire. Cette entrevue n'avait pas vraiment fait avancer les choses, mais Fletcher n'était pas venu pour me demander si j'avais une idée de l'endroit où se trouvait Tanner. Il m'avait donné rendez-vous dans ce café parce qu'il cherchait quelqu'un à blâmer. Et en un sens, je n'étais pas certaine qu'il avait tort.

*

— Quand tu as dix-sept ans, ça ne s'appelle pas « faire une fugue », a déclaré Edison en lavant la salade. Ça s'appelle « quitter la maison ». C'est aussi ce que les flics te diraient. Tan n'a pas fait de fugue : il est parti. Avec un père comme le sien, ça tient du miracle qu'il n'ait pas pris la tangente il y a des années.

— C'est un ado de dix-sept ans, et Fletcher a raison, ai-je répliqué. Dès qu'il sera à court d'argent, il deviendra la proie du premier pervers qui passe.

— Il se mettra vite au parfum. Mon petit doigt me dit qu'en un rien de temps une nana un peu plus âgée le prendra sous son aile et subviendra à ses besoins.

— Mais il n'a pas la moindre idée de la dureté…

— *Ce n'est pas ton boulot* – Edison m'a poussée de son doigt mouillé – tu n'as pas à anticiper la déception à sa place, pigé ? Fletcher de malheur et toi en faites des tonnes pour souligner à quel point « le monde » est vaste et terrible. Peut-être. Mais dans ce cas, c'est son boulot, au monde, d'être vaste et terrible, pas le tien. Vous n'arrêtez pas de vouloir enfoncer dans le crâne de Tan qu'il court droit à l'échec, qu'il a zéro chance. Qu'il doit se montrer « réaliste ». Tu penses peut-être que tu le protèges, mais tu l'insultes. Crois-moi sur parole, c'est la façon dont il voit les choses : tu l'écrases.

— C'est pour le protéger, et m'assurer au moins qu'il décroche son diplôme à la fin du lycée.

— Pour quoi faire, selon les critères de Tanner ? Et

puis, c'est sans doute ton côté maternel qui s'exprime, et tu crois peut-être sincèrement vouloir ce qui est le mieux pour lui, mais Fletcher de malheur, *man*, tout ce qu'il veut, c'est que ses gosses lui obéissent. C'est qu'un connard autoritaire, et ça me troue le cul ce que tu as bien pu lui trouver.

J'étais moins inquiète du vocabulaire d'Edison que de son choix des temps.

— Fletcher Feuerbach est un homme honnête, loyal, attentionné, et, même si tu ne t'en rends pas compte, gentil.

— « Gentil » ! Il serait grand temps que tu te rendes compte que Tanner et Cody ne sont pas les seuls qu'il a envie de contrôler.

— Il ne me contrôle pas. Il ne voulait pas que j'emménage avec toi, et je l'ai fait.

— Est-ce qu'il t'a facilité les choses ? Est-ce qu'il t'a témoigné son soutien ? Dans un projet dont tu as été la première à dire que ce serait le plus difficile de notre vie ?

Je ne me suis pas donné la peine de répondre.

— Comme tu voudras...

D'un coup de fendoir, il a tranché une cuisse de poulet.

— Affaire classée.

*

— Eeee-di-SON !

Cody et mon frère ont échangé un high-five. Elle avait laissé tomber l'appellation « oncle » depuis des mois, lui préférant l'accentuation rythmée avec laquelle des foules impatientes réclament l'entrée en scène de stars du rock. Elle a appuyé son vélo contre les nôtres dans l'entrée, un vélo jusque-là laissé à l'abandon mais qu'elle avait repris depuis qu'il était devenu évident, après qu'Edison et moi nous étions mis à en faire, que son père n'avait pas annexé personnellement ce moyen de transport efficace. Elle semblait un peu patraque, et j'ai reconnu les symptômes de mélancolie et de léthargie d'une affection dont j'avais souffert au même âge.

— Si quelqu'un demande… (Elle a posé son sac à dos sur le passe-plat.) … je ne suis pas venue. J'ai dit à papa que j'allais travailler chez Hazel et que je resterais dîner chez elle.

— Tu ne devrais pas mentir, ai-je répondu.

— Maman, ça ne vaut pas le coup. Papa se met dans tous ses états quand il sait que je viens vous voir. Il a surnommé cet appartement le « club-house ». Il arrête pas de parler et s'agite dans tous les sens…

Elle a fait une démonstration, croisement entre Charlie Chaplin et le monstre de Frankenstein. Nous avons éclaté de rire.

— Tu sais que tu peux inviter ton père à t'accompagner, ai-je déclaré.

— S'il le fait, ça sera avec un bidon d'essence et une allumette. Et alors, au secours, *man* !

Le penchant récent de sa fille pour les *man*, *jive* et autres *yo* devait rendre Fletcher complètement dingue.

— Et depuis que Tanner est parti, c'est encore pire. J'ai l'impression de trahir papa. Et j'ai horreur de le laisser tout seul. Avec son riz brun dégueu et ses brocolis à peine cuits. C'est la *lose* totale.

— *Yo*, c'est pas ta faute s'il sait pas faire la cuisine, a répliqué Edison en hachant des poivrons verts.

Au menu de ce soir, filets de cabillaud avec sa tapenade d'olives, de câpres et d'aubergines, l'une des spécialités de mon frère. Je n'avais pas la moindre idée de comment il pouvait cuisiner sans rien goûter.

Cody s'est laissée tomber dans un fauteuil.

— Vous n'imaginez pas le soulagement de s'asseoir sur un siège qui ne soit pas une sorte d'*œuvre d'art*. Ce n'est pas que les meubles de papa soient totalement inconfortables, mais dès qu'on se met dedans, il nous guette, pour s'assurer qu'on ne pose pas un verre mouillé sur le bras ou ses chaussures sur le bois. Rien qu'à m'y installer, ça me file des crises d'angoisse. La moitié du temps, ça me tape sur le système, alors je m'assois par terre, pigé ?

— Tu m'en diras tant, a renchéri Edison, en sortant du four une aubergine roussie.

— Tu sais qu'il a fini par réparer le Boomerang, a ajouté Cody.

— Vive la superglue ! a raillé Edison.

— Pas tout à fait, a corrigé Cody. Mais je ne vois vraiment pas pourquoi il en a fait tout un plat. J'imagine que le fauteuil a foncé avec les années, et que le nouveau bois n'est pas de la même couleur. Papa n'arrête pas de passer sa main sur la barre et de plisser les yeux, ou d'examiner les endroits minuscules où les pièces ne sont pas complètement raccord, à cent pour cent, pile poil.

— Ton père est un perfectionniste, tu le sais, ai-je répondu en mettant la table.

Pendant ma période Dégueulis, ce qui m'avait manqué le plus n'était pas la nourriture, mais l'événement qu'elle représentait, toutes les activités autour, comme ranger les courses et plier les serviettes. Maintenant, j'adorais mettre la table.

— J'imagine que c'est un compliment, a poursuivi Cody. Mais en quoi est-ce si bien d'être perfectionniste ? On n'est jamais heureux. On travaille comme un dingue, et on n'est jamais content de ce qu'on fait.

Depuis qu'elle prenait des cours avec Edison, Cody était devenue plus blasée, plus dure en apparence, mais elle n'avait pas non plus complètement changé, et elle s'est reprise.

— En tout cas, le principal, c'est que le Boomerang soit

réparé, pas vrai, Edison ? Tu ne l'as pas bousillé. Enfin, la personne qui pensait l'avoir bousillé ne l'a pas fait.

Edison avait là l'occasion parfaite de reconnaître sa responsabilité une fois pour toutes, mais Cody n'était pas la seule à ne pas avoir complètement changé.

— Les fois où tu as dit à ton père que tu venais ici, ai-je demandé, qu'est-ce que tu lui as raconté en rentrant ? Sur la façon dont ça s'était passé ?

Elle a détourné les yeux.

— Je ne sais pas trop. J'imagine que je lui ai dit que c'était déprimant.

— Ce qui est exactement la façon dont tu décris ce qui se passe à la maison.

— Mais je ne pense pas vraiment que ce soit déprimant ici. Au contraire, pour moi, c'est chouette. Je deviens meilleure en improvisation, et on joue à Fictionary quand Oliver est là…

— Tu le dis à ton père, quand Oliver est là ?

— Euh…, a-t-elle répondu d'un air sombre. En général, non. J'évite.

— Est-ce que tu racontes à ton père qu'on joue au Boggle, au Monopoly, et qu'on va se promener ? Qu'on lit à voix haute les pièces de Tennessee Williams et qu'on s'entraîne à parler avec l'accent du Sud ? Ou qu'on a fait ce gros bonhomme de neige dans le jardin en février ? On voulait qu'il ressemble à Edison avant son régime, et on lui avait mis des vêtements d'Edison devenus trop grands. C'était à mourir de rire.

— Même en Iowa, j'ai cru qu'on allait être à court de neige ! a crié Edison depuis la cuisine.

— Bien sûr que non ! a répondu Cody, impatiente. Je lui dis simplement qu'on regarde la télé ensemble. C'est ce qu'il veut entendre, alors c'est ce que je lui raconte, tu piges ?

— Oui, je *pige*, ai-je répondu. Mais tu ne devrais pas

avoir à cacher que tu passes un bon moment ici, et tu ne devrais pas penser non plus que tu es obligée de nous dire que ton père est malheureux. Ce n'est pas juste pour toi.

— Qui parle de justice ? J'essaie simplement de gérer la situation. C'est comme cette série débile dans laquelle jouait grand-père. Les gamins ne disaient jamais la vérité, à aucun de leurs parents. De toute façon, tu parles d'un scoop, puisque les gamins ne disent pas la vérité à leurs parents même quand ceux-ci sont ensemble.

— Fletcher et moi *sommes* ensemble, ai-je rectifié d'un ton brusque.

— Ouais, c'est ça.

Alors que nous prenions place autour de la table pour dîner, je me suis souvenue d'un vieil épisode de cette « série débile » dans lequel Caleb, Maple et Teensy sont de mèche pour décrire à leur père avec moult détails la vie prétendument déprimante de leur mère et à leur mère la vie tout aussi déprimante de leur père, alors qu'en fait les deux parents divorcés nagent dans le bonheur. Pris d'un élan de pitié mutuelle, les parents se donnent rendez-vous et comparent leurs versions, mais seulement après une conversation téléphonique des plus comiques où chacun se méprend sur l'état de l'autre.

Edison a fait le service, vêtu d'un tablier de chef qu'il pouvait maintenant croiser dans le dos et nouer devant – exploit qu'il n'était en mesure de réaliser que depuis la semaine précédente. Le poisson était garni de brins de romarin, le couscous complet agrémenté de noisettes grillées et d'oreillons d'abricots secs.

— Dis-moi, est-ce que ton frère te manque ? ai-je demandé à Cody.

C'était ce que personne ne m'avait demandé à l'époque.

— Oui, a-t-elle répondu sans trop s'avancer.

— Et... vous êtes en contact ?

Elle a cherché à s'en tirer par un haussement d'épaules.

— La gamine va pas donner son frère, a lancé Edison en s'asseyant avec son Degueulis et une paille ; chocolat malté, à ce que j'ai pu en juger.

— Je ne lui demande pas de trahir son frère. Ça me rassurerait de savoir qu'il va bien.

— J'ai l'intuition que c'est le cas, a-t-elle répondu.

— Quand Edison s'est enfui à New York au même âge, ai-je expliqué, notre père m'avait mis une vraie pression pour que je lui dise où il était parti.

— Sauf que l'*inquiétude* n'était pas la motivation principale de Travis, a rectifié Edison. Il voulait la confirmation que je m'étais planté en beauté. Sur ce point, Fletcher de malheur et lui se ressemblent.

— Et tu le lui as dit ? m'a demandé Cody.

J'ai envisagé de répondre par un petit mensonge. Si Cody vendait la mèche, je marquerais quelques points auprès de Fletcher, à son corps défendant.

— J'ai dit que je n'avais pas la moindre idée de l'endroit où il se trouvait, qu'il ne m'avait rien dit avant de partir, et qu'il ne m'avait pas contactée non plus.

— Je n'ai pas la moindre idée de l'endroit où se trouve Tanner, a récité Cody, il ne m'a rien dit, et il ne m'a pas contactée non plus.

— Ça, c'est la petite sœur que j'aime ! s'est exclamé Edison.

— Oui, on est toutes pareilles, ai-je répondu. On vous couvre, on ment pour vous, on prend à votre place. On vous arrange le coup et on calme les parents pour vous. Notre adoration ne connaît pas de limites, que vous la méritiez ou non, et jamais nos vies ne nous paraîtront aussi intéressantes que la vôtre. On récupère les miettes que vous voulez bien nous laisser, les rares fois où vous remarquez notre présence.

Edison a montré le dîner.

— Pas trop mauvaises, les miettes !

Ma description lui avait plu. Le téléphone a sonné. J'ai décroché.

— Panda-monium ! Alors, ton frère n'est plus accro aux chips ?

— Il n'en a pas mangé depuis cinq mois, ai-je répondu. Il a perdu presque toutes ses rondeurs. Il est magnifique, il a le moral, et il fait de l'exercice tous les jours. Il travaille non-stop le piano, et il a retrouvé sa technique.

Moi non plus, je n'avais pas changé. Je restais le membre fondateur du Comité de défense d'Edison Appaloosa.

— C'est-y pas génial ! s'est exclamé Travis, comme toujours submergé par la joie en entendant de bonnes nouvelles de son seul et unique fils. Mais dis-moi ce que tu penses de ça : un prof de chimie de lycée, un pauvre type dominé par sa femme, qui plus est atteint de cancer, devient un gros caïd de la drogue. Tu trouves que c'est un point de départ plausible ? Ce crétin de Walter White n'est qu'un loser, un peureux. Je marche pas. Cette merde n'aura pas de deuxième saison.

Je n'avais pas la moindre idée de ce dont il me parlait.

— Qu'est-ce qui nous vaut l'honneur de cet appel ? Si tu décrochais ton téléphone toutes les fois que tu es furieux à cause des programmes télé, on aurait de tes nouvelles tous les jours.

— Je suis tombé sur un truc qui t'appartient, que tu as *égaré*, a déclaré Travis en en rajoutant. Ce qui ne me paraît pas très prudent. Je croyais t'avoir appris à ramasser tes affaires.

Avec Edison dans la pièce, j'avais plus de courage pour faire face à mon père.

— Quelle façon de parler de ton petit-fils !

— Petit-fils *par alliance*.

Dans ma famille, tous s'autorisaient à utiliser ce suffixe de distanciation quand cela les arrangeait.

— Alors, il est chez toi ?

— Le gamin s'en est remis à mon bon vouloir et à mon hospitalité. Je n'allais quand même pas le foutre dehors ? Mais je dois dire que pour un gosse qui n'a plus de toit sur la tête, il ne se prend pas pour de la merde. Je ne sais pas trop quelle éducation moderne tu lui as donnée, mais il a vraiment une haute opinion de lui. Quelque chose comme « S'il vous plaît, monsieur, je peux en avoir encore ? »

— Je parie qu'à son âge toi aussi tu te resservais. Est-ce qu'il va bien ?

— Il est en un seul morceau. Il veut devenir mon apprenti, apprendre les ficelles du métier de la télé. Le problème, c'est que les mentors de mon envergure facturent des honoraires astronomiques, mais mon nouveau pensionnaire s'attend à une ristourne.

J'imaginais bien la scène : quand Tanner s'était échoué sur le seuil de chez Travis – un beau jeune homme, fort commodément rompu au folklore *appaloosien* –, mon père avait été flatté, raison pour laquelle il n'avait soufflé mot de sa présence de toute la semaine dernière. Miraculeusement, Dieu avait fini par offrir à cette icône méconnue de la télévision d'avant-garde un vrai fan, de chair et de sang. Malheureusement, ce nouveau pensionnaire étant un adolescent, il ne faisait pas les courses, ne rangeait pas derrière lui, ne se précipitait pas pour payer les plats à emporter ni ne lavait ses vêtements, bien que, un peu manipulateur sur les bords et n'ayant sous la main aucune autre vache à lait en Californie, il ait probablement fait preuve d'une bonne dose d'obséquiosité à l'égard de son grand-père, en lieu et place du loyer.

En règle générale, parler à mon père provoquait chez moi de la catatonie, mais pour une fois je réfléchissais, bien en appui sur mes deux pieds.

— Tu n'as qu'à lui demander de gagner son écot. Tu as toujours voulu écrire tes mémoires. Fais-lui trier tes

338

papiers. Toutes les vieilles lettres de tes fans – je *sais* que tu les as toutes gardées. Fais-le travailler sur tes scripts, puisqu'il n'arrête pas de dire qu'il veut en écrire. Il pourrait aussi mettre à jour ton site web, ajouter des liens.

— C'est peut-être une idée…

L'éventualité que sa cadette ennuyeuse et fade puisse lui donner ne serait-ce qu'un début d'idée était fort peu probable.

— Mais même si je lui fais trier tous ces cartons à la cave, j'explose mes dépenses, avec lui. Jusqu'à présent, les seuls bénéficiaires de l'arrivée de ton beau-fils ont été Taco Bell et In-N-Out Burger. En ce moment, je mets en vente sur eBay des accessoires super, des souvenirs de première main concernant *GA*, mais jusqu'à présent les enchères des collectionneurs sont minables.

(J'ai traduit : il n'avait rien vendu.)

— Bon sang, a-t-il repris, si l'économie est tellement faible qu'on ne s'arrache pas à prix fort des objets aussi précieux que les partitions de Caleb Fields, à ta place, je me ferais du souci pour ton petit business de poupées…

— Je vais t'envoyer un chèque, l'ai-je interrompu. Mais en échange d'une faveur : passe-moi mon fils.

Si le long silence qui a suivi ne suffisait pas, le « Allô ? » de Tanner a fini de lever toute ambiguïté : il avait été forcé de me parler.

— Écoute, lui ai-je dit. Je veux vraiment que tu t'appliques. Ton grand-père est peut-être un peu hors circuit, mais il connaît vraiment bien la télé, de l'intérieur. Il pourrait t'apprendre plein de choses. Alors, ne perds pas ton temps à faire la grasse matinée et à arpenter les rues en espérant apercevoir Tom Hanks. Si tu veux vraiment faire ce métier, fais les choses sérieusement. Apprends-en les ficelles. Rencontre les gens qu'il connaît. Fais ce qu'il te demande, d'accord ? Il a besoin d'un super-assistant pour ses mémoires, de quelqu'un qui va devoir classer ses dossiers, peut-être interviewer les producteurs et les autres acteurs de *Garde alternée*. Vois ça comme un stage. Et n'oublie pas que les stagiaires bossent dur, et font beaucoup d'heures, pour pas un rond. Ton salaire, c'est l'expérience. Tu comprends ?

— Euh… ouais, bien sûr. Mais qu'est-ce que tu crois, c'est ce que je pensais faire… Sinon, et papa ?

— Sa première réaction sera de grimper dans son pick-up pour te reconduire de force à New Holland. Je vais faire ce que je peux pour le ramener à de meilleurs sentiments. Car j'imagine que s'il te forçait à rentrer, tu repartirais à la première occasion ?

— Tu m'étonnes !

Son intonation convaincue ne laissait pas de place au doute.

— On t'aime tous les deux ; on comprend tous les deux qu'il s'agit de ta vie, de faire ce dont tu as envie, et tous les deux on souhaite que tu sois heureux. Et on veut aussi que tu réussisses, quelle que soit la voie que tu choisisses, même si tu as un peu de mal à le croire en ce moment. Je suis extrêmement soulagée de savoir que tu vas bien. Souviens-toi que tu peux toujours appeler ici, si tu as des questions, ou simplement pour parler. Et si tu décides que la Californie, après tout, ce n'est pas pour toi, il n'y a aucun problème, tu peux toujours revenir. Mais j'imagine que tu n'en as pas l'intention ?

— Il manquerait plus que ça !

— C'est bien ce que je pensais. Bon, maintenant embrasse grand-père pour moi, et file bosser.

Quand je suis retournée à mon poisson froid, Edison et Cody me regardaient, médusés.

— Tu n'as pas essayé de le convaincre de revenir, a déclaré Cody.

— En effet.

— Tu ne lui as pas fait non plus la leçon sur l'importance de terminer le lycée, a-t-elle repris. Tu ne lui as rien dit sur le fait de « rejoindre la classe des esclaves », comme l'appelle Oliver.

— Effectivement ! me suis-je exclamée d'un ton joyeux. Même si, manifestement, c'est ce à quoi il s'attendait.

J'ai tartiné de tapenade un morceau de poisson.

— Edison, imagine ça : Travis a mis en vente sur *eBay* les partitions de Caleb Fields.

— Que ce connard de Sinclair Vanpelt ne savait même pas lire, a ajouté Edison.

— C'est ça qui me tue, ai-je renchéri. Après ton départ pour New York, Travis a converti ton ancienne chambre en home cinéma, tu te souviens ?

— Et pourquoi est-ce que Travis voulait un home cinéma ? a demandé d'un ton ironique Edison à Cody.

Elle n'a pas eu besoin de réfléchir longtemps.

— Pour regarder les rediffusions de *Garde alternée*.

— Bonne réponse ! s'est exclamé Edison.

— Il a donc jeté toutes *tes* affaires à la poubelle, lui ai-je rappelé. Y compris les partitions appartenant à une *vraie* personne qui accessoirement est son *fils* et qui *sait* vraiment jouer du piano. Alors qu'il a conservé pendant trente ans les partitions d'un pseudo-fils doté d'un pseudo-talent. Mon Dieu, Edison, ce n'est pas étonnant que tu aies tout foiré.

— *Au contraire*, sœurette, compte tenu des circonstances, je dirais plutôt que je suis drôlement équilibré.

J'ai pris une noisette dans le couscous.

— Au moins, Cody, tu es tirée d'affaire. *Dixit* grand-père. Toutes les relations intergénérationnelles sont traîtresses par nature.

Elle y a réfléchi.

— Alors, ça veut dire que je ne peux pas non plus te faire confiance ?

— Tout juste.

— Pourquoi est-ce que tu n'as pas pris la tête à Tan pour qu'il rentre ? a demandé, perplexe, Edison. Je croyais qu'il n'était « qu'un ado de dix-sept ans », pas prêt pour le prime time ?

— C'est toi qui m'as mise en garde contre le fait d'« anticiper la déception » à l'égard de mes enfants, ai-je répondu. Et puis, réfléchis : si Tanner commence à fouiller dans cette cave, il va exhumer des scripts qui étaient tout juste médiocres à l'époque et qui, avec le recul, sont affligeants. Les lettres de fan d'alors seront des lettres écrites au crayon de couleur par des gamines de onze ans. Et Tanner ne manquera pas de tomber non plus sur des restes de dizaines de projets avortés datant d'après la série – comme ce prototype débile de maison écolo, sur le modèle du bungalow d'Emory, pour la commercialisation duquel Travis n'a jamais trouvé de financement. Et puis, il y a les vidéos et les DVD de ces pubs horribles qui passaient à 3 heures du matin sur Nick at Nite – des plumeaux électromagnétiques à 9,99 dollars, des bouchons pour cannettes de soda, sans oublier les « enfile-chaussettes » pour quand tu es trop vieux et trop gros pour mettre tout seul tes chaussettes, avec deux pinces de préhension gratuites, *mais seulement si vous commandez maintenant* ! Sans compter qu'il devra écouter Travis fulminer à longueur de temps sur William Shatner, qu'il déteste. On ne fait pas mieux, comme mise en garde ! Ce n'est pas contre ton frère, Cody, mais Tanner et Travis se méritent l'un l'autre.

8

COMME JE REDOUTAIS UNE AUTRE JOUTE AU JAVA JOINT, début juin, j'ai proposé une promenade à vélo en guise de rencontre maritale. Fletcher pourrait distiller ses conseils condescendants sur la réparation des vélos, même si le voir piétiner dans ses chaussures de cyclisme à clip, les pieds en dedans, n'avait rien de très sexy. Je m'étais excusée par avance du fait que je n'irais pas vite, espérant ainsi parer à toute compétition.

Qu'est-ce qui m'avait pris ? Comment avais-je pu être aussi stupide ?

L'éternel dilemme entre le marteau et l'enclume, j'imagine. Nous avions eu un printemps extrêmement pluvieux, et je détestais devoir laisser mon frère seul en ce qui promettait d'être, pour la première fois depuis des semaines, un dimanche ensoleillé et doux. Désireux de protéger notre cachette et un peu perdu dès qu'il était hors de son élément – à savoir tout ce qui n'avait pas trait au milieu du jazz –, Edison n'avait jamais amené personne à la maison ; son régime était antisocial. À ce moment-là, mon frère approchait l'anniversaire de ses six mois de Dégueulis, et il s'alimentait depuis bien trop longtemps avec seulement quatre sachets de poudre protéinée. Entre l'exercice et l'allègement induit par le fait de ne plus avoir à traîner son poids mort comme un cadavre, il avait semblé robuste au début du printemps, mais cette force retrouvée n'avait pas duré. Sa respiration était devenue courte. Au piano, ses mains commençaient à trembler. Il avait tellement de mal à se concentrer qu'il lui arrivait parfois, au travail, de piquer la couture sur le côté extérieur du tissu. Quand nous rentrions à vélo de Baby Monotonous, je devais jouer des freins pour éviter de le distancer. Peut-être espérais-je lui prouver qu'il était impensable de poursuivre cette diète liquide qui l'épuisait. Sans compter que j'étais probablement aussi influencée par la préoccupation principale qu'avait eue cette cruche de Maple Fields : pourquoi est-ce que nous n'arrivons pas à nous entendre ?

Pour résumer, disons que, de façon stupide, j'ai demandé à Edison s'il voulait nous accompagner pour cette promenade à vélo. Il a sauté sur l'occasion – graisser les chaînes, gonfler les pneus, filer chez Hy-Vee pour acheter de quoi préparer un pique-nique. Si j'avais prévenu Fletcher que j'aurais mon frère dans ma roue, mon mari aurait peut-être refusé, auquel cas j'aurais dû *dés*inviter Edison, pire encore que si je ne lui avais pas proposé de venir… Au moins, arriver avec « vous savez qui » mettait Fletcher devant le fait accompli.

Ce matin-là, Edison pesait cent trois kilos sept cents, soit cent grammes de moins seulement que la veille. L'irrégularité des progrès lui était suffisamment familière pour qu'il parvienne en général à gérer ces petites déceptions temporaires, mais cette fois-ci il a explosé.

— Ras-le-cul, *man* ! Ça me prend vraiment la tête.

J'ai montré du doigt la photo de famille prise le jour de mon anniversaire, accrochée à côté de la balance pour fournir un point de comparaison.

— La différence est stupéfiante. Ne t'arrête pas à ces petites contrariétés.

Pour se préparer, il s'est changé trois fois. Il a fini par

arriver, vêtu d'un bermuda treillis, d'une chemisette en soie artificielle et de Nike d'un blanc immaculé, complétés par des lunettes de soleil clinquantes. Je le voyais tous les jours dans un kimono miteux volé il y a des années dans un hôtel de Tokyo : ce n'est donc pas pour moi qu'il faisait des efforts vestimentaires.

— Tu vas faire une promenade à vélo, ai-je commenté, tu n'assistes pas à un mariage. Prépare les sacoches, ou on va être en retard.

Naturellement, Fletcher était appuyé contre la clôture quand nous sommes arrivés.

Mon mari n'avait pas revu Edison Appaloosa depuis notre départ joyeux de Solomon Drive – quand, la fleur au fusil, nous nous étions lancés dans notre improbable quête, comme si nous avions en tête de conquérir le pôle Sud en coupe-vent et chapeau de paille. Je l'avais régulièrement informé de l'amaigrissement de mon frère, mais les nombres sont abstraits, et Fletcher avait probablement cru que j'exagérais. À cent trois kilos quatre cents, Edison était costaud, mais au café personne ne s'agitait pour lui trouver une chaise XXL. Selon les critères américains d'aujourd'hui, il était bel homme, ce que soudain je ne pus m'empêcher de trouver regrettable.

Edison a tendu la main par-dessus son guidon.

— *Yo*, ça fait un bail.

Fletcher a serré sa main, sans conviction.

— Alors comme ça, c'est un plan à trois ?

— C'est une si belle journée, ai-je répondu. Je me suis dit qu'on pourrait tous profiter du bon air.

Fletcher m'a regardée.

— Quel type de parcours tu as en tête ?

— Je ne sais pas… une trentaine de kilomètres ?

— J'en fais trente en moins d'une heure. Je croyais que tu voulais partir pour la journée.

— On n'est pas dans la même catégorie, ai-je répliqué. Entre quarante et cinquante, alors ? On pourra s'arrêter pour déjeuner dans un endroit, puis faire demi-tour. Edison nous a préparé un pique-nique.

— Génial, a grogné Fletcher. C'est bon, on peut y aller ? Quelqu'un a besoin d'aller aux toilettes ?

Il s'est mis en route pendant que je buvais une gorgée d'eau, et quand je l'ai rattrapé j'étais en nage. Même si le rythme était probablement plus lent que sa vitesse habituelle, je devais pédaler avec vigueur pour rester dans sa roue. L'effort et l'hyperventilation contrastaient avec la promenade de santé que je m'étais imaginée : nous trois, à pédaler ensemble, de front, en devisant de façon sympathique. On aurait fait des pauses, regardé les canards, fait des ricochets dans l'eau, offert notre visage au soleil… Mais Fletcher était en *randonnée*, et quand il partait en *randonnée* il ne faisait pas de pause.

La roue arrière de Fletcher a creusé un peu plus la distance. J'ai crié « Eh, attends ! », mais je doute qu'il ait entendu quoi que ce soit. C'est alors que j'ai regardé par-dessus mon épaule : Edison n'était nulle part. J'ai fait demi-tour. Je l'ai trouvé à environ trois kilomètres en arrière, son vélo appuyé contre un arbre, une cigarette aux lèvres.

Il a plissé les yeux pour voir la route.

— Où est Fletcher de malheur ?

— De l'autre côté du miroir, j'imagine…

— Qu'est-ce qu'il a à prouver ? Outre que c'est un connard ? C'est pas un scoop.

— S'il n'y avait eu que moi, il m'aurait peut-être attendue. Mais un autre mec… il faut qu'il en rajoute. T'es toujours d'attaque ?

— Oui, tant que c'est OK pour toi de m'attendre.

— Je te le promets, ai-je répondu, je t'attendrai.

Nous sommes remontés en selle et avons pédalé côte à côte.

— J'ai fait le calcul, l'autre jour, de ta perte de poids mensuelle, ai-je annoncé, les yeux sur la ligne blanche de la route. Je sais que tu l'as mémorisée, toi aussi : dix-sept kilos cinq cents, quinze kilos, onze kilos cinq cents, huit kilos cinq cents, sept kilos.

— Presque sept kilos cinq cents.

— Mais ce mois-ci, tu vas à peine en perdre six. La baisse s'explique seulement par le fait qu'en étant plus léger tu brûles moins d'énergie. Ton métabolisme fonctionne au ralenti. Tu brûles soi-disant trente calories par kilo de poids. Mais je n'arrive à ces résultats qu'en baissant ce nombre à vingt-huit, puis vingt-sept, vingt-six... En ce moment, tu t'es stabilisé autour de vingt.

— Mon corps croit qu'on l'affame.

— Il a compris que huit cent cinquante calories dans des petits sachets étaient tout ce qu'il allait avoir. Nous allons devoir donner un coup de fouet à ton organisme. Tu dois commencer à te faire à l'idée d'un retour à la nourriture solide.

— Les Dégueulis ne marchent peut-être pas aussi bien qu'avant, mais ils continuent de marcher, sœurette.

— C'est dangereux, ai-je protesté faiblement.

Il ne s'agissait là que des préliminaires de l'épreuve de force annoncée, et notre ton était cordial. Nous avons abordé d'autres sujets : par exemple la conviction qu'avait Edison qu'Oliver était « complètement accro » à moi, une conviction qu'il savourait, et mon aveu que si mon meilleur ami venait à se marier j'en éprouverais une jalousie indécente. Puis Edison a décrit Tanner remontant de la cave de Travis à la manière de ce gamin dans *Sweeney Todd* surgissant des entrailles de l'usine à gâteaux de Mrs. Lovett, les cheveux blanchis par l'effroi, et j'ai éclaté de rire. C'était bien la promenade conviviale, en roue libre, le long de la rivière que j'avais espérée, avec toutefois un petit bémol en ce qui concernait les participants.

— Si nous retrouvons Fletcher, ai-je conseillé à Edison, ne parle pas du fils prodigue. Je ne peux imaginer personne plus réfractaire que Fletcher au rêve californien, et en ce qui le concerne, c'est comme si Tanner avait été enlevé par des extraterrestres. J'ai réussi à le dissuader d'aller le récupérer, mais le sujet reste sensible.

La route s'est éloignée de la rivière, et, contrairement à une idée répandue, l'Iowa n'est pas totalement plat. Pour grimper une colline très pentue, nous sommes descendus de vélo. Ce qui n'a pas dû redorer notre blason de cyclistes auprès de Fletcher, qui faisait des arcs de cercle en haut de la côte.

— J'étais sur le point de vous demander pourquoi vous aviez mis aussi longtemps, a-t-il déclaré, mais je comprends mieux maintenant.

— On n'est pas pressés, ai-je dit d'un ton désinvolte. Tu crois que tu pourrais lâcher tes pédales ? L'endroit est joli, et j'ai besoin de me reposer.

Avec beaucoup d'élégance, Fletcher est descendu de vélo. Pas d'étreinte, pas de baiser sur la joue. Il ne m'avait pas touchée de la journée.

— Alors, on est à combien de kilomètres, *man* ? a demandé Edison, une lueur de triomphe dans les yeux. On ne doit pas être loin des soixante kilomètres.

— Mon compteur en indique vingt-sept, a répliqué Fletcher d'un air dédaigneux.

Edison savait pertinemment que nous n'avions pas parcouru soixante kilomètres.

J'ai étendu une couverture sous un arbre pendant qu'Edison fumait. La cigarette aurait dû déclencher une réaction de dégoût chez Fletcher, mais mon mari en revanche n'aurait rien pu trouver à redire au contenu de nos récipients en plastique : crevettes avec une vinaigrette au yaourt allégé, au jus de citron et à la ciboulette ; tomates cerises à la menthe, avec un tout petit filet d'huile, qu'Edison avait fait cuire à feu doux. Salade d'algues au hijiki et aux graines de sésame. Pour le dessert, des myrtilles de saison regorgeant d'antioxydants. Notre festin respectait à la lettre le catéchisme diététique de Fletcher, et en réaction, mon mari a mordu avec une ardeur vengeresse dans sa pâte d'abricot séchée. Edison ne se gênait pas pour traiter Fletcher de tyran. Mais il arrive parfois que, pour rendre un tyran furieux, le mieux soit encore de lui obéir.

— Je n'ai pas très faim, a déclaré Fletcher.

— Pour changer, a commenté Edison.

— Quant à moi, je meurs de faim, ai-je affirmé, en posant des assiettes en papier sur les serviettes. Et au fait, Edison, il existe un nouveau parfum pour le Dégueulis ! Cerise-chocolat. Comme le parfum Cherry Garcia des glaces.

Edison a accepté la thermos, faisant tourner le breuvage comme du bon vin.

— Attends ! J'ai apporté ton verre préféré.

Je l'ai déballé – c'était un grand verre à soda à facettes –, puis l'ai essuyé avec un torchon.

— Tu as emporté un *verre* pour une randonnée à vélo ? a demandé Fletcher, debout, à l'écart.

Edison y a versé un peu de sa boisson, avant de le lever.

— Tout est dans la présentation, pigé ?

Il a inséré un CD dans un lecteur portable, et Fletcher a fait la grimace. Mon mari ne devait pas avoir écouté de jazz depuis six mois maintenant, mais cela ne semblait pas lui avoir manqué.

— Ne me dis rien, ai-je lancé à mon frère, en détournant les yeux de la jaquette du CD. … Sonny ?

— Ouais, mais c'est trop fastoche, a répondu Edison. Dis-moi plutôt qui est à la batterie ?

J'ai froncé les sourcils.

— Philly Joe ? Non, attends ! Max Roach.

— Pas mal, sœurette. Dis-moi maintenant quel est l'air sur lequel Sonny fait un riff ?

Pour m'aider, Edison a fredonné les premières de chaque phrase de quatre mesures.

— « Sweet Georgia Brown » !

— Je ne l'aurais pas reconnu, a admis Fletcher.

J'ai commencé à chanter sur la musique.

— *No gal made, has got a shade on SWEET Georgia Brown !*

En toute franchise, je ne cherchais nullement à aggraver la situation. J'essayais de nourrir l'illusion que je passais un moment insouciant et joyeux avec deux des personnes que j'aimais le plus. Pour l'amour du ciel, c'était un pique-nique !

— Pourquoi vous autres ne jouez jamais de chansons ? a demandé Fletcher. À croire que vous êtes au-dessus de ça.

— « Nous autres » ? a répété Edison. On est au-dessus et en dessous des chansons, *man*. C'est une danse. Une cour. Une histoire d'amour.

— Non, c'est comme si vous valiez mieux qu'un air, que tous les airs. Comme si vous ne croyiez pas en l'idée même d'un air de musique. Et après, vous vous demandez pourquoi aucune personne normale n'écoute plus vos trucs. Quelle sorte de musicien ne croit pas dans les chansons ?

— Pourquoi tu ne fais pas des chaises ordinaires ? a riposté Edison.

— Tu devrais lui expliquer, ai-je tenté. La façon dont les maisons de disques faisaient pression sur les musiciens de jazz pour qu'ils ne jouent pas de trop longues parties des mélodies originales, afin d'éviter de payer des droits d'auteur...

Serrant son frein avant, Fletcher n'écoutait pas.

Géométriquement parlant, je me sentais mal à l'aise. Edison s'était laissé tomber à côté de moi, le dos appuyé contre un arbre. Fletcher était là debout, tenant son vélo. J'ai envisagé de me relever pour aller le serrer dans mes bras, mais le geste aurait semblé artificiel. Même quand on est mariés, on ne peut pas toujours, physiquement, faire ce qu'on pense être nécessaire à un moment donné. Cela doit être possible ; la voie doit être ouverte. Ce n'était pas le cas.

Fletcher a dévoré des yeux la nourriture, mais il avait maintenu sa position – il n'avait pas faim –, et il ne voulait pas en démordre, refusant les bouchées que je lui tendais sur une fourchette en plastique. L'idée d'être la seule à manger me déplaisait, mais mon prétendu grand appétit faisait partie du jeu. J'étais déterminée à ce que cette expédition se déroule dans la bonne humeur, quoi qu'il m'en coûte.

Fletcher est revenu à la charge.

— Tu es en train de me dire que tu as préparé tout ça, sans même goûter une seule tomate cerise ?

— Ce serait une violation de notre serment de loyauté, ai-je déclaré. *Je jure de me détourner de la graisse...*

— *Qui ridiculise le tour de taille de l'Amérique*, a complété Edison.

— *Et du dégoût qu'elle symbolise...*

— *Une nation*, *mince*, avons-nous récité ensemble, *presque invisible*, *avec le malheur et l'autosuffisance pour tous.*

Edison et moi avons échangé un high-five.

Toujours debout, Fletcher nous avait écoutés patiemment, mais il n'a pas même esquissé un sourire.

— Alors comme ça, tu ne lèches jamais l'huile d'olive de tes doigts ? a-t-il insisté.

— Je ne mets pas plus mes doigts couverts d'huile dans ma bouche que je ne les fourre dans une prise, a rétorqué Edison avant de s'étirer. Quand je cuisine, je peux savoir si les crevettes sont cuites par une simple pression. Mais l'idée d'en manger une me révolte. Tout ce truc de jeûne, ça va chercher super loin. J'ai pigé pourquoi Gandhi avait arrêté de manger.

— De l'obèse au philosophe, a commenté Fletcher d'un ton sceptique en s'appuyant contre la barre de son vélo. C'est à se demander pourquoi Socrate et tous ces types se sont pris la tête. Plutôt que de se torturer pour trouver le sens de la vie, tout ce qu'ils avaient à faire, c'était de sauter le déjeuner.

— On est parfois un peu confus, ai-je déclaré, alors qu'à d'autres moments, on est aussi centrés qu'un laser. On a lu des dizaines de livres, certains d'une traite. Il est question de pureté… Même d'élévation…

— En d'autres termes, a résumé Fletcher, pince-sans-rire, il s'agit de s'affamer jusqu'à ce que le visage de Dieu vous apparaisse.

— Je n'ai jamais parlé de *Dieu*, ai-je protesté.

Fletcher n'a rien voulu lâcher.

— Bien sûr, je peux comprendre qu'il soit satisfaisant de perdre quelques kilos. Mais je n'irais pas jusqu'à affirmer qu'un régime à la mode ait quoi que ce soit à voir avec la *sagesse*.

Moi non plus, je ne voulais rien lâcher. J'ignorais quoi au juste, mais mon mari semblait décidé à nous retirer quelque chose – une chose que nous avions durement gagnée, pour laquelle nous avions fait des sacrifices, peut-être était-ce simplement un peu de *mérite*.

— La plupart des religions associent révélation et jeûne, ai-je répliqué. Quand Jésus a passé quarante jours dans le désert, il ne s'était pas préparé de sandwichs.

— *La faim est mon berger, je ne manque de rien*, a psal-modié Edison en se couchant. *Il me fait m'allonger avec de gros romans. Il me mène vers l'eau plate…*

— *Mon âme revit grâce aux repas sautés*, ai-je conti-nué allègrement, reconnaissante des quelques cours de catéchisme qu'on nous avait forcés à suivre avant que notre mère abandonne cette idée. *Il me conduit vers les chemins de la vertu par l'évitement du diabète de type 2.*

— *Si je traverse les ravins de la mort des Doritos*, a proclamé Edison, *je ne crains pas la prise de poids…*

— *Car le Dégueulis est avec moi. Mes laxatifs et mes tisanes à l'édulcorant me guident et me rassurent.*

Edison a froncé les sourcils.

— Un truc à propos d'une table… ?

— *Tu prépares pour moi la table*, ai-je complété.

— *Qui est mon ennemi !*

— *Tu répands sur mes doigts de l'huile d'olive, que je ne peux lécher*, ai-je poursuivi. *Ma coupe déborde de poudre de protéines parfum chocolat-cerise et d'enzymes essentiels.*

— *Grâce et bonheur m'accompagnent tous les jours de ma vie*, avons-nous récité ensemble. *J'habiterai la maison de…*

— … l'inanition ?

— … la privation ?

C'était malin, mais a posteriori j'aurais préféré avoir eu une autre idée. Sur un ton victorieux, je me suis écriée :

— Prague Porches !

— *J'habiterai la maison de Prague Porches*, avons-nous repris en chœur, *pour la durée de mes jours !*

Nous nous sommes écroulés de rire sur la couverture. Toute à ma joie de passer un vrai bon moment, et non plus de faire semblant, j'ai mis trop de temps à me rendre compte que non seulement Fletcher ne riait pas avec nous, mais qu'il avait blêmi.

Tout d'abord, j'ai cru qu'il était contrarié d'avoir été pris à son propre jeu et de nous voir détourner sa plaisanterie. Mais c'était pire, et plus profond sur le plan grammatical. Le problème n'était pas la plaisanterie, c'était le *nous*. Ce n'était pas le bon *nous*.

— Tu comptes rester *pour toujours* dans ton petit clubhouse ? m'a lancé Fletcher.

Puis il a enjambé son vélo et a passé son pied dans la pédale.

— Comme tu voudras.

J'ai bondi sur mes pieds, et il n'y avait rien d'artificiel dans ce geste.

— Je t'en prie, c'était une plaisanterie !

J'ai tendu la main vers lui.

— *Dieu*, *Prague Porches*, c'était pour rire !

— Ouais, j'ai bien vu que ça vous faisait rire. Je suis sûr que vous serez très heureux ensemble.

— Ne sois pas ridicule, chéri, c'est juste pour rire. On le fait tout le temps !

Mais peu importait ce que je disais : c'était *nous* ceci, *nous* cela, et mon mari n'était pas inclus dans ce pronom.

— Dès le début, je t'ai mis en garde contre ce projet farfelu.

Les mains sur le guidon, Fletcher a poursuivi sur ce ton hypercontrôlé qui me glaçait le sang :

— Tu quittes ton mari et sa famille pendant six mois – d'ailleurs tu m'as annoncé un *an*, après avoir fait tes calculs. Ce n'est pas sans conséquences. Je te l'ai dit : les sentiments changent. Et non sur la base d'une décision, mais par un effet de causalité. Comme le marteau sur une planche. Tu t'en souviens ?

— Oui, je m'en souviens.

Je sentais la panique me gagner. Tout s'emballait. Ce n'était qu'une balade à vélo, un pique-nique, et plus tard, je pourrais m'excuser et reconnaître que proposer à Edison de venir n'avait peut-être pas été la meilleure des idées. Nous pouvions en reparler, et je lui expliquerais comment, compte tenu du rôle de conciliatrice qui non seulement avait été le mien depuis ma naissance mais qui avait été doublement imprimé par Maple Fields, je n'avais eu de cesse que mon mari et mon frère concluent une trêve…

— Tu te sens proche de moi ? m'a demandé Fletcher de but en blanc.

S'il m'avait demandé si je l'aimais, j'aurais répondu sur-le-champ « bien sûr », et c'est sans doute pourquoi l'objet de sa question était autre.

— Parce que tes actes ne le montrent pas.

Mon hésitation avait été une réponse en soi.

— Certes, nous n'avons pas passé beaucoup de temps ensemble…

— C'est toi qui as choisi de ne pas passer de temps avec moi. Tu as choisi de passer un an – une année entière – avec ton frère plutôt qu'avec moi. Tu sais, arrivé à la quarantaine, les bonnes années, celles où on est en bonne santé, énergique… *il n'en reste pas tant que ça.*

— Ce ne sera plus très long. Regarde Edison, combien il a changé. Ça marche…

— Si je t'avais laissé tomber pendant une année entière, tu m'aurais foutu dehors, pour toujours.

— Tout dépend de la raison pour laquelle tu serais parti.

— N'importe quoi ! Quand on part, on part. Tu as démontré sans la moindre ambiguïté ce qui compte le plus pour toi. En règle générale – il a jeté un regard à Edison –, je n'aime pas laver mon linge sale devant les autres. C'est privé, ça ne regarde que nous. Mais je ne crois pas que tu comprennes encore ce que ce « nous » signifie. Alors autant dire les choses devant vous deux, ne serait-ce que pour t'empêcher, en rentrant, de relater ce qui s'est passé quasiment mot pour mot mais en travestissant sensiblement les choses, pour me rendre encore un peu plus ridicule et faire de moi le méchant de l'histoire. Tu crois que je ne sais pas comment ça se passe, entre frère et sœur ? Je ne suis pas si stupide.

— Chéri, franchement, on devrait vraiment parler de tout ça quand on sera seuls…

— Je veux *divorcer*.

Même lorsqu'il avait prononcé cet ultimatum où il exigeait qu'Edison soit parti de la maison le jour prévu pour son vol de retour, Fletcher n'avait jamais employé ce mot.

— Ce n'est pas juste, ai-je murmuré. J'essayais seulement…

— … d'avoir le beurre et l'argent du beurre. C'est impossible. Parfois, on doit choisir. On choisit. Et on assume les conséquences. Et puis, pour que les choses soient bien claires entre nous : ce sont mes enfants, et ils restent avec moi.

— Parles-en à Tanner ! s'est exclamé Edison, toujours assis sur la couverture au sol.

J'aurais préféré qu'il reste en dehors de ça. J'aurais préféré aussi qu'il n'allume pas une autre cigarette, comme pour mieux profiter du spectacle.

Fletcher s'est tourné vers lui.

— Puisqu'on en parle, Travis m'a dit qu'un ancien gros lard n'arrête pas de parler au téléphone avec mon fils. Laisse tomber les conseils *paternels*. Tu as déjà fourré assez de conneries dans la tête de ce gamin.

— Il nous parle, a répliqué Edison, parce qu'il refuse de te parler à toi, *man*. Peut-être bien que tu devrais réfléchir à ce que cela signifie.

— Chéri, c'est de la folie, ai-je plaidé. Le sujet est trop sérieux pour décider sur un coup de tête…

— Ce n'est pas un coup de tête. Aujourd'hui n'a fait que confirmer ce que je savais déjà. Comme je l'ai dit, je ne suis pas si stupide.

Fletcher s'est éloigné sur son vélo, accélérant l'allure maintenant qu'il n'était plus gêné par des lambins. En silence, j'ai ramassé les boîtes en plastique de notre pique-nique ; l'atmosphère joyeuse et fraternelle avait disparu, et quand j'ai demandé à Edison d'éteindre sa fichue musique, j'ai ressenti une vraie pointe d'amertume, d'aversion envers *all that jazz,* envers mon frère aussi. Comme pour l'avoir fiscal, il devait exister une sorte de valeur nette émotionnelle, et le compte d'Edison venait subitement de passer dans le rouge.

9

LE RETOUR NOUS A VRAIMENT PARU FAIRE SOIXANTE KILOMÈTRES, d'autant que la pluie, de nouveau, était au rendez-vous. Après une longue douche chaude, j'ai laissé mes vêtements trempés et éclaboussés de boue en tas sur le sol de la salle de bains. J'ai sorti les restes de notre pique-nique et les ai jetés avec amertume, même si les algues auraient pu se garder.

Cette nuit-là, et les jours suivants, j'ai été d'humeur taciturne, et Edison m'a laissée à ma morosité. Il attendait que ça me passe, comme si un mariage de presque huit ans et l'adoption de deux enfants avaient quoi que ce soit de comparable avec les amourettes de lycée dont il avait assisté, lui la star désabusée de l'école, à l'implosion dans un torrent de larmes. J'avais laissé à Fletcher des messages téléphoniques implorants. J'avais envoyé des e-mails et des textos suppliants, sans la moindre réponse. M'empêcher de me servir de Cody comme d'une intermédiaire était un véritable supplice.

Edison avait lancé quelques affirmations peu convaincantes sur le fait que Fletcher et moi allions nous rabibocher dès que mon mari aurait fini sa crise, mais je connaissais Fletcher – il n'avait que rarement eu recours dans sa vie à des mesures radicales, et quand il avait pris ses enfants et avait quitté Cleo, il n'avait pas eu un seul regard en arrière. En outre, mon frère parvenait mal à cacher un certain enthousiasme concernant ce nouveau tour de roue, et en aucune façon il ne *voulait* se montrer convaincant.

Quant à moi, j'avais l'impression que tout ce qui avait été solide dans ma vie se délitait, à la manière d'une crème pâtissière réchauffée qui se met à tourner. C'était une chose qu'Edison soit une pièce rapportée à ma famille, mais une tout autre qu'il constitue à lui seul toute cette famille. Je reconnais qu'il existe une constance rassurante dans le lien entre frères et sœurs ; à l'exception de la crise à propos du carton à pizza en janvier, Edison et moi avions été au diapason. Mais il me manquait les crescendos et glissandos plus orchestraux du mariage, et jamais je ne m'étais imaginée vieillir avec mon frère. Je savais que de tels couples existaient, dont la loyauté émerveillait certains, mais en général on éprouvait une sorte de pitié envers ces frères et sœurs qui vivaient ensemble et qui avaient opté pour une relation secondaire et un peu déplacée. Sans terme prévu à notre cohabitation étrange, ce projet de régime semblait s'étirer jusqu'à l'horizon, non plus fini et paroxystique, mais infini, comme un pensum. Le fait qu'il pleuve sans discontinuer me donnait le sentiment qu'un piège massif et pitoyable se refermait sur moi ; je me faisais l'effet d'être la victime d'un film noir mal ficelé.

Alors que je m'étais fait tout un plat de mon retour à la nourriture solide, après cette balade à vélo fatale, je n'en avais plus envie. À l'anniversaire marquant les six mois de suivi par Edison de la diète BPSP – je refusais désormais de nommer ces sachets « Dégueulis », notre jargon maison étant devenu trop complice –, j'ai fait l'impasse sur tous les préliminaires joyeux que j'imaginais depuis des semaines, et je suis allée à l'essentiel.

— Terminée la diète liquide, ai-je annoncé en rentrant de Monotonous – entreprise désormais bien nommée, puisque le pensum de fabriquer des *poupées baigneurs* commençait à me mettre les nerfs en pelote aussi sûrement que celui qui, du jour au lendemain, était devenu mon coloc pour la vie.

Nous avions pris la voiture ; je n'utilisais pas mon vélo par ce temps.

— Il est temps de recommencer à manger.

— Je n'ai pas atteint les soixante-quatorze kilos, a déclaré Edison, comme je m'y attendais.

— Tu as déjà fait l'impasse sur la semaine de reprise de nourriture à mi-parcours. Le protocole est sans ambiguïtés. Six mois maxi.

Je m'étais exprimée d'un ton vengeur, comme si j'envisageais de lui faire ingurgiter de force des cuillerées de porridge grumeleux.

— Encore deux petits mois, a suggéré Edison.

— Pas un jour de plus. Tu vas commencer par de la soupe, y compris avec des amidons digestes comme les pommes de terre bien cuites, ainsi que des jus de fruits et des purées de légumes.

Il s'est tassé dans son fauteuil et a croisé les bras.

— Putain, c'est l'horreur.

— Je m'en fiche.

Au départ, j'avais envisagé de lui préparer la vichyssoise froide à laquelle j'avais songé pour ma rupture de jeûne, mais je n'avais plus envie de me casser la tête. Je me suis dirigée vers la cuisine pour ouvrir une boîte de soupe de poulet à la crème. Je me fichais bien de savoir s'il aimait cela ou non.

J'ai versé du jus d'orange dans un verre, puis j'ai posé sans ménagement le bol de soupe sur la table. Je me sentais d'humeur sadique. C'était une émotion nouvelle pour moi, mais qui pourrait bien me plaire.

— Désormais, tu absorberas huit cent dix calories par jour pendant un mois.

— C'est de la folie, a-t-il protesté. On peut pas…

— Je sais. *Mais il n'y a pas de cérémonie.* J'ai une nouvelle pour toi : la bouffe, c'est chiant. Ça ne prend pas beaucoup de temps. Ça n'a aucun intérêt. Ça n'en a jamais eu. Alors mange ta soupe débile, bois ton jus d'orange débile, et on devra encore trouver un film débile qu'on pourra supporter de regarder à la télé.

— J'en veux pas.

— Dommage. Ce n'est pas parce que tu as foutu en l'air mon mariage que je suis coincée dans cet appartement. Le contrat reste le même : tu fais ce que je dis, ou je me barre.

— Ça me fait flipper, a-t-il avoué d'une petite voix.

— Et alors ? Si tu n'es pas complètement à côté de tes pompes, ça a dû te faire flipper, la première fois où tu as joué du piano en public. Tu es de taille à affronter la soupe de poulet à la crème.

Prudemment, Edison s'est levé du fauteuil et m'a regardée du coin de l'œil, comme s'il avait affaire à un animal enragé.

— Dépêche-toi, ça refroidit.

Edison s'est assis à la table, sa chaise le plus loin possible du bol.

— Je te l'ai dit, *man* : j'en veux pas. Et je *veux* pas en vouloir.

— *J'en ai rien à foutre !*

J'ai juré ; c'était la seule chose que je pouvais faire pour m'empêcher de le frapper ou de lui jeter la soupe au visage.

— Tu crois que les six derniers mois ont été les plus durs ? Tu ferais bien d'y réfléchir. Ne rien manger, c'est facile. Manger avec modération, c'est comme une garce qui ne te lâche pas. Tu as raison, tu n'as pas terminé, tu n'as pas atteint le poids que tu t'étais fixé. Mais devine quoi : tu n'en auras jamais terminé. Tu crois qu'il suffit de redescendre à soixante-quatorze kilos, et qu'après tu seras tranquille ? Surprise, *frangin* : tu ne seras jamais tranquille. Tu vas devoir réapprendre à manger. La mauvaise nouvelle ? Compte tenu de tes antécédents, de la façon dont tu as fait de la nourriture un piège, puis cette source massive d'angoisse, à t'infliger toute cette prise de tête obsessionnelle avec les sachets… manger ne sera plus jamais pareil. Ça te rendra toujours nerveux, et ça ne sera jamais très marrant. T'as gâché ça. Pigé ? Alors, je te le dis, les six prochains mois vont être *encore plus durs*.

Présenter ce bol de soupe comme un défi et non comme un plaisir, c'était astucieux. Edison a rapproché sa chaise de la table et s'est penché pour humer. Il m'a lancé un regard noir.

— Ça pue.

— *Mange*.

J'avais un avenir en tant que garde-chiourme.

Il a pris une cuillerée de soupe. Une fois dans le creux de la cuillère, elle se solidifiait. Quelle impatience Oliver devait avoir ressenti avec moi, la première fois, au dîner ! Sous mon regard inflexible, Edison en a avalé un peu.

— Bien, ai-je commenté avec méchanceté. Grâce à quelques lambeaux de poulet et quelques grains de pomme de terre fondue, tu as perdu ta virginité. Tu es redevenu mortel. Juste un type normal, qui a trente kilos à perdre, rien de spécial, aussi ordinaire qu'un lave-vaisselle.

Edison a avalé le reste de la cuillerée ; il paraissait misérable.

— Quel goût ça a ?

La question était méchante.

— Un goût de…

Il a lâché la cuillère et agité les mains.

— On s'en fiche !

— Je te l'avais dit ! me suis-je exclamée sur le ton de la victoire. Je suis prête à te verser le reste dans le nez avec un entonnoir s'il le faut, alors tu ferais bien de terminer ton bol.

D'un pas déterminé, je me suis dirigée vers la cuisine pour me préparer ma petite escalope de poulet débile, ma petite timbale débile de riz débile et ma petite salade débile.

— C'est déprimant, *man*.

La phrase provenait de la table.

— Tant pis.

Puis, un peu plus tard :

— C'est pas juste, *man*… Ce que tu as dit avant. Que j'avais tout gâché.

— C'est vrai, ai-je répondu. Tu as gâché la nourriture, probablement pour toujours. C'est ce qui se passe quand on prend presque une centaine de kilos sans raison, par apitoiement.

— Non. Cette connerie sur ton mariage. Je ne vois pas en quoi c'est ma faute si Fletcher de malheur te donne ton préavis.

J'ai été incapable de me contrôler.

— Premièrement, si tu ne t'étais pas pointé sur le pas de ma porte, en cet instant, je serais en train de dîner avec mon mari et ma belle-fille, à parler de notre journée. Pas d'Edison obèse, pas de divorce.

— J'ai rien fait pour vous séparer. Et j'ai vraiment essayé d'être cool avec ce mec. C'est lui qui me cherchait des poux.

— Tu as eu ce que tu voulais. Ta petite sœur, pour toi tout seul, aux petits soins avec toi, débarrassée de ces relations encombrantes des *adultes*. Maintenant, on peut être frère et sœur, et vivre heureux ensemble pour le restant de nos jours, et être ceux sur lesquels on fait des messes basses en se demandant s'il n'y a pas entre eux un truc bizarre. Exactement ce que je souhaitais ! Mais qu'importe ma vie, si mon grand frère a finalement réussi à maigrir !

Une bribe de souvenir s'est imposée à moi, mon comportement horrible avec Solstice, quand, constatant – elle avait alors quatre ans – qu'il y avait des cheveux sur son peigne après qu'elle s'était coiffée, je l'avais convaincue qu'elle allait perdre tous ses cheveux et qu'elle ferait mieux de s'habituer à porter des chapeaux. En réalité, j'étais en colère à cause de la mort de ma mère, et me décharger sur quelqu'un de plus faible n'allait rien y changer.

— Écoute, je suis désolé, *man*…

Edison avait éclaté en sanglots. Peut-être était-il fragile après la terrible déception de cette soupe, et sa rétrogradation humiliante à l'ordinaire statut d'une personne au régime. Sans compter qu'il ne faut jamais sous-estimer les effets d'un jeûne sur le cerveau. Quelques jours plus tôt, il s'était mis à pleurer parce qu'il n'arrivait pas à déchirer l'adhésif d'emballage d'un paquet Amazon.

— Je n'aurais pas dû te laisser faire ça, *man*. Pas alors que Fletcher de malheur était contre. J'aurais dû aller ailleurs, tout seul, genre comme un moine, et rappliquer seulement quand j'aurais plus foutu la honte aux autres.

Je n'ai pas pu conserver cette dureté, même si j'ai su, au moment où j'y renonçais, qu'elle allait me manquer. Je suis sortie de la cuisine, et après avoir posé mon assiette sur la table, j'ai serré la main de mon frère.

— Ce n'est pas vraiment ta faute, ai-je déclaré d'un air sombre. Tout ce truc, c'était mon idée. Dès le début, Fletcher m'avait mise en garde. Je ne l'ai pas pris suffisamment au sérieux. Je te rends responsable parce que tu es là. Il arrive aux frères et sœurs de se traiter comme de la merde. C'est comme si c'était dans la Constitution. Ça fait partie des *droits de l'homme*. Et, au bout du compte, on est toujours frère et sœur, car *toi*, tu ne peux pas divorcer d'avec moi. On est coincés l'un avec l'autre. C'est ce qui craint, et en même temps c'est ce qui est chouette. Qui sait, ça m'aide peut-être d'avoir quelqu'un sur qui crier ?

— Dans ce cas, crie autant que tu veux...

Comme je ne m'étais pas embêtée à lui donner une serviette, Edison s'est mouché dans son pan de chemise.

— ... si ça t'aide à te sentir mieux.

— Même l'autre jour. La balade à vélo. Je savais qu'on était trop complices. Qu'on laissait Fletcher de côté. Je savais que ça allait le rendre furieux. Mais j'ai continué. Parce que c'était plus facile. On partage un truc, maintenant. Et je me sens moins proche de Fletcher. Je n'aurais pas dû te proposer de venir. Mais j'appréhendais de passer la journée avec lui. J'ai cru que je te l'avais proposé parce que je pensais que ça te ferait du bien. Mais manifestement, je te l'ai proposé parce que ça m'arrangeait. Pour me sentir en sécurité.

— Tu te sens en sécurité avec moi ?

— Ouais.

J'ai pris une bouchée fade, que j'ai mâchée consciencieusement.

— Et Fletcher s'en est rendu compte. Que je m'accrochais à toi. J'imagine que ça a été la goutte d'eau.

J'ai repoussé mon assiette.

— Je ne suis pas le seul qui doive manger, sœurette.

Il a repoussé l'assiette vers moi, et a refermé ma main autour de la fourchette.

Non sans amertume, j'ai piqué une feuille de laitue.

— Désolée pour la soupe. J'aurais pu mieux faire, pour ton premier repas.

— Ç'aurait fait aucune différence. Seulement, tu sais ce que c'est, on peut pas s'empêcher de rêver...

— J'ai essayé de te parler de cette grosse déception en avril, mais j'ai bien vu que tu ne me croyais pas.

— Alors, c'est quoi la morale de l'histoire ? Tout est nul ?

— Pas tout. La nourriture, oui. Mais bon, nous, ici, parfois, ça n'a pas été complètement nul.

— Ça me servira d'épitaphe, a déclaré Edison. *Il n'a pas été complètement nul.*

— C'est plus que ce qu'on peut dire de la plupart des gens.

— Est-ce que tu regrettes ? a demandé Edison. Si c'était à refaire, est-ce que tu me mettrais dans l'avion ?

J'ai réfléchi à la question. Je ne voulais pas lui donner de réponse qui n'aurait pas été sincère.

— Non, ai-je conclu. Je crois que je le referais. Quelque chose aurait pu mal tourner avec Fletcher, même sans Prague Porches. Il y a peut-être quelque chose qui cloche, dans le fond. Au moins…

L'émotion m'a serré la gorge.

— Au moins, je ne suis pas toute seule.

J'étais toujours mal à l'aise de me laisser aller à mes émotions avec mon frère. J'imagine que les frères et sœurs sont censés compter les uns sur les autres. Ce qui n'est certes pas très recommandé, mais le monde, dehors, est précaire, comme je l'avais récemment découvert, et c'était un bonheur et un soulagement que de pouvoir compter sur quelqu'un, qui que ce soit.

*

Nombre de mes voisins ne le comprendraient sans doute pas, mais je ne suis peut-être pas la seule à repenser avec une étrange nostalgie aux événements qui ont suivi ce même mois. Je cherchais désespérément à me changer les idées, et j'étais reconnaissante d'être tirée de mes pensées – de faire une bonne action dans un cadre qui dépassait le ventre de mon frère. Ce n'est pas pour rien, bien sûr, que ce genre d'événement est qualifié de « catastrophe », et à ce jour la reconstruction n'est toujours pas terminée. Mais j'ai été touchée de voir comment Edison s'est totalement investi dans l'effort commun. Le frère qui était arrivé neuf mois plus tôt aurait posé les pieds sur la table basse en se réjouissant de regarder le spectacle à la télévision.

New Holland a été bâtie sur un terrain surélevé, et il arrive que des caves soient inondées. Je me désolais que mon statut de *persona non grata* me prive de pouvoir donner un coup de main à Cody et à Fletcher pour monter de la cave au rez-de-chaussée les meubles qui s'y empilaient ; la scie de table était trop lourde pour qu'ils arrivent à la déplacer à deux, et j'en ai conclu que l'outil le plus précieux de mon mari séparé de moi était hors d'usage. À Prague Porches, nous habitions au premier étage, et nous n'avions donc pas à nous inquiéter pour le piano droit d'Edison – ce qui nous a permis de nous porter volontaires à Cedar Rapids. Après avoir placé en sécurité nos biens sur des étagères en hauteur, j'ai fermé Monotonous jusqu'à nouvel ordre, pour que mes employés puissent eux aussi enfiler des bottes en caoutchouc et donner un coup de main. C'était la pire inondation jamais enregistrée en Iowa, une de celles qui ne se produisent qu'une fois tous les cinq cents ans.

Pour une fois, j'avais découvert une occupation plus fatigante que la restauration : porter des sacs de sable. Pour épuiser différents groupes de muscles, j'ai associé les tâches : déblayer, passer les sacs de sable, empiler les palettes, même si nous essayions de réserver aux enfants la tâche qui consistait à maintenir les sacs ouverts pendant qu'une autre personne les remplissait de gravats, puisque des hordes de familles ne cessaient d'arriver. (Cody nous a rejoints deux après-midi, mais naturellement cela posait problème, et la plupart du temps elle

367

aidait comme volontaire plus près de New Holland, avec son père. Sa tâche principale était de vérifier où nous intervenions, afin que Fletcher puisse apporter son aide ailleurs.) Cinq jours durant, vingt-quatre heures sur vingt-quatre, des milliers de volontaires de la région – sans oublier une poignée des survivants de Katrina qui avaient fait le trajet depuis la Louisiane avec des cuves de poulet cajun et l'air entendu de ceux qui sont déjà passés par là, ce qui n'a pas manqué de taper sur les nerfs de quelques-uns – ont empilé des sacs de sable le long de la Cedar River et, en ville, à l'entrée des entreprises. Nous nous sommes relayés autour de la bibliothèque publique de Cedar Rapids pendant qu'un autre groupe de volontaires emballait les livres dans des cartons pour les entreposer au premier étage, et nous avons renforcé le rez-de-chaussée du Mercy Medical Center afin de protéger les groupes électrogènes dans le sous-sol de l'hôpital.

Edison et moi nous sommes réjouis d'avoir rejoint les équipes assez tôt, car très vite le problème principal a été la réponse massive à l'appel aux volontaires relayé par KCRG, et bientôt la chaîne de télé a dû prier les bons samaritains de rester chez eux. Les habitants de la région qui avaient bravé les éléments pour venir prêter main-forte et à qui on a répondu qu'on n'avait pas besoin de leur aide ont été les seuls que j'ai vus faire preuve de mauvaise humeur – comme s'ils étaient floués, et dans un certain sens j'imagine que c'était le cas. Il n'y a rien de tel qu'une catastrophe pour faire ressortir la jovialité chez les gens, et l'envie de se retrousser les manches était contagieuse. Je me souviens d'une remarque que j'ai faite à Edison : « Tu sais, tu n'aurais pas été d'une grande utilité ici avec tes cent soixante-quinze kilos », ce à quoi il a répondu : « *Yo*, il y a six mois, j'aurais pu faire le sac de sable, sœurette. »

Mon frère a été un réconfort pour les employés qui

avaient dû déménager vers Prairie High et s'efforçaient de chasser de leur esprit tous leurs biens perdus dans le quartier qu'ils avaient dû évacuer. La plupart avaient sauvé des photos et quelques vêtements de rechange, mais les meubles, les appareils électroniques et des penderies entières étaient irrécupérables, et il n'était pas rare de voir un volontaire robuste et stoïque s'arrêter un instant de passer des sacs de sable et soupirer, les épaules voûtées : « Oh non, cette couette me venait de ma grand-mère. » Pire que tout, comme la rivière s'insinuait dans des zones qui n'étaient pas dans le lit majeur, la plupart de ces exilés n'avaient pas d'assurance inondation.

— C'est dur, a dit Edison. Il y a quelque temps, j'ai moi aussi perdu tout ce que je possédais, à l'exception de quelques frusques qui ne m'allaient plus et d'un ancien ordinateur. Vous ne me croirez peut-être pas, mais ça nettoie. Ça allège. On ne s'imagine pas toutes les merdes dont finalement on peut se passer. Tous ces trucs qui nous pèsent... (Il a soulevé un autre sac dans la chaîne pour mieux mimer les choses.) ... et pas uniquement parce qu'il faut les traîner partout. Ce sont ces merdes qui font de vous le genre de personne à posséder toutes ces merdes. Soudain, vous pouvez décider de posséder d'autres merdes. Ou de ne pas en posséder. Soudain, vous pouvez être qui vous voulez. Ça libère.

Cet événement a fait ressortir le meilleur de ce qu'était le Midwest, et alors que quelques vieux bonshommes plaisantaient sur leurs douleurs de dos, jamais je n'ai entendu quelqu'un se plaindre réellement – même au début, quand il pleuvait encore. Peu importait les hallebardes qui tombaient du ciel, ce qui comptait, c'était de se tremper de sueur. Pourtant, même quand le soleil est revenu, la Cedar River a continué à monter.

Les deux premiers jours, Edison avait pesé de la dinde fumée pour son panier-repas, mais le troisième jour nous n'avons plus eu de viande pour les sandwichs, et au changement d'équipe une entreprise locale reconnaissante a fait livrer des pizzas. Mon frère était horrifié. Je lui ai dit alors : « Je suis ton coach, et tu viens de dépenser mille cinq cents calories à manipuler des sacs de sable. Mange cette pizza. Et c'est un ordre. » C'était une pizza à la pâte fine, alors qu'il préférait celles à pâte épaisse comme à New York, mais plus tard Edison m'a confié que – à la différence de la pizza interdite du mois de janvier – ç'avait vraiment été la meilleure pizza qu'il ait jamais mangée.

La mobilisation contre l'inondation était une action communautaire, et peut-être est-il normal qu'en partageant cette pizza Edison ait invité sa coéquipière de remplissage de sacs – une jeune femme que j'aurais été tentée de qualifier de « jeune fille » – à venir « prendre un café » à notre appartement. C'était un long trajet pour un café, et j'aurais dû me douter qu'il y avait anguille sous roche, mais depuis qu'Edison avait pris du poids je dois avouer à ma grande honte que je ne l'avais plus considéré comme un individu doté de pulsions sexuelles. J'ai eu un comportement ridicule, restant dans le salon avec eux deux après que le café que personne ne voulait eut refroidi. Épuisée par le travail de la journée, j'ai attendu avec impatience qu'elle demande à ce qu'on la raccompagne, jusqu'à ce que je prenne conscience qu'ils attendaient avec une impatience plus grande encore que *je* parte. Gênée, je suis allée me coucher.

Je me suis réveillée courbatue et de mauvaise humeur pour la première fois depuis la distraction bienvenue apportée par cet élan d'esprit civique. La fille – Angie, ou quelque chose comme ça – était toujours là, et le fait qu'elle était arrivée avec nous, dans notre voiture, et qu'elle devait donc nécessairement être encore là n'a pas atténué mon irritation. Elle est sortie de la chambre d'Edison avec cette attitude langoureuse de possession territoriale que seuls des rapports sexuels confèrent, quand bien même de façon temporaire, à de complets étrangers. Elle était mince, avec des cheveux châtains aux reflets brillants, mais je ne la trouvais toujours pas vraiment séduisante, et j'avais l'intuition qu'« Angie » s'était portée volontaire à Cedar Rapids avant tout pour parader. Ce matin-là, elle n'a cessé de se suspendre aux épaules d'Edison pendant qu'il jouait du piano, et j'ai préparé du café à un moment approprié de la journée pour le boire. Après s'être répandue en louanges sur le jeu de mon frère, elle a égrené une série de conseils diététiques tirés des magazines féminins, alors que l'alimentation d'Edison était mon rayon, merci. Et j'ai trouvé ça un chouia inapproprié qu'il ait, alors qu'il la connaissait depuis moins d'une journée, déballé ainsi toute son histoire comme s'il s'agissait d'un documentaire sur pattes. Il aurait pu faire preuve d'un petit peu plus de retenue.

Ce soir-là, je me suis jugée un peu bête de ne pas m'être montrée plus amicale, même si ce léger remords était atténué par le fait qu'Edison s'était abstenu de la ramener pour une deuxième nuit. Il retrouvait certains comportements de son adolescence libidineuse, et je m'en réjouissais.

— Merde ! s'est-il exclamé en s'étirant à côté du pèse-personne dont la portée maximale n'était plus nécessaire pour lui. Ça fait une éternité que je ne me suis pas retrouvé à poil devant une nana. Tu le crois, ça ? Elle me trouvait hypersexy.

— Tu l'es, ai-je répliqué d'un ton pudique. Exception faite de quelques années, tu l'as toujours été.

A posteriori, en réfléchissant à quel point cette rencontre avait donné un coup de fouet à sa confiance, j'aurais dû l'inciter à revoir cette fille, et je ne comprends pas tout à fait pourquoi j'ai été aussi soulagée à l'époque quand il n'a pas donné suite.

Le 13 juin, la Croix-Rouge et la Garde nationale ont décidé que nous avions fait ce que nous pouvions, et qu'il était temps de quitter les lieux. Notre renvoi a été terrible. Nous ne voulions pas laisser tomber, et pour être honnêtes avec nous-mêmes, nous prenions du bon temps. Edison et moi avons regardé chez nous, aux informations régionales, la crue de la rivière, savourant d'avoir l'électricité – contrairement à la majorité des résidents que nous avions été forcés d'abandonner à leur triste sort. Dans les reportages filmés depuis des hélicoptères, les toits ressemblaient à des nénuphars. Plus tard, ils ont estimé que l'inondation s'étendait sur plus de cent trente kilomètres. L'île au centre de la rivière sur laquelle était construite la mairie de Cedar Rapids était complètement submergée, et le toit de la bibliothèque que nous avions tenté de sauver au prix de tant d'efforts surgissait des eaux grises et troubles. Les panneaux surnageaient à quelques centimètres au-dessus de la surface, comme pour signaler des directions en Atlantide.

Toutes les personnes ayant participé à cette mobilisation citoyenne répugnent à le reconnaître, mais la plupart des renforcements réalisés au moyen de nos sacs de sable n'avaient servi à rien.

*

Je garde un souvenir doux-amer de cet été-là. À mesure que les semaines passaient, dans un silence de tombe en provenance de Solomon Drive, j'ai peu à peu compris, au gré d'une succession de prises de conscience horribles, que Fletcher était sérieux – le moment le plus douloureux étant celui de notre anniversaire de mariage en juillet, que mon mari a choisi de ne pas même marquer d'un texto. Je ne faisais pas une pause dans ma vie de famille pour piloter le régime de mon frère ; j'étais séparée, et je vivais dans la terreur de voir surgir à ma porte un huissier de justice pour me remettre les papiers officiels du divorce. Au moins, Cody continuait de me considérer comme sa mère ; elle persévérait dans ses visites et nous accompagnait au cinéma. J'avais beau essayer de la dissuader de me dépeindre son père en train de se morfondre sans moi – « J'ai vu cette série, ma chérie, et même les rediffusions » –, elle ne pouvait s'empêcher de jouer les intermédiaires. Elle se pensait maligne, mais la subtilité d'une adolescente de quatorze ans a ses limites.

En règle générale, l'Iowa en été est à son avantage – l'air s'emplit de l'odeur de la terre retournée, le maïs pointe vers le ciel sur le bord des routes, et ses champs courent à perte de vue jusqu'à l'horizon, alternant avec les nuances plus bleutées des cultures de soja. J'associais cette période de l'année avec les moments les plus heureux de mon enfance, quand Edison et moi étions expédiés chez nos grands-parents pour un mois complet. (L'image de l'Iowa en été s'était tellement imprimée dans ma mémoire que mon premier hiver sur place avait été un véritable choc. Avant de m'installer ici, je me représentais le Midwest comme un lieu éternellement chaud, étouffant et vert.) Les souvenirs que mon frère a de ces séjours ne sont pas aussi bucoliques ; il détestait devoir travailler pendant ses vacances, et quand il avait été plus âgé il était resté à L.A. pour hanter les clubs de jazz et jouer du piano. Pour ma part, j'adorais donner un coup de main à mes grands-parents à la ferme. Ayant goûté très jeune le plaisir du travail physique, c'est avec joie que je nourrissais leurs cochons, nettoyais la grange et récoltais les haricots plats sous le soleil brûlant.

Pourtant, cet été mettait au défi ce stéréotype bienheureux, et un paysage désolé me renvoyait en écho la sensation trouble qui me nouait l'estomac à longueur de journée. La récolte locale de maïs, dévastée, dans son étendue lugubre, était comme un rappel que ma vie, elle aussi, n'était plus qu'un fiasco ; je n'étais plus cette femme qui, après de longues années solitaires à l'âge adulte, avait fini par trouver un homme fiable, animé d'une passion calme, avec deux enfants déjà faits – au bout du compte, une femme qui avait une vie –, mais une divorcée en puissance, qui passait ses années de maturité avec son frère aîné en guise de compagnon. Dans les champs noirs et gras, les rangées de tiges mortes peignaient un paysage de promesse avortée et d'espoirs brisés. Partout où mes yeux se posaient, je ne voyais qu'un saccage vain et une harmonie sociale détruite – les trottoirs débordant de canapés bigarrés et de congélateurs gorgés d'eau, les travailleurs de la voirie étant surchargés de ces emblèmes bien trop tangibles de perte, de résignation et de chagrin. Ces mois de juin et de juillet, le bord des routes – le bitume souvent fendu, couvert de boue, les caniveaux jonchés de détritus et des restes mutilés de meubles de jardin, d'essuie-glaces et de cages à poule – a reflété le contenu détrempé de mon esprit.

Dans cette saison de mon mécontentement, de la perte de ce lieu idyllique qu'était pour moi l'Iowa, Edison quant à lui s'est accroché avec une intensité nouvelle à la terre de notre père. Les eaux, en se retirant, avaient laissé dans leur sillage une affliction qu'il inhalait comme les effluves d'une terre fertile –, car si l'affliction a une odeur, c'est celle de la glaise, mâtinée de ce relent de pourrissement qui évoque la bouse de vache. La tristesse qui saturait l'air ambiant conférait à mon frère une densité, une assise, une gravité et une profondeur que la satisfaction seule ne peut procurer.

Il avait arrêté toutes ces railleries sur notre État situé au milieu de nulle part et sur les tarés qui faisaient pendouiller des Bulls Balls en argent sous les plaques d'immatriculation de leur pick-up dually trafiqué, avec

GO HAWKEYES collé sur le pare-chocs. Mon frère n'avait pas été jusqu'à se laisser gagner par l'engouement local pour l'équipe de football de l'université de l'Iowa, mais il avait commencé à savourer le rythme de vie tranquille, l'espace, la sérénité. Il ne mentionnait plus que rarement New York, et évoquait encore moins son éventuel retour dans la Grosse Pomme. Alors qu'il avait redouté le calme, il goûtait maintenant le chant subtil des criquets, le cocorico du coq, les *bê-bê-bê* des chèvres. Plutôt que de froncer les sourcils quand les caissières du Hy-Vee l'entreprenaient sur la popularité d'un beurre en promotion, il n'hésitait pas lui-même à tailler le bout de gras, sans cesser de s'étonner que personne dans la file ne manifeste jamais d'impatience. Il ne refilait plus des billets de cinq dollars aux employés qui chargeaient nos sacs de provisions dans le coffre, sachant qu'ils se seraient sentis insultés par ce geste ; quelques phrases sympathiques jusqu'à la voiture étaient toute la rétribution qu'ils désiraient. Il commençait à comprendre l'intérêt qu'il pouvait y avoir pour des gens de se parler, même pour ne pas dire grand-chose, et il témoignait de la sympathie envers des voisins déplacés ou qui avaient tout perdu, d'une façon qui laissait à penser que l'inondation ne les avait pas affectés eux, mais *nous*. Je ne décelais plus chez lui la moindre trace de mépris ou d'agitation face à cet espace immense et vide, et plus d'une fois je l'ai entendu au téléphone avec Tanner *défendre* notre État, dont les charmes ne sautaient que rarement aux yeux des jeunes gens qui y habitaient. En toute franchise, je commençais à soupçonner qu'Edison, en ce qui concernait l'Iowa, était un converti.

Grâce à l'énergie que lui apportait une véritable alimentation – début juillet, j'avais porté sa ration calorique à mille deux cents calories par jour –, il est devenu plus aventureux, partant écouter des concerts à l'Iowa City Jazz Festival ou prenant la voiture pour aller assister le week-end près de l'université à des jams organisées à The Mill. Je l'accompagnais souvent, et j'étais frappée de constater à quel point il avait maintenant renoncé au *name-dropping*. À New York, quand il m'était arrivé d'aller à ses concerts, je le voyais plaisanter et se faire mousser auprès du public, et il réussissait toujours à glisser qu'il était le fils de Travis Appaloosa. Aujourd'hui, quand il se présentait, il tendait la main et ne mentionnait que son prénom. Il ne faisait plus allusion non plus aux « pointures » avec lesquelles il avait joué. Il apparaissait comme tous ces types d'âge mûr qui jouent du piano pendant leur temps libre, et il leur en mettait alors plein la vue.

Mon frère gérait sa terreur actuelle de la nourriture par une approche scientifique obsessionnelle. Après avoir consulté le tableau des valeurs caloriques des aliments collé sur le frigo, il pesait la moindre tomate au gramme près sur une balance numérique. Il faisait la somme des calories de ses ingrédients avec une calculette, et je ne l'ai jamais vu arrondir à la valeur inférieure. D'ailleurs, la cuisine regorgeait de carnets, leurs pages striées de colonnes de chiffres. J'étais tentée de lui dire de relâcher un peu la pression – une demi-carotte en plus ne serait vraiment pas la fin du monde –, mais il ne voulait pas s'écarter d'un millimètre du droit chemin, et si son obsession de tout peser et d'enlever des petits morceaux d'escalope l'aidait à garder le contrôle, tant mieux.

Bien qu'à un rythme moins soutenu, la phase de reprise d'une alimentation solide a continué à produire des résultats réguliers. Au septième mois, Edison a perdu cinq kilos et demi, soit seulement un kilo de moins que le mois précédent, lorsqu'il en était encore aux boissons protéinées. Mais la perte de poids du huitième mois a été particulièrement faible, et il m'en a fait porter la responsabilité, arguant qu'il n'aurait jamais dû reprendre une alimentation à mille deux cents calories par jour. J'ai alors rétorqué que la plupart des gens se satisferaient d'une perte de poids de trois kilos et demi en un mois, et qu'à quatre-vingt-quinze kilos il n'avait jamais été aussi bien. (Je sais que ces calculs peuvent sembler froids, mais vous n'imaginez pas l'intensité émotionnelle de ces confrontations avec le pèse-personne ; pour Edison, perdre non plus cinq kilos et demi, mais trois kilos et demi par mois a été une véritable catastrophe.) Au moins, les calculs suivants ont montré que j'avais raison : il devait manger plus pour brûler davantage, et son métabolisme commençait à augmenter.

Même si notre réfrigérateur regorgeait de produits qu'on se procurait sur des étals en bord de route, je déplorais de ne pouvoir profiter de notre jardin de Solomon Drive, et je me surprenais à estimer la taille des courgettes, à évaluer le moment où les poivrons verts allaient sortir et à me demander si les plants de pois de senteur avaient atteint leur taille maximale. Je continuais de consulter en vain ma messagerie pour y chercher des messages expédiés par fletcher.feuerbach@gmail.com et d'écouter, le cœur lourd, le dernier message sur ma boîte vocale. Alors que je faisais des courses à New Holland, une silhouette familière entraperçue me mettait au supplice, avant de découvrir finalement que le cycliste était coréen. Une fois, j'ai véritablement aperçu Fletcher ; sous le choc, j'ai fait demi-tour. Le vertige provoqué par l'adrénaline supprimait toute forme utile d'intelligence : ce qu'il faisait, s'il avait l'air heureux ou triste.

Hélas, le décalage entre les dispositions d'Edison et les miennes a pris des allures de révélation : apparemment, quels que soient le degré de contentement d'un proche, son plaisir, le contraste saisissant entre son bonheur présent et son abattement passé ou le niveau de gratification abstraite que vous pouvez ressentir à l'idée d'avoir joué un rôle substantiel dans son rétablissement, le bonheur d'une autre personne ne peut remplacer le vôtre. Luttant contre une souffrance pernicieuse, j'avais souvent l'impression d'observer mon frère de loin, alors qu'il se trouvait simplement dans la chambre d'à côté.

Quoi qu'il en soit, mieux valait observer de loin un frère turbulent, appliqué et prévenant que, de près, un frère obèse, dépendant et suicidaire. Après avoir subi l'agression d'un nouveau paquet rempli de babioles envoyé par Solstice – un âne à remontoir, une petite photo encadrée du dalaï-lama et une bille fantaisie en émail –, Edison avait eu deux longues conversations téléphoniques avec sa plus jeune sœur et en avait déduit que le caractère sensiblement ennuyeux de Solstice valait finalement le coup ; dans l'étreinte de ce frère légendaire, Solstice avait cessé de considérer que nous étions tous les deux ligués contre elle. Puisqu'il figurait sur la liste des employés de Baby Monotonous, Edison n'avait plus à me taxer d'argent, et il vivait sur son salaire. Au départ, il avait été réticent à l'idée de travailler pour moi ; il avait même éprouvé à l'encontre du succès de mon entreprise une rancœur telle qu'il avait été jusqu'à rendre responsable de sa compulsion alimentaire la couverture du magazine *New York*, mais aujourd'hui il faisait campagne pour le poste de directeur général de notre usine, ce qui me libérait du temps que je pouvais consacrer à la recherche sur de nouveaux produits. À l'époque où nous avions fait les magasins pour meubler Prague Porches, il était resté à l'écart à fumer, l'humeur morose ; maintenant, il recherchait sur internet une table plus grande, puisque nous pouvions poser sur celle en formica des choses plus glamour que de la tisane. Néanmoins, j'ai remarqué avec intérêt que jamais il ne suggérait que nous emménagions dans un meilleur appartement ou dans une vraie maison ; il craignait sans doute que si nous déménagions tous les deux, nous puissions envisager de ne pas emménager ensemble.

Peu à peu, miraculeusement, sans que je sache trop comment c'était arrivé, Edison Appaloosa s'était fait à l'idée d'une vie normale. Cet accomplissement peut sembler modeste, mais pour un membre de notre famille, c'était tout bonnement prodigieux. Dans les pâturages temporels illimités au sein desquels nous projette une diète liquide, il avait peut-être réévalué les temps forts de sa carrière – comme jouer avec Harry Connick lors d'une jam-session improvisée – pour finalement conclure, comme je l'avais fait pour les miens, qu'ils ne constituaient pas les moments les plus importants de sa vie. Quoi qu'il en soit, embrasser avec satisfaction une existence simple et discrète nécessite bien plus de maturité spirituelle que la poursuite insatiable de la célébrité. Dans ce sens, mon grand frère avait enfin grandi.

Pourtant, une conversation que j'avais eue en août avec Oliver m'avait marquée. Nous avions eu du mal à arrêter une date pour nous voir en tête à tête sans qu'Edison se sente blessé d'être tenu à l'écart ; mon frère ne cessait d'occuper notre temps libre à grand renfort de sorties à l'IMAX, au Science Museum, ou dans des fermes pour ramasser des framboises. Mais quand enfin Cody a demandé à passer seule avec son oncle une journée à l'Iowa State Fair à Des Moines – Edison a été si touché que les larmes lui sont montées aux yeux –, j'ai pu inviter mon vieil ami à dîner.

Oliver n'était pas passé depuis plusieurs semaines, et il a observé notre appartement, un peu mal à l'aise.

— Eh bien, on dirait que vous commencez à vous… installer.

Si, au départ, l'appartement avait eu ce caractère impersonnel et standardisé des résidences témoins, les murs étaient maintenant ornés de photos noir et blanc des icônes d'Edison – Bud Powell, Art Tatum, Herbie Nichols, Earl Hines. La table à manger en bois de grange avait été livrée, accompagnée de chaises dégrossies. Des petites touches réchauffaient les pièces : un porte-parapluie excentrique, un vieux cageot à bouteilles de lait rempli d'anciens exemplaires de *Jazz Times*, des bégonias sur le passe-plat de la cuisine. La face arrondie de notre gros pèse-personne rouge était surmontée d'un Stetson déniché dans un vide-greniers, qui conférait à notre senti- nelle l'allure d'un cow-boy frimeur, tandis que la poupée Pandora, sur le piano, avait l'œil mauvais des ivrognes. Un montage photo venait amender le cliché esseulé pris lors de mon anniversaire quand mon frère pesait cent soixante-quinze kilos : Edison et moi à Monotonous, Edison et moi portant des sacs de sable, et la dernière, Edison notant son poids sur le calendrier le matin où il était descendu en dessous de cent kilos. En voyant notre repaire avec les yeux d'Oliver, j'ai pris conscience qu'il ne s'agissait plus d'un centre de désintoxication. C'était un foyer.

— J'ai été la première surprise, je ne savais pas qu'Edison pouvait être une fée du logis, ai-je déclaré. J'avais toujours pensé qu'il était du genre à ne jamais avoir de lait dans son frigo. Mais vu qu'il a dû abandon- ner tous ses biens au garde-meubles, il est peut-être prêt à s'arrimer à des choses qui lui appartiennent.

— Il est certainement prêt à s'arrimer à quelque chose, a répondu Oliver d'un ton prudent.

Il s'est avancé vers mon double et a tiré sur le cordon : « Oh non ! ENCORE un reportage photo ! »

— Rien de tel que de se voir mettre le nez dans sa fausse humilité pour vous inciter à la vraie.

Je nous ai versé à chacun un verre de vin raisonnable.

— C'est bien pour Edison, d'être *installé*, ai-je dit. Jamais je ne l'aurais cru, mais il va peut-être rester vivre dans l'Iowa.

— Je ne vois pas ce qu'il y a de surprenant à cela, a répliqué Oliver. *Tu* habites dans l'Iowa.

— Et alors ? Pendant vingt ans, le fait que j'habite ici n'a pas influencé son lieu de résidence.

— Certes...

Oliver a pris place autour de la table.

— Est-ce qu'il voit quelqu'un ?

— Pas à ma connaissance, et je suis sûre qu'il m'en aurait parlé. Il n'a ramené personne depuis cette aventure d'une nuit pendant l'inondation. Comme s'il voulait vérifier que l'équipement était toujours en état de marche, un peu à la manière d'une révision annuelle pour sa voiture. Il n'est peut-être pas prêt.

— Pourquoi devrait-il l'être un jour ? Que pourrait-il bien trouver chez une inconnue qu'il n'a pas déjà ?

— Du sexe, évidemment. Notre relation n'est pas spéciale à ce point.

— Elle l'est pas mal.

Je me suis affairée dans la cuisine. Je m'étais réjouie de notre tête-à-tête, mais la tournure que prenait cette conversation me rendait nerveuse.

— Après tout, dans un sens, une petite sœur fait une épouse parfaite, a poursuivi Oliver. Peu exigeante. Une quantité connue – intime, mais pas d'une façon effrayante. Pleine d'adoration. Un second rôle permanent, car ne va pas t'imaginer que prendre en main son régime a changé quoi que ce soit au rang de naissance. Tu lui as fourni une famille de facto avec Cody, et je me trompe, ou est-ce qu'il ne continue pas à donner des conseils par téléphone à ton beau-fils ?

J'ai enlevé la graisse de nos filets de porc. Maintenant que Fletcher avait employé le fameux mot en « D », je m'étais attendue à ce qu'Oliver tente de nouveau sa chance avec moi. Une période de temps respectable s'était écoulée, mais il n'avait rien fait – comme si j'étais toujours mariée, mais pas à Fletcher.

— Oui, il continue, ai-je répondu d'un ton léger. Je

dois bien admettre qu'Edison est le seul à prendre au sérieux les ambitions de scénariste de Tanner. C'est un grand défenseur des rêves stupides, et pour cause : il a essayé de vivre le sien.

— Je veux simplement souligner que ton frère a tout ce dont il a besoin. À l'exception peut-être du sexe, mais je parie que quand on est resté aussi gros pendant des années, on s'habitue à vivre sans. Une petite amie viendrait tout ficher en l'air. Il devrait tenter sa chance avec une personne qu'il ne connaît pas depuis qu'elle est née, qui ne lui est pas structurellement soumise, et qui aurait la liberté de partir.

— Je te rappelle que notre arrangement ne vaut que pour un an.

— Cela fera un an dans trois mois. Quand as-tu dit pour la dernière fois à Edison qu'il devrait se trouver un autre appartement début décembre ?

— Je ne lui ai pas dit.

— Dans ce cas, le fait que vous habitiez ensemble est quelque chose de permanent.

— Ce n'est pas ce que j'ai dit non plus.

— Non. Tu n'as pas dit grand-chose.

J'ai apporté la salade et j'ai pris place en face d'Oliver.

— Est-ce que tu *apprécies* Edison ?

Bizarrement, je ne lui avais jamais posé la question directement. Oliver a réfléchi.

— J'ai de la *sympathie* pour lui, a-t-il répondu.

En matière d'émotions, il était très scrupuleux et mettait un point d'honneur à être aussi honnête et précis à propos de ses sentiments qu'il l'aurait été à l'égard de faits. C'était une des choses que j'aimais chez lui : il n'optait jamais, par facilité, pour le premier mot qui lui venait à l'esprit, en l'occurrence « oui ».

— Il y a un an, je pouvais voir de la « sympathie » chez toi, mais plus maintenant.

— Surtout maintenant.

— Pourquoi ? Je ne l'ai jamais vu aussi heureux.

— Justement.

Cette conversation me contrariait sans que je sache trop pourquoi.

— Il n'a toujours pas appris à manger comme une personne normale, je me trompe ? a poursuivi Oliver. Il continue à tout peser au dixième de gramme près.

— C'est vrai. Il s'en approche, mais il n'a pas encore atteint l'objectif qu'il s'était fixé. Mais on n'est pas en train de changer de sujet ?

— Non. Et il refuse toujours de sortir dîner ?

— Il n'a pas confiance dans les restaurants, même s'ils annoncent les calories.

— Et tu m'as dit aussi que, pendant un temps, il avait été accro à l'héroïne.

— Je ne vois toujours pas le lien... Il affirme qu'il n'était pas accro. Qu'il s'est borné à essayer.

— Ce projet. Avec toi. C'est tout ce qui compte dans sa vie. C'est son héroïne. Mais il est impossible de suivre un régime draconien à vie. Lorsque ce projet sera terminé, il n'aura rien d'autre à faire que reprendre tout le poids qu'il aura perdu.

— Je croirais entendre Fletcher ! Edison pourrait continuer à faire quelque chose de plus *intéressant* que de manger ou de s'abstenir de manger, et je ne sais pas pourquoi tout le monde se montre aussi cynique !

— Ne t'énerve pas. Je t'ai dit que j'avais de la sympathie pour lui. Mais toutes ces mesures, ces calculs, ces notes, ces pesées. Cette organisation, cette maison où vous vivez ensemble, soi-disant pour une durée déterminée. Edison est fragile. Il ne se contrôle pas lui-même. La seule chose qu'il contrôle, c'est le contrôle. Une fois que ce contrôle sera levé, il ne contrôlera plus rien.

— Je ne vois pas où tu veux en venir...

Oliver a fait une nouvelle tentative.

— Exercer un contrôle n'est pas synonyme de maîtriser la situation. C'est le contraire. Quand on maîtrise la situation, on est libre. On n'est pas tiraillé.

Je n'y voyais pas plus clair, mais heureusement nous ne nous sommes pas appesantis sur le sujet.

En faisant la vaisselle après le départ d'Oliver, j'ai songé que si une petite sœur faisait une épouse parfaite, je doutais qu'un frère aîné fasse le mari idéal. Je souffrais de ce compagnonnage qu'Edison chérissait, de cette absence de friction que j'associais avec une sexualité peu satisfaisante. Pourtant, l'un des arguments d'Oliver tombait juste : mon frère manifestait clairement qu'il pensait que notre arrangement durerait indéfiniment. Il se demandait à voix haute si « nous » devions envisager d'acheter une nouvelle voiture, s'interrogeait sur le bien-fondé pour moi d'accepter des demandes d'interview de journaux locaux tels que le *Des Moines Register*, comme s'il aspirait à être mon agent autant que le directeur général de l'usine, et il avait récemment proposé une randonnée à vélo dans tout le Midwest une fois qu'il serait repassé à une alimentation normale, l'été suivant. Il s'attendait à ce que nous fassions les courses ensemble, allions travailler ensemble, dînions ensemble et écumions les clubs de jazz d'Iowa City ensemble. Ce petit duo était certes touchant, mais une angoisse commençait à sourdre en moi et me laissait à penser que, contrairement à la prédiction de Fletcher selon laquelle Edison finirait par me « briser le cœur », c'était plutôt moi qui risquais de briser le sien.

10

CES TROIS DERNIERS MOIS, j'ai observé l'étroitesse d'esprit d'Edison avec autant d'admiration que d'inquiétude. Dans sa détermination à atteindre son objectif pour notre premier anniversaire, mon frère, à ma plus grande horreur, avait cloné mon mari, comme si mon karma me destinait à vivre avec M. Parfait. À vélo sur le trajet du travail, c'était lui qui m'exhortait à accélérer. Il s'était aussi mis au jogging, pour retrouver un peu de l'apparence qui avait été la sienne pendant les glorieuses années de son adolescence. Il était si concentré sur son objectif final, à savoir soixante-quatorze kilos, qu'il ne faisait jamais allusion au moindre événement après cette date, pas même Noël.

Que croyait-il qu'il allait se passer ? Qu'il se transformerait en papillon ? Qu'il s'élèverait à la droite du Père ? Dans quoi mettrait-il toute cette énergie obsessionnelle lorsqu'il aurait atteint notre objectif ? Je n'avais pas voulu le concéder à l'époque, mais Fletcher avait vu juste lors de notre pique-nique catastrophique : la perte de poids faisait une bien piètre religion, ne serait-ce que parce que pour ses fidèles elle comportait une date de péremption ; on ne pouvait continuer à communier à l'autel de la restriction alimentaire que si on transgressait ses vœux de façon chronique. Je repensais sans cesse à la façon dont j'avais vécu le fait d'atteindre l'objectif que je m'étais fixé. Avoir maigri ne m'avait pas rendue heureuse. Au contraire : je m'étais sentie perdue et flouée ; j'avais éprouvé de l'ennui autant que de la peur et du désarroi à la perspective banale de reprendre des repas réguliers. A posteriori, le plus déprimant avait été cette prise de conscience : m'isoler dans ma chambre, me confronter directement à mon reflet dans le miroir et me rendre compte qu'être un peu plus mince était sans importance. À de nombreux égards, que ce soit la santé ou l'estime de soi, j'imagine qu'il était essentiel qu'Edison n'ait plus à supporter dans un aéroport des remarques cruelles de la part de personnes furieuses d'avoir voyagé à côté de lui. Mais quelle importance qu'il pèse soixante-quatorze ou soixante-quinze kilos ? Aussi, je m'inquiétais que cette découverte le plonge dans les ténèbres. Je me demandais pourquoi tant de personnes s'astreignaient à accomplir quoi que ce soit, alors que le moindre accomplissement s'accompagnait immanquablement de ce triste bilan : « Bien, et maintenant ? »

— Tu as conscience que *le plus difficile* sera *quand* tu auras atteint tes objectifs, ai-je averti Edison à la mi-novembre alors qu'il s'épongeait après avoir été courir.

Il a éclaté de rire.

— Tu me fais trop marrer ! Il y a un an, perdre tout ce poids allait être « la chose la plus difficile que j'aie jamais faite ». J'avais pigé. Puis la reprise d'une alimentation solide était « vraiment le plus difficile », et maintenant avoir une corpulence normale est « le plus dur ». Tu parles d'une cible mobile. Quoi que je fasse, « le plus difficile » m'attend toujours au coin de la rue. Tu devrais te détendre, sœurette. En tant que coach, tu ferais bien de réfléchir à une meilleure stratégie de motivation que la peur.

— D'accord. Et si on planifiait quelque chose d'agréable ? On devrait organiser une fête. Une Fête de la silhouette retrouvée.

— Ça, c'est une idée !

Nous avons consulté le calendrier. Au onzième mois, Edison avait perdu quatre kilos et demi. S'il augmentait ses dépenses en faisant plus de sport afin de perdre cinq kilos et demi, il toucherait le marbre jour pour jour au moment de notre premier anniversaire.

— Tu n'as pas envie de t'accorder un peu de marge par rapport à tes objectifs ? ai-je demandé.

— Petit panda, avant d'atterrir sur tes genoux, je me suis laissé l'équivalent d'une vie entière de *marge*. Le 6 décembre, c'est parfait. On a trois semaines et des brouettes, juste ce qu'il faut pour envoyer les invitations. D'ailleurs, à ce propos, est-ce que tu considères que ton futur-ex est un homme d'honneur ?

— Je ne vois pas où est l'*honneur* à larguer sa femme pour la simple raison qu'elle se montre loyale envers son frère.

J'étais devenue un peu amère.

— Mais jusqu'à juin dernier, j'aurais dit oui, que c'était un homme d'un très grand honneur. C'est ce qui explique que j'aie été aussi choquée quand il a fait sa sortie, drapé dans sa dignité.

— Dans ce cas, tu dois inviter Fletcher de malheur. *Man*, on avait parié : un gâteau au chocolat à avaler en une seule fois.

— Tu t'en souviens…

— Tous les jours, je me souviens de ce pari condescendant et ironique.

— Je ne peux pas te promettre qu'il le fera. Les circonstances ont changé.

— Ce qui n'a pas changé, c'est qu'il m'a insulté, *man*. Tout ce ramdam quand ce putain de fauteuil s'est cassé, toutes ces conneries sur le fait que je pouvais même plus voir ma bite. Que je n'étais qu'un loser SDF qui parasitait sa sœur, et qui « prétendait » être un jazzman respecté. Puis, le jour où on est partis, il a dit que je n'y arriverais jamais, que ma volonté était « flasque ». Qu'il aille se faire foutre. Je veux le voir faire amende honorable. Je veux le voir ravaler sa fierté et avaler le gâteau par la même occasion.

Le comportement d'Edison était devenu si affable dernièrement que cette aigreur m'a surprise. Cette fierté blessée qui l'avait entraîné dans tous ces problèmes, et qui lui avait aussi permis de s'en sortir, subsistait en lui. Néanmoins, même si je redoutais de Fletcher autant qu'il accepte ou qu'il refuse l'invitation, je devais à Edison de la relayer. C'était sa réussite, sa fête, sa liste d'invités.

*

Me reconnaître a été la seule satisfaction durable que j'ai retirée de mon régime : mon reflet dans le miroir avait un certain rapport avec moi et remplaçait un imposteur qui s'était mué tout à la fois en caricature et en reproche. Pour moi, la transformation d'Edison pendant notre année ensemble avait été marquée par une série de reconnaissances, dont la plus importante s'était peut-être produite cet après-midi de mars, quand les rayons du soleil par la fenêtre avaient enfin exhumé ses pommettes.

Les dernières semaines ont abouti à un changement de seuil plus spectaculaire encore. La perte des derniers kilos a creusé ses joues, ciselé son menton et son nez, et dissous le petit excédent au-dessus de la ceinture. Ensuite, son sourire en clavier de piano a occupé une plus grande partie de son visage, paraissant plus large, plus radieux, plus dangereux. Sa silhouette avait retrouvé la géométrie de son adolescence : son bassin étroit comme suspendu, ses cuisses musclées par la course à pied, ses épaules nettes. Je savais qu'il était atterré par le surplus de chair qui crêpait son torse, au point qu'il ne quittait jamais sa chambre sans chemise, et je lui avais laissé entendre qu'il serait possible de retirer ce surplus chirurgicalement si cela devait être une source de complexe. Et il ne pouvait rien au fait que sa colonne vertébrale s'était tassée ; il serait à jamais plus petit de cinq centimètres. Quoi qu'il en soit, au cours du dernier mois, il s'était même mis à bouger différemment, avec cette fluidité désarticulée qui le caractérisait lorsqu'il arpentait les couloirs de Verdugo Hills High en sifflant « Summertime ». Le 6 décembre approchait, et mon frère avait recommencé à faire tourner les têtes sur son passage, et pas parce qu'il était obèse.

Jusqu'à présent, j'avais minimisé les plaisirs que je retirais désormais d'une réduction sur l'axe horizontal de mon enveloppe charnelle, peu désireuse de passer pour une esclave pitoyable des magazines féminins sur papier glacé. Mais, brûlant de nouveau d'une admiration sans bornes pour mon frère... en fait, cela ne semblait plus du tout pitoyable. Qui sait, peut-être nous est-il impossible de vivre pleinement nos réussites, car nous nous attachons à la quête, à sa pulsion, à sa décharge addictive d'amphétamines et à ce sentiment puissant d'avoir un but ? L'accomplissement s'apparente alors à une perte, l'énergie et le mouvement se voient remplacés par un calme dans le halo duquel tous ceux qui ont l'habitude de s'escrimer sentent rapidement une agitation les gagner. En revanche, il est sans doute possible de célébrer les réussites de ceux qu'on aime – la beauté de mon frère, par exemple, dont j'avais toujours été consciente à un certain niveau, et qui était de nouveau manifeste aux yeux de tous.

*

— Il a dit qu'il viendrait.

En refermant la porte derrière elle, Cody avait du mal à contenir son excitation. Cette fois-là, j'avais dû me servir d'elle comme intermédiaire, puisque je n'avais pas la moindre confirmation que Fletcher lisait les e-mails que je lui envoyais ou qu'il écoutait les messages que je laissais. Et puis, j'avais promis à mon frère.

— Il n'en avait pas l'intention, a-t-elle dit, mais je lui ai rappelé le pari. Tu sais à quel point il est pointilleux.

— Oui, il respecte toujours scrupuleusement la loi, ai-je répondu, déjà nerveuse alors que la fête n'aurait pas lieu avant des jours.

— Ouais, mais s'il est « pointilleux » », a remarqué Edison, je dois peser soixante-quatorze kilos et pas soixante-quatorze kilos cinq cents, sinon, adieu le gâteau.

— Lire ne te fera pas prendre de poids, ai-je déclaré. On doit trouver une recette, aussi diabolique que possible.

Ce soir-là, nous avons épluché les livres de cuisine que j'avais entassés pendant la période des sachets protéinés, pour finalement opter pour un bien nommé « Dump cake[1] » au chocolat. Ce nom sautait presque à la figure ; il laissait présager sa lourdeur sur l'estomac, et évoquait le *boom* d'un gâteau géant jeté d'un camion et qui viendrait atterrir sur votre pelouse. Le lendemain soir, Edison est arrivé avec deux moules rectangulaires si grands qu'ils tenaient à peine dans le four.

— Tu n'as pas l'impression d'en faire trop ? ai-je demandé. Tu ne peux pas t'attendre à ce que Fletcher engloutisse à lui seul un gâteau à deux couches recouvert d'un glaçage.

— Il a dit « un » gâteau. Il n'a pas précisé sa grosseur, *man.* Qui est pointilleuse, maintenant ?

— Mais tu vas le rendre malade ! Très malade, le faire vomir !

Edison a éclaté de rire.

— Écoute. On ne peut pas inviter tout ce monde, faire

_____

1. Dans le langage familier, *to dump* signifie « larguer quelqu'un ».

le plus extraordinaire des gâteaux au chocolat et ne le servir qu'à un seul des invités. Si j'ai pour projet de foutre la trouille de sa vie à ce mec ? Tu m'étonnes. Mais une fois qu'il en aura mangé à s'en faire péter la panse, il y en aura encore pour tout le monde.

*

Comme Edison vivait dans l'Iowa depuis un an à peine, j'ai été surprise du nombre de personnes désireuses de célébrer avec lui sa photocopie réussie de lui-même réduite de 42 %. Tous mes employés ont dit qu'ils ne manqueraient la fête pour rien au monde. Un groupe d'étudiants habitués de The Mill a mendié des invitations ; ils adulaient mon frère pour son talent de pianiste, sans se douter le moins du monde qu'il avait joué au Village Vanguard. Quelques réponses positives sont arrivées de gens travaillant pour certains dans divers bureaux et entreprises avec lesquels jamais Edison n'aurait eu de relations dans d'autres parties du pays : notre propriétaire, un guichetier de banque, un employé du supermarché, une serveuse du Java Joint, l'employé de Barnes & Nobles qui passait ses commandes de magazines de jazz. Le Dr Corcoran a sauté sur l'occasion de fêter l'une de ses rares réussites.

En établissant le menu de la réception, Edison a rejeté le frit et le sucré – à l'exception notoire du Dump cake au chocolat, dont la confection nécessitait une tour infernale de plaques de beurre, deux douzaines d'œufs, et une telle quantité de chocolat à cuire qu'il avait dû écumer plusieurs supermarchés. Pourtant, au cours de cette première semaine de décembre, il n'a jamais laissé les courses ou la cuisine interférer avec son jogging, dont, de façon assez préoccupante, il venait d'augmenter la distance à quinze kilomètres. En outre, une fois qu'il a atteint soixante-seize kilos, il a arrêté de se peser le matin, et pendant deux semaines le calendrier est resté vierge. À ce jeu, les effets de mise en scène sont difficiles, et Edison avait envisagé comme coup de théâtre de notre réception la première pesée où il atteindrait l'objectif de poids qu'il s'était fixé. Compte tenu des enjeux, ainsi que le gros gant marron qu'il envisageait de jeter au visage de sa bête noire, j'admirais son sang-froid de parieur.

La veille, il n'a voulu prendre aucun risque. Il a couru vingt kilomètres (c'était ridicule – mon moulin à paroles de frère est rentré en boitant et si fatigué qu'il était muet comme une tombe), et, avant de se coucher, il a pris une double dose de séné qui l'a gardé une demi-heure aux toilettes le lendemain matin. Après une tasse de café noir, il a refusé de manger et de boire de toute la journée, même s'il était levé dès potron-minet, et j'étais bien placée pour savoir à quel point organiser une réception pour trente-cinq personnes était physique. Hélas, tous ces sacrifices ont doublé sa consommation de cigarettes ; j'ai commencé à rouspéter, pour m'entendre répondre : « Écoute, sœurette. On ne peut pas tout faire. Une transformation héroïque à la fois, *pigé* ? »

Oh, il n'arrêterait jamais. Il disait que les parangons de vertu le faisaient « flipper », et désormais seules ces Camel sans filtre le séparaient de Fletcher Feuerbach.

J'avais pris ma journée pour nettoyer, faire le plein de boissons, disposer la porcelaine de location, et de temps à autre ouvrir une fenêtre pour chasser toute cette fumée. Comme je ne savais pas trop quelles décorations étaient appropriées pour une Fête de la silhouette retrouvée, j'ai noué une cravate de fête autour du pèse-personne et piqué une plume dans son Stetson. J'ai aussi placé deux sachets de BPSP qui nous restaient dans les mains de la poupée Pandora sur le piano. Sur le seul mur du salon à n'être pas recouvert par des icônes du jazz, j'ai punaisé le jean gigantesque que nous avions utilisé pour notre bonhomme de neige en février. Au-dessus, j'ai drapé le cardigan informe dans lequel Edison traînait dans la maison de Solomon Drive. Puis j'ai sorti mon appareil photo.

— *Cheese !*

Quand Edison a levé les yeux des champignons qu'il tranchait, j'ai réussi à capturer chez lui quelque chose de la faim qui l'animait avant, et je ne parle pas de celle des frites. Son sourire a éclaté avec la voracité d'autrefois, un appétit de vivre que le mien ne pourrait jamais égaler. Alors que l'attente dans ses yeux devait concerner la réception qui allait se dérouler quelques heures plus tard, son visage reflétait aussi le jazzman qu'il était et qui avait fait des tournées au Brésil, dans le sud de la France, au Japon, qui jusqu'à 5 heures du matin frappait sans relâche les touches à Manhattan pendant des jam-sessions. La lumière dorée de l'après-midi adoucissant les rides nées du regret, de l'anonymat et du déshonneur, cette photographie aurait presque pu passer pour un portrait pris dans sa chambre de Tujunga Hills, au moment où il levait la tête de ce sac à dos qu'il avait préparé, à dix-sept ans, pour ce voyage à New York qui allait tout changer. J'avais accroché le cliché en 20 × 25 sur le mur au-dessus de l'épouvantail formé par les vêtements aux proportions colossales, mais il était si émouvant que la farce que j'avais en tête est tombée à plat.

Une fois les plats préparés, la playlist personnalisée – pleine de clins d'œil comme « Ain't Misbehavin' » de *Fats* Waller et « I'm Livin' Right » de *Fats* Domino – préprogrammée sur l'ordinateur d'Edison, nous avons revêtu les vêtements que nous avions déposés sur nos lits avec la même solennité que celle qu'on réserve aux costumes des morts. En préparation de sa pesée rituelle, Edison avait sélectionné des tissus légers : un pantalon noir trop fin pour la saison et une chemise à manches courtes en satin crème avec des motifs de portée musicale. J'avais mis une robe noire au col crème, cadeau d'Edison pour mon quarante-deuxième anniversaire, le mois précédent, et qui était plus courte et plus découverte que tout ce que j'avais osé porter l'année précédente. Nous formions un beau couple.

Heureusement, nous avions presque une heure devant nous, en tête à tête, avant l'arrivée des invités, prévue à 20 heures. J'avais besoin de réfléchir avant de voir Fletcher ; en outre, je voulais offrir en privé à Edison son cadeau officiel de Personne mince.

Edison a soupesé le paquet.

— C'est super lourd !

— Oui, je sais, et tu n'es pas obligé de le porter pour monter sur la balance. Mais tu ne vas pas avoir chaud dans cette tenue légère, avec tous ces gens qui ouvrent la porte… Sans compter que je veux te voir dedans.

Il m'avait fallu des heures de recherche sur internet pour retirer ce qu'il a sorti du papier cadeau.

— *Man !* Ça suffirait à me faire croire qu'il y a une vie après la mort ! Comment t'as fait ? T'as retrouvé la trace d'un collectionneur en quête de bonnes affaires à Box My Pad ?

— Il m'a fallu du temps pour remonter la piste, mais un peu d'argent fait parfois des miracles.

Comme s'il revêtait une robe pour un office religieux, Edison a enfilé le vêtement en faisant bruisser la doublure, l'a ajusté sur ses épaules puis a relevé le col de la même façon décontractée qu'à New York.

— J'le crois pas !

Il a lissé le devant avant d'enfoncer profondément ses mains dans les poches, et de se diriger d'un pas précautionneux vers le miroir de sa chambre.

— Putain, petit panda, j'te jure, c'est le même manteau en cuir.

— C'est italien. Compte tenu du prix, le cuir doit provenir d'un bœuf de Kobé. Mais je t'assure que ça en valait la peine. Tu es magnifique. Tu te ressembles.

— Ça en valait *vraiment* la peine ? Je parle pas seulement du manteau.

— J'ai fait une bonne chose. C'est peut-être ce que j'aimerais voir graver sur *ma* tombe.

Edison m'a serrée dans ses bras, et l'espace d'un instant, dans cette douce étreinte du cuir, j'ai eu l'impression qu'il s'agissait bel et bien de la réincarnation de son trench de cuir : il avait la même odeur. Je ne sais pas combien de temps nous aurions pu rester comme ça si la sonnette n'avait pas retenti.

— Je suis désolée, je suis en avance…

Cody s'est précipitée à l'intérieur, un paquet cadeau dans un bras et une partition coincée sous l'autre.

— … mais je me suis dit que vous auriez peut-être besoin d'aide. En plus, je voulais revoir ce riff que j'ai préparé pour le refrain de « The Boxer ». Tu sais, tous ces « laï-la-laï » sont un peu gnangnan, mais les intervalles offrent des possibilités.

Elle a enlevé ses baskets et tiré de son sac une paire d'escarpins aux talons impressionnants.

— Tu comptes jouer ce soir ? ai-je demandé.

Avant Edison, Cody n'aurait jamais joué devant un public.

— Bien sûr ! Et Edison et moi, on a travaillé un duo. Quoi d'autre ?

Elle a enfilé ses escarpins à talons et a précisé :

— « Il n'est pas gros, c'est mon frère ! »

Elle a donné un high-five à Edison et a reculé d'un pas.

— Eh, t'es super chic, *man* ! Génial, tes fringues ! Et ce cuir est trop top !

— T'es pas mal toi non plus, a-t-il répondu.

Je trouvais la robe de cocktail en strass un peu trop adulte pour elle, mais c'était prévisible. Au moins, il lui restait encore un peu de cette excitation de petite fille, et elle a insisté pour que son oncle ouvre son cadeau sans attendre : un gros coffret en édition limitée de douze 33 tours de Miles, comprenant également une biographie, des photos, un livret, et des pochettes bien épaisses. Edison était ravi. Si le coffret de seconde main qu'elle avait été tout excitée de dénicher dans un vide-greniers n'était pas le même que celui qu'il avait perdu dans cet horrible garde-meubles, il n'en a rien dit.

— Tu ferais mieux de ne pas t'être enfilé de Mars, *man*, a-t-elle déclaré en s'asseyant sur la banquette du piano, parce que j'te dis pas comment j'ai hâte de voir mon père avec le visage tout barbouillé de gâteau au chocolat. Le pauvre, dernièrement, il est à fond dans les *aliments crus*, et tout ce que je le vois manger, c'est des carottes. J'ai quand même réussi à lui faire avouer que ça lui faisait mal aux mâchoires.

*

Au fil des ans, j'ai été contrainte d'admettre que la plupart des fêtes sont décevantes. Plus un événement est organisé avec soin, plus il est probable qu'il dégouline et se dilue sur l'autel des bonnes intentions. Les Noëls, les anniversaires, les cérémonies de récompense ainsi que les mariages sont engloutis d'un côté par l'organisation et les préparatifs et, de l'autre, par le rangement, et donnent l'impression qu'ils n'ont jamais vraiment eu lieu. Les discours, les applaudissements, l'ouverture des cadeaux, les présentations de plaques commémoratives – dans un certain sens, tous ces gestes désespérés ne contribuent qu'à faire échouer encore plus l'hommage rendu, ne servent qu'à souligner qu'un événement ne s'est mystérieusement pas produit. Je serais dans l'incapacité de nommer la source du problème, au-delà de cette inaptitude propre à l'espèce de profiter du moment présent ou d'une impossibilité universelle à anticiper que le fait de rester debout un verre à la main n'a rien de si génial.

Pourtant, en de rares occasions, les planètes s'alignent, et les invités conviés sont tous là. Si nous laissons de côté la toute fin de la soirée – ce que nous allons faire –, il convient de dire que la Fête de la silhouette retrouvée organisée par Edison Appaloosa a constitué l'une de ces rares occasions. Je ne me souviens d'aucune autre réception qui ait été aussi joyeuse. Car n'oublions pas que nos invités ne s'étaient pas rassemblés dans le vide sidéral, mais dans un lieu particulier à un moment tout aussi particulier, et dans l'État d'Iowa des États-Unis d'Amérique en ce début du XXIe siècle, les gens n'admiraient rien tant qu'une perte de poids de cent un kilos en un an. Ç'a été l'une de ces peu fréquentes situations où les invités saluent leur hôte à la porte par un « Mais tu es splendide ! » en le pensant réellement.

La plupart des invités sont arrivés avec de la nourriture – des lasagnes, les célèbres enchiladas de Carlotta, et il n'y avait plus de place sur la grande table en bois –, et presque tout le monde est venu avec un cadeau. Oliver, une ceinture en cuir noir de quatre-vingts centimètres à laquelle il manquait ostensiblement des trous. Le Dr Corcoran, un mug avec l'inscription « Meilleur patient du monde ». Novacek, malheureusement, avec un livret de coupons Pizza Hut « deux pour le prix d'une », sous le prétexte que son locataire maigrichon pouvait désormais se permettre de s'envoyer une pizza à la pâte fourrée au beurre d'ail. L'une des employées de notre banque, qui avait elle-même essayé tous les régimes avec peu de succès, lui a offert un survêtement criard en velours – il aurait préféré mourir plutôt que de le porter –, mais il a apprécié l'allusion à ses aptitudes athlétiques retrouvées. Les membres du petit fan-club d'Iowa City avaient découvert la discographie de mon frère sur internet, et ils se sont présentés avec un excellent single malt ainsi que des exemplaires des CD d'Edison qu'ils ont voulu lui faire dédicacer.

Nous avons attendu jusqu'après 21 heures pour lui offrir le cadeau des employés de Baby Monotonous. J'étais résolue à ne pas me laisser perturber par le fait que Fletcher n'était toujours pas arrivé.

— Je filais un mauvais coton, *man*, expliquait Edison à sa cour d'étudiants à côté du pèse-personne. Et peu importe si c'est avec de la poudre, de la picole ou des hot dogs. Le médecin légiste qui a autopsié Bird pensait qu'il avait soixante ans, *man*. Le pauvre mec en avait trente-quatre.

J'ai frappé dans mes mains pour obtenir le silence.

— Écoutez tous !

Cody a terminé « Mrs. Robinson » dans une envolée lyrique tandis que les invités faisaient de la place.

— Désolée que ceci soit si prévisible – j'ai tendu à Edison son paquet, mais nous avions peur que tu aies le cœur brisé si on ne t'en offrait pas une.

Edison a reconnu les dimensions du paquet ; il en avait emballé suffisamment.

— Quoi d'autre, sinon Edison Appaloosa en train de jacasser ? a-t-il dit avant de soulever le couvercle.

J'avais prévenu mes employés pour le trench en cuir – qu'Edison avait gardé sur lui toute la soirée –, et ils en avaient cousu une miniature dans un somptueux cuir noir, col relevé et ceinture nouée. Une cigarette avait été cousue entre deux des doigts de la poupée, dans une sorte de reconnaissance tacite qu'il serait trop demander à Edison de renoncer à cette dernière mauvaise habitude. J'étais particulièrement satisfaite des cheveux de la marionnette, qui formaient des petites masses ondulées blond foncé, comme si la poupée avait été électrocutée ; sur la corpulence mince, ils lui faisaient une allure de rock star – de même que les vrais cheveux d'Edison, sur sa silhouette mince, avaient cessé de lui donner ce faux air de gamin gâté à la lord Fauntleroy. Mon frère a tiré sur le cordon :

« J'ai été une *grosse pointure* ! »

« J'ai joué avec des *grosses pointures* ! »

« Ce séjour en Iowa, c'est *profond*, tu me suis ? »

« Metheny, il est jive, *man.* »

« Wynton, il est jive, *man.* »

« Quel gros con, ce Jarrett. Bley vaut sacrément mieux que lui. »

« Steely Dan serait *rien* sans Wayne Shorter. »

« T'as pas d'oreille, petit panda, ça peut pas être Ornette : c'est un sax *ténor* ! »

« Le blème, c'est que j'ai jamais joué avec *Miles, man.* »

« *Apprendre* le jazz, c'est suivre les règles, alors que *faire du jazz*, c'est les briser, *PIGÉ* ? »

« J'ai avalé quatre sachets de poudre par jour pendant six mois. Fais mieux, connard. »

« Ces champs de maïs sont trop canons ! »

Oliver s'était éclaté pour enregistrer toutes ces expressions familières, mais quant à moi j'avais eu un mal fou à écrire le script. J'avais griffonné les répliques sur les *grosses pointures* et Miles en guise de clin d'œil au frère fanfaron et parfois amer qui était descendu de l'avion en fauteuil roulant à l'aéroport de Cedar Rapids, l'année précédente, mais Edison version 2 avait perdu l'habitude de citer ses collègues musiciens célèbres ou de se lamenter sur le fait que s'il avait réussi à fréquenter les icônes de sa discipline, il aurait été une star. Il ne se plaignait plus non plus de ne pas être noir. Il y a un an, la poupée Edison que j'aurais réalisée aurait méprisé les ploucs de l'Iowa ;

dernièrement, il avait le plus sérieusement du monde fait une remarque sur la pertinence qu'il y avait à qualifier le Midwest de « cœur » de l'Amérique. À Solomon Drive, il avait été un souillon ; à Prague Porches, ayant désespérément besoin de s'occuper, il était devenu une vraie fée du logis. En réprimant son incontinence verbale, mon frère avait fait son entrée dans le vaste monde de l'écoute. Après nos soirées de discussions intimes, il était beaucoup moins enclin à se lancer dans une diversion tonitruante sur Charles Mingus ou Chick Corea qu'à dire ce qu'il ressentait. Je ne savais comment l'expliquer, mais il avait perdu bien plus que du poids, et mon frère nouvelle version défiait la parodie. Mais si son double était plein d'esprit, il était aussi irrespectueux, et Edison adorait ça.

Il y a eu un nouveau coup de sonnette, et mon pouls s'est emballé. Il ne manquait que lui.

J'avais passé une grande partie des six derniers mois à marmonner des diatribes indignées à l'encontre de ce mari dont j'étais séparée, et quand Cody lâchait une remarque caustique sur son père, je buvais du petit-lait. J'étais furieuse contre lui, car il m'avait quittée alors que tout ce que j'essayais de faire, c'était d'aider mon frère, et je pouvais me montrer très moralisatrice sur le sujet. J'avais même craint de m'emporter si jamais il venait, et de ruiner ainsi la soirée par une engueulade. Avant, nous n'avions jamais eu de scènes en public, mais je fulminais, en proie à un sentiment aigu d'injustice. Peut-être Edison n'était-il pas le seul à avoir changé.

Quand j'ai ouvert la porte, j'ai donc été la première étonnée à me sentir fondre. J'avais oublié à quel point Fletcher était beau – peut-être pas aux yeux de toutes les femmes, mais quant à moi je trouvais attirante sa morphologie acérée à la Pinocchio. Il avait soigné sa tenue – belle chemise et pantalon noir –, par respect pour la soirée en l'honneur d'Edison. Une anxiété se lisait sur son

400

visage, et il semblait mal à l'aise. Il ne cherchait pas la bagarre.

— Salut, a-t-il dit.

— Salut, ai-je répondu.

Nous nous sommes souri.

— Je suis venu avec quelqu'un, a-t-il ajouté, et l'espace d'un horrible instant avant qu'il s'écarte, j'ai pensé qu'il était sur le point de me présenter une femme.

— Tanner, tu es revenu !

J'ai serré dans mes bras mon beau-fils, hâlé par le soleil de Californie. Il semblait plus adulte, comme assagi.

— Tu es revenu pour de bon, ou tu es juste en visite ?

— Pour de bon, tant que papa voudra bien de moi.

— Que s'est-il passé à L.A. ?

— Oh, Pando ! Tu as combien de temps devant toi ?

— Pas beaucoup pour l'instant. Va dire bonjour à ton oncle. Et sers-toi à manger, il y a des quantités de nourriture. Puisque tu as dix-huit ans et que tu es sous surveillance parentale – j'ai jeté un coup d'œil à Fletcher pour avoir son autorisation –, tu n'as qu'à aussi te servir un verre.

— Bon sang, c'est vraiment *Edison* ?

La dernière fois que Tanner avait vu son oncle, celui-ci pesait cinquante kilos de plus.

— L'essence d'Edison.

Une fois Tanner parti saluer mon frère d'une bonne tape dans le dos, je me suis attardée dans l'entrée.

— Merci d'être venu.

— J'avais dit que je viendrais.

— Tu fais toujours ce que tu dis que tu vas faire.

— Oui, même si… ce n'est pas sans poser parfois des problèmes.

Il a touché mon coude.

— Tu es magnifique.

— Merci.

Je me suis demandé pourquoi il ne m'avait pas fait ce

compliment quand il aurait signifié tant pour moi, en avril, au Java Joint.

— Je ne rejette pas totalement l'idée, déclarait Tanner à Edison. Mais je ne pouvais pas supporter de finir comme ça. C'est incroyable, il la ramène tout le temps sur ce truc chiant qu'il a tourné il y a des siècles. Ça commençait à me taper sur le système. Et puis, ne le prends pas mal mais ton père est triste. Pas déprimé, même s'il devrait l'être. Je veux vraiment dire *triste*. Quant à ces acteurs de *GA*... Sinclair ? Tiffany ? Rien que des losers.

— Il a accepté de terminer le lycée, m'a annoncé Fletcher. Tu avais raison.

— Eh bien, je n'entends pas ça tous les jours, ai-je répliqué.

— Tu le pourrais, désormais.

— Ça serait un vrai changement. D'entendre le son de ta voix, je veux dire.

— Ton frère est super comme ça. Tu as fait un miracle.

— Je n'ai rien fait, ai-je protesté, modeste, alors qu'à ce moment-là j'avais l'impression d'avoir réussi quelque chose.

Je n'avais jamais été bonne en dessin ni en peinture : l'amaigrissement d'Edison était ma seule œuvre d'art.

Comme il n'avait pas de verre – de toute la soirée, je ne l'avais pas vu avaler quoi que ce soit –, mon frère a tapé sur le pèse-personne pour demander le silence.

— *Yo*, comme je vois que notre saint Thomas nous a rejoints, il est temps de passer à la *pièce de résistance* de notre petite soirée. Vous êtes tous prêts, *man* ?

Il s'est débarrassé de son lourd manteau en cuir et me l'a tendu. Puis il a retiré ses chaussures avant de monter sur l'arbitre sévère de toute son année. L'aiguille a oscillé vers le haut, le bas, puis encore vers le haut, avant de s'immobiliser : juste au-dessus de soixante-treize kilos.

Des acclamations sont montées de la pièce. Je n'ai jamais assisté à un seul événement sportif, messe, concert, comédie musicale ou victoire à une élection qui égalait cette explosion de joie spontanée. Je ne veux pas paraître sacrilège, mais il irradiait de mon frère, sur son trône de chez Walmart, comme une promesse messianique offerte à tous dans cette pièce. Ce qu'il avait réussi ne se limitait pas à une séduction retrouvée ou une diminution de ses probabilités à souffrir de diabète. Il avait prouvé qu'il était possible d'inverser le plus abominable des malheurs : celui que l'on créait soi-même.

Edison a levé la main pour faire taire les acclamations.

— Écoutez. Ça a été une sacrée longue année, *man*. Mais ça a aussi été l'une des meilleures. Peut-être *la* meilleure. Je suis devenu un adepte de l'Iowa. Comme le dit la poupée : « Ces champs de maïs sont trop canons ! » Ce que je voulais dire aussi…

Il avait peut-être répété le discours dans sa tête, mais il commençait à se laisser gagner par l'émotion, et les phrases préparées ne venaient plus.

— Je n'aurais jamais pu faire ça seul, *man*. On se sent vachement seul quand on peut pas sortir dîner avec des potes ou les retrouver pour un verre. Vous pouvez pas savoir comme le temps est long quand on mange pas. Et qui n'a pas ses petits moments de faiblesse ? J'avais besoin de compagnie, de soutien moral, et même de quelqu'un pour trouver comment *faire* ça, perdre cent un kilos…

— Cent *deux* kilos ! a crié Cody.

— Vous imaginez sans peine qu'au début ça ressemblait à une mission impossible. Puis quand ça a marché, j'ai aussi eu besoin de quelqu'un qui me force à revenir sur Terre. Je vous jure, il y a eu un moment où j'étais prêt à ne plus rien avaler de toute ma vie, et sans un flingue contre ma tempe et un bol de soupe j'aurais pu mourir. Ce dont j'avais le plus besoin, c'était de quelqu'un qui croyait plus en moi que moi-même. Qui m'aimait plus

403

que je ne m'aimais. Qui était prêt à mettre dans la balance plus que ce que j'aurais moi-même fait pour quelqu'un. Je vous demande de lever tous votre verre, *man*.

Oliver a versé un verre de vin à Edison, qu'après la pesée il a accepté.

— À ma sœur, Pandora.

— À Pandora ! se sont écriés nos invités dans une acclamation rauque, avant de vider leur verre d'un seul trait.

Edison m'a fait monter avec lui sur la balance. J'ai regardé le cadran : à nous deux, nous pesions plus de cinquante kilos de moins que ce qu'il avait pesé à lui seul. Il a passé un bras autour de moi et a souri malicieusement à mon mari.

— Comme certains d'entre vous le savent, Fletch ici était *sceptique* quant au fait que ce, je cite, « gros lard » de frère de sa femme pouvait réussir. La résolution de ce, je cite toujours, « accro à la bouffe fauché, SDF et complaisant » n'allait pas tenir, c'était couru d'avance, parce que si on plaçait Edison Appaloosa dans la même pièce qu'une assiette de frites, je cite encore, « c'est les patates qui gagnent ». Il était si sûr de lui – je pesais cent soixante-quinze kilos à l'époque – qu'il a promis de manger en entier et en une seule fois un gâteau au chocolat si jamais je redescendais à soixante-quatorze kilos. Mon ami ici ne va donc pas seulement manger ce gâteau, il va le *fletcheriser*. Cody, à toi l'honneur ?

— Je ne crois pas pouvoir le porter toute seule.

— Tanner, file un coup de main à ta sœur.

Le frère et la sœur sont ressortis de la cuisine en portant la planche à découper, et tout le monde a éclaté de rire.

— Edison, espèce de sadique ! s'est exclamé Oliver. Ce n'est pas de la vengeance, c'est un homicide !

Le Dump cake au chocolat était de la taille d'une petite valise. La prise que les deux adolescents avaient sur la planche semblait précaire, alors je suis vite descendue de la balance pour faire de la place sur la table. Edison n'avait pas lésiné sur les décorations, ornant le dessus d'un motif de clavier réalisé en chocolat blanc et en barres de Tsootsie Roll, au centre duquel trônait un gros *74* en M&M's, dont le *4* était d'ores et déjà en train d'être transformé en *3* par Cody, désireuse de ne pas léser son oncle du moindre kilo perdu. Dans un coin du gâteau, Edison avait disposé un petit corbeau en porcelaine, une image d'un gâteau recouvert de glaçage qu'il avait découpée dans un magazine, ainsi que dix jetons de Scrabble épelant T-E-S P-A-R-O-L-E-S. C'est dans cette partie qu'il a coupé la part destinée à Fletcher. Mon mari paraissait si secoué du fait de se retrouver ainsi le centre de l'attention que je doute qu'il ait résolu le rébus. Néanmoins, il a accepté l'assiette vaillamment, et bien qu'il déteste s'exprimer en public, il a senti qu'une sorte de réciproque s'imposait.

— Tout d'abord, j'ai remarqué que certains d'entre vous avaient apporté des cadeaux, a déclaré Fletcher en sortant un paquet de son blouson de sport. Donc, voici.

D'un air soupçonneux, Edison a ouvert le paquet, avant de brandir le coffret comme un scalp.

— Un DVD de *The Thin Man*[1] !

— Je dois admettre que j'ai sous-estimé Edison, a poursuivi Fletcher, qui avait l'air de souffrir sous les feux de la rampe. Donc si cette chose me rend malade, eh bien – il a pris un morceau et levé sa fourchette comme les autres avaient levé leur verre –, je le mérite.

Les invités ont acclamé la première bouchée énorme de Fletcher, laissant autour de sa bouche des traces à l'évocation très fécale qu'Edison avait envisagées avec tant de plaisir.

---

1. Film américain de 1934 dont le titre original signifie « L'Homme mince », sorti en France sous le titre « L'Introuvable ».

— Maintenant, vous tous, allez aider Fletcher, a déclaré Edison. Prenez une assiette, et cela conclura nos festivités formelles pour ce soir !

— Tu seras capable de terminer ce morceau ? ai-je demandé à voix basse à Fletcher.

— Regarde !

Il a retiré une lettre de Scrabble de sa bouche et a léché le glaçage.

— Compte tenu des circonstances, il me laisse m'en tirer à bon compte. Surtout ne lui dis pas, mais c'est vachement bon.

Tandis que les invités se mettaient en rang, Edison a coupé pour moi la tranche qu'il savait que je préférerais. Son geste de tourner la manche de la fourchette dans ma direction a semblé tout à la fois tendre et possessif.

— Je ne peux pas manger ça et tenir ton manteau, lui ai-je dit. Je peux le poser avec les autres dans ta chambre ?

— Nan, je vais le remettre.

Il a jeté un coup d'œil à Fletcher alors que je lui tendais le manteau.

— C'est pas croyable, petit panda doit être allée jusqu'en Italie pour dégoter ce truc.

Après avoir lissé le manteau et relevé le col, j'ai murmuré « Félicitations » en l'embrassant sur la joue.

— Je pensais tout ce que j'ai dit, sœurette, a dit Edison en repoussant une mèche de cheveux sur mon front. J'y serais jamais arrivé sans toi. Ça n'aurait rien voulu dire sans toi.

Il a posé la main sur mon épaule nue. Les manifestations d'affection de mon frère ne me gênaient pas, d'autant que toutes ces *pointures* à New York se tapaient volontiers dans le dos et sur l'épaule. Ce n'était donc pas cette proximité physique qui me mettait mal à l'aise, mais la touche de possessivité. Je n'étais pas sûre qu'il aurait repoussé cette mèche de cheveux ou serré mon épaule exactement de la même façon si Fletcher n'avait pas été là à regarder.

— Tu as cuisiné toute la journée, et tu n'as rien mangé. Laisse-moi te préparer une assiette de vraie nourriture.

Lui préparer une assiette composée de lasagnes et de quelques cuillerées de ratatouille parmi les mets installés sur le buffet à côté de nous a probablement dû renforcer chez Fletcher l'impression qu'Edison et moi étions comme les deux doigts de la main, mais en réalité c'était une ruse pour me dégager de son étreinte.

— Vous avez bien aménagé cet appart, a déclaré Fletcher dans mon dos.

— Ouais, on pense à acheter un grand tapis turc pour cette pièce, a répondu Edison. Pour rendre l'appart un peu plus chaleureux. Pando et moi on envisage une longue randonnée à vélo l'été prochain, on suivra le Mississippi tout le long du delta, aller et retour. Si tu connais des personnes intéressées par une sous-location, fais-le-moi savoir.

— Si je rencontre quelqu'un qui cherche une chambre, a dit Fletcher, je te l'enverrai.

— En fait, je crois que ma sœur a besoin d'autre chose que de vacances. Elle commence à avoir la bougeotte à Monotonous. On a envisagé que je prenne le relais pour la gestion quotidienne. Pour lui libérer un peu l'esprit, pigé ? Peut-être pour lancer quelque chose d'autre.

— Tu m'en diras tant. Tu ne rentres pas à New York ?

— Pas dans l'immédiat. Sauf si Pandora se met en tête de partir pour la grande ville, mais elle est très investie en Iowa. Moi, ça me va. Tous ces champs, la lumière… Il se passe quelque chose de *spirituel* ici, tu vois ?

— Je vois parfaitement, a répliqué Fletcher.

J'ai tendu son assiette à Edison.

— Eh ! Est-ce que tu essaies d'annuler tout le dur boulot qu'on a fait ?

— J'essaie d'éviter que tu t'évanouisses.

— Pandora, a dit Fletcher. Y a-t-il un endroit où nous pourrions parler en privé ?

— Euh… Je suppose que oui.

Edison a semblé sur ses gardes.

— Sois gentil avec elle. C'est autant sa fête que la mienne.

— Je serai gentil avec elle, a dit Fletcher, et je me suis demandé si ce n'était pas ce qu'Edison redoutait.

J'ai pris ma part de gâteau et mon verre de vin, et c'est avec une certaine appréhension que j'ai conduit Fletcher jusqu'à ma chambre. Depuis son arrivée, je guettais la moindre de ses remarques susceptibles de laisser entendre que nous avions un avenir. Mais c'était un homme qui avait annoncé en des termes on ne peut plus clairs qu'il souhaitait divorcer. Il n'était venu ce soir qu'à cause d'un vieux pari stupide, et non pour moi. Je n'étais pas disposée à revivre ce rejet en ramassant des assiettes sales et terminant dans les larmes cette soirée entre toutes.

J'ai posé mon assiette sur la table de chevet, où Fletcher a lui aussi placé son énorme part de cet *humble gâteau*. Fermer la porte m'a semblé un peu excessif, même si techniquement nous étions toujours mariés. Je me suis assise sur le bord du lit. Fletcher s'est installé en face sur une chaise.

— Tu comptes continuer à vivre avec ton frère ? Faire une randonnée à vélo le long du Mississippi, t'associer avec lui en affaires ?

— Je ne sais pas. Je n'ai pas d'autres projets pour le moment.

— Ton frère n'en manque pas.

— J'ai été très mobilisée par la poursuite de ce projet. Qui officiellement vient de se terminer il y a seulement une vingtaine de minutes.

— Bien, quoi que tu comptes faire…

Fletcher s'est pétri les mains et a baissé la tête.

— Je voulais te dire que je suis désolé.

J'ai attendu. Fletcher avait beau être un homme peu prolixe, cette excuse cryptique était loin de suffire.

— Désolé pour quoi ?

— Tu étais dans une bulle avec lui. Je n'ai pas pu y entrer. Toutes ces plaisanteries entre vous sur *Garde alternée*. Tout un pan de ta vie auquel je n'ai pas accès…

— Tout le monde a une enfance.

— Pas moi. Pas comme la tienne. C'est ce que tu dis toujours, et tu as raison : je ne sais pas ce que c'est d'avoir des frères et sœurs. Pour autant que je puisse en juger, c'est tous les bons côtés d'un mariage sans les mauvais.

— Détrompe-toi, des mauvais, il y en a plein. Et certains bons côtés manquent aussi.

— Mais tu sembles si heureuse ici, en dépit de ce que Cody prétend – je vois clair dans son jeu. Même plus heureuse… qu'avec moi.

— C'est parce que j'ai eu un projet. Un but qui donnait du sens à ma vie.

Quelques accords du duo au piano d'Edison et de Cody intitulé « Il n'est pas gros, c'est mon frère » ont filtré sous la porte.

— Ta vie n'avait pas de sens avec moi ?

— Est-ce qu'on pourrait aller droit au but ? Qu'est-ce que tu veux dire ?

— Ton frère est un homme nouveau. Et je ne parle pas seulement du poids. Il semble même *un peu* moins chiant. J'ai pensé que tu faisais preuve d'égoïsme, mais c'était l'inverse. Je n'aurais jamais dû te punir pour ta générosité.

Il est très rare qu'une femme entende exactement les mots qu'elle attend de la part d'un homme, mais la rancune ne voulait pas lâcher prise.

— En avril, quand nous nous sommes vus au Java Joint, pourquoi as-tu fait preuve d'autant de réserve, alors que je me privais depuis des mois en avalant ces sachets

écœurants ? Pourquoi n'as-tu même pas pu articuler :
« Tu es très en beauté ? »

— Parce que tu ne l'étais pas, s'est-il empressé de
répondre.

— *Génial.*

— Tu étais trop maigre ! Tu étais pâle, faible, et tu m'as
vraiment foutu la trouille. Je t'assure, j'ai plus d'une fois
voulu te faire un compliment, mais je m'en suis empêché. J'avais peur que le moindre compliment t'encourage
à continuer de maigrir.

— J'ai cru… que tu étais contrarié parce que tu ne pouvais plus te sentir supérieur à moi.

— « Supérieur » ! Tu as créé de toutes pièces une entreprise florissante. Tu sais que mon activité d'ébéniste
tourne à perte. On ne peut même pas parler d'activité,
en l'absence de tout chiffre d'affaires. C'est un hobby ;
demande au fisc. Quant au vélo, et à mes efforts pour
maîtriser mon alimentation… euh, j'ai perdu mes cheveux, non ? Mon visage a une forme bizarre, et tu es la
seule femme à m'avoir jamais trouvé beau. J'ai essayé
d'être assez bon pour toi. Pour ralentir la pourriture.

— Ce fascisme nutritionnel a été un vrai délire autoritaire, pour moi et pour les enfants, et tu le sais. Mais tu
n'as pas cessé de me décourager dans ce projet avec Edison, alors que selon tes propres critères c'était un effort
qui méritait les applaudissements.

— J'étais peut-être un peu troublé par le fait que tu me
battes à mon propre jeu. En plus de me battre partout
ailleurs. Le sport, un mode de vie sain… c'est tout ce que
j'ai.

— Bien sûr que non. Tes meubles sont splendides.

— Dans ce cas, pourquoi est-ce que la plupart se
trouvent encore à la cave ?

— On devrait probablement faire plus d'efforts pour
que tu participes à ces grands salons sur la côte Est.

— Alors, tu veux dire…

— N'allons pas plus vite que la musique. Encore une fois, où veux-tu en venir ?

— Tu veux que je te l'épelle ?

J'ai acquiescé, même si j'appréciais que ses propos évasifs ne soient pas causés par la prétention ou la fierté, mais par l'angoisse. Le problème avec les questions directes, c'est qu'elles sollicitent des réponses tout aussi directes, et l'une d'elles pouvait tout à fait être « non ».

Il a pris ma main, et la différence entre son contact et celui d'Edison, la charge supplémentaire, m'a causé un choc.

— Je te l'ai demandé une fois déjà, mais tu n'avais pas terminé, et je le comprends maintenant… S'il te plaît, reviens à la maison.

— Qu'est-ce qui a changé ? Est-ce que c'est Tanner ?

— En partie. C'est mon seul fils. J'ai cru que ta famille avait gâché sa vie.

— Tu devrais avoir une plus grande foi en nous.

— Mais je crois surtout que ce qui a changé… c'est cette année. Cette année interminable pendant laquelle tu as dit que tu ne serais pas là…

Il a levé les sourcils et a conclu :

— … elle vient de se terminer.

*

Nous n'avons pas été pris en flagrant délit, mais en train de nous embrasser avec tous nos vêtements sur nous. Même si nous avions été enlacés nus, c'était ma chambre, et j'y étais allongée avec mon mari, ce qui, dans tous les lieux que je connais, n'est nullement considéré comme une transgression.

— Excusez-moi, a dit Edison avec froideur. Corcoran et

Novacek s'en vont, et j'ai pensé que tu voudrais peut-être leur dire au revoir.

Il a refermé la porte avec un claquement de reproche.

Quand nous sommes ressortis plus d'une heure plus tard – vous pouvez aisément imaginer que nous avions énormément de choses à discuter, y compris de ce que cette intrusion avait eu de bizarre –, j'ai été surprise par le calme ambiant. La plupart des invités devaient être partis, bien qu'il ne soit guère plus de 23 heures. La fête avait été si joyeuse que je peinais à imaginer ce qui avait pu les faire rentrer aussi tôt. Alors que l'ordinateur d'Edison n'était pas arrivé au bout de sa playlist, les haut-parleurs étaient muets.

Désireuse de cacher à Edison que Fletcher était revenu sur sa parole d'avaler toute sa part indulgente de gâteau, je me suis faufilée avec nos assiettes jusqu'à la cuisine, où le lave-vaisselle tournait déjà. Cody et Oliver rinçaient et empilaient le reste de la vaisselle – ils veillaient à reposer délicatement les assiettes pour qu'elles ne s'entrechoquent pas, comme des parents angoissés venant d'endormir un bébé avec beaucoup de difficulté. Des restes emballés étaient posés sur le comptoir, et tandis que je m'employais à les ranger dans le frigo, Cody m'a lancé un regard que j'ai été bien en peine d'interpréter.

— J'ignore comment Edison va pouvoir finir tout ça, ai-je déclaré.

Pourtant formulée à voix basse, ma remarque a claqué dans le silence de la pièce, me laissant avec la désagréable impression que ce n'était pas la chose à dire.

— J'ai fait ce que je pouvais. Je vais rentrer maintenant, a annoncé Oliver. Pour demain…

À son tour, il m'a jeté un regard empli d'une mystérieuse sympathie.

— … *appelle-moi*, a-t-il ajouté.

Je suis passée dans le salon afin d'aider Tanner à

ramasser les derniers verres. Fletcher y était, cloué sur place, les lèvres entrouvertes, comme s'il était hypnotisé devant la scène horrible d'un film d'horreur.

Un pied sur la banquette du piano, Edison se balançait en arrière sur une chaise, près de notre nouvelle table à manger, sur laquelle ne restait plus que le gâteau. Du glaçage collait à sa main droite, ainsi que des miettes sur les troisièmes phalanges, et il avait maculé de crème au beurre la manche de son trench en cuir. Le devant de sa chemise ivoire au motif de portées musicales était taché de chocolat. Son visage avait une expression à la fois perplexe et désinvolte, et il avait synchronisé le moment où il allait de nouveau plonger sa main dans le gâteau avec mon entrée dans la pièce.

Compte tenu de la nature même de la célébration, nos invités s'étaient peut-être limités à des portions congrues, et il restait les deux tiers du monstre. Ou il en était resté les deux tiers, puisque je distinguais encore les coupes d'origine au couteau, sur lesquelles avait empiété une gouge grossière. La partie manquante ayant la taille habituelle des gâteaux d'anniversaire, le gâteau semblait comme mutilé.

— T'en penses quoi, Fletcher ? Tu crois que *je* peux le finir ?

Mon frère a souri ; les interstices entre ses dents étaient noirs de chocolat, ce qui donnait l'impression qu'elles étaient pourries. Autour de sa bouche, les taches étaient noires, et pas rouges bien sûr, mais elles m'évoquaient néanmoins la gueule d'un coyote rougie par le sang de sa proie. Edison a sifflé une grande lampée de whisky, à même la bouteille, et a essuyé de sa manche les gouttes qui avaient coulé.

— Arrête ça, ai-je dit.

— J'ai l'impression que je n'ai plus à obéir à tes ordres, a répondu Edison, sa voix rendue pâteuse par le gâteau, l'alcool ou une grande quantité des deux. Ton année de servitude est officiellement *finita*, pas vrai ? Et pis, j'crois qu'j'ai bien mérité un p'tit plaisir, tu crois pas ?

Il a tendu le bras pour tirer sur le cordon de la marionnette offerte par mes employés, qui était affalée à côté du plat comme si elle était ivre morte, et la poupée a débité : « J'ai avalé quatre sachets de poudre par jour pendant six mois. Fais mieux, connard. »

— Ça n'a pas trop l'air de ressembler à un *petit* plaisir, j'ai rétorqué. Maintenant, arrête ça tout de suite. Ça ne marchera pas. Pas cette fois. Cody ? Tanner ? Vous êtes prêts ?

J'ai enfilé mon manteau.

— Où tu vas ? a demandé Edison. T'es déjà chez toi.

— Je retourne dans mon vrai chez-moi.

J'ai pris la main de Fletcher.

— Tu pars juste coucher là-bas, ou tu désertes ?

— Écoute, est intervenu Fletcher, ta sœur t'a consacré une année entière de sa vie…

— Et maintenant la cloche a sonné. C'est l'heure. J'ai pigé.

Edison a pris un M&M's sur le glaçage, désormais saupoudré de cendres de cigarette.

— C'est du chantage, ai-je déclaré, et j'ai fait signe aux enfants. On y va.

Cody a hésité.

— Edison a peut-être besoin d'un peu de compagnie pour l'instant.

— C'est justement tout ce dont il n'a pas besoin, ma chérie. Crois-moi.

Retirant d'un coup à mon frère toute sa vraie famille, Fletcher et moi sommes partis à pied, les enfants à la traîne, alors que Cody jetait à son oncle par-dessus son épaule la sorte de regard qui, dans la Bible, l'aurait changée en statue de sel.

III

Fragile

JE N'AI PAS ABANDONNÉ MON FRÈRE, mais nos rencontres m'étaient pénibles, et pour me préserver je les ai grandement espacées. La rapidité avec laquelle il a repris chaque kilo perdu semblait infaisable sur le plan biologique ; en outre, il perdait patience face à ma propension à éclater en sanglots. Les mois suivants, il a adopté une sorte d'insouciance, de légèreté exaspérante. Il prenait grand plaisir à me bouleverser, et mettait en scène des gueuletons, à grand renfort de tartes à la cerise et de litres de glace. Il n'a rien lâché de cette désinvolture avec laquelle il avait mutilé le Dump cake au chocolat, et bientôt il a agi comme si cette aventure commune et difficile à Prague Porches n'avait été qu'une partie de plaisir, à laquelle il repensait maintenant avec un *hi-hi-hi* sifflant d'asthmatique. Cody faisait preuve d'une plus grande fidélité et continuait de se rendre à l'appartement dont, pour des raisons obscures, je continuais à payer le loyer. Sa nature la portait à l'indulgence, même si elle rentrait inconsolable de ces missions. Dans un appartement qui ressemblait de plus en plus à un trou à rat, Edison se repliait sur lui, vivait cloîtré ; il avait abandonné le vélo et ne pouvait plus désormais profiter de ma voiture. Je ne l'ai jamais plus revu dans ce trench de cuir. Au bout de deux mois, il ne lui serait plus allé.

417

Je ne me suis pas privée de l'engueuler, à maintes reprises, avant que la situation dérape complètement, mais il restait imperméable à ma désapprobation, de laquelle il se régalait plutôt. À mesure que les mois passaient et que ses proportions continuaient à enfler, nous avons cessé d'aborder les sujets qui fâchent, comme lors de son arrivée à New Holland, où la moindre allusion à sa corpulence avait semblé impolie.

Deux ans environ après sa rechute, j'ai fait une ultime tentative pour amener mon frère à se reprendre en main. Par le biais de Slack Muncie, j'avais retrouvé son ex-femme, Sigrid, qui non sans réticence m'avait mis en contact avec son fils Carson, désormais âgé de dix-neuf ans, et qui jouait de la trompette dans les mêmes bouges de Brooklyn que ceux qu'avait fréquentés Edison avant de partir pour l'Iowa. Comme je m'y attendais, Carson avait beaucoup de curiosité à l'égard de son père, et il a accepté le billet d'avion pour Cedar Rapids que je lui ai offert au téléphone.

Je n'avais pas pour projet d'agresser mon frère à sa porte en arrivant avec son fils perdu de vue, et nous avons donc invité ce charmant jeune homme chez nous. J'ai réussi à faire sortir Edison de sa tanière et lui ai donné rendez-vous dans un restaurant au premier étage du Westdale Mall, dont les sièges sans accoudoirs ne le comprimeraient pas trop. Mon neveu et moi sommes arrivés quelques minutes en avance, et j'ai aperçu Edison qui montait par l'escalator. Il s'est avancé vers notre table en traînant des pieds, mais à l'instant où il a reconnu son fils – il avait peut-être suivi sur internet sa carrière musicale naissante – il s'est figé. Son visage est devenu cramoisi. Avec une rapidité insoupçonnée pour un homme de cette corpulence, il a tourné les talons. Carson a suivi mon regard et a dû apercevoir le dos d'un homme corpulent en jean extralarge. Sous l'effet d'une loyauté plus primaire encore que celle que je devais à ce neveu qui m'était quasiment étranger, je me suis tue. Nous avons attendu trois quarts d'heure de plus, devant nos Coca-Cola, jusqu'à ce que je dise : « J'imagine qu'il ne viendra plus, je suis désolée. » Carson était déçu. Et Dieu sait que j'en ai pris pour mon grade le lendemain. « Tu veux que mon fils me voie comme ça, *man* ? Où tu avais la tête ? » Quelque part en lui se cachait encore un sentiment de fierté.

Ce qui explique pourquoi j'ai été soulagée quand Travis est décédé peu de temps après : heureusement que j'avais pensé à envoyer par e-mail à notre père la photo d'Edison prise lors de la Fête de la silhouette retrouvée. Dynamique, lumineux, mince : c'est cette image que garderait Travis de son fils aîné ; c'est elle aussi qui adoucirait un peu le décès de Travis. Contre toute attente, celui-ci avait considérablement affecté Edison. À de rares moments, nous donnons à voir qui nous sommes vraiment, et j'étais heureuse d'avoir capturé alors l'« essence d'Edison », comme je l'ai dit à Tanner cette nuit-là ; une photo que j'ai encadrée et que je continue de regarder sur le mur de mon bureau, avec la même sensation complexe d'effondrement.

Difficile de dire si mon produit est passé de mode ou s'il a été la victime d'une récession économique vertigineuse. Quoi qu'il en soit, les commandes à Baby Monotonous se sont bel et bien raréfiées, et ce revers ne m'a fait ni chaud ni froid. J'ai été désolée de voir partir mes employés, mais si je n'avais pas rapidement mis la clé sous la porte j'y aurais laissé toute l'épargne familiale. Et puis, cette entreprise avait été créée à partir d'une plaisanterie qui avait cessé de faire rire. Trop souvent, nos marionnettes avaient mis en évidence une méchanceté qui ne me correspondait pas, et après avoir vendu les machines à coudre et fermé l'entrepôt, je me suis sentie plus légère et plus propre.

Au moins, je n'ai pas eu à renvoyer Edison : il n'est

jamais retourné travailler après la fête. Une fois ses économies mangées, il a trouvé un travail…

*

Non, n'ai-je pas dit qu'il restait cloîtré chez lui ? Il a peut-être commencé à travailler chez lui, en tant que…

*

Ou plutôt, grâce à une rentrée d'argent inespérée, il a…

*

Non, un héritage serait risible. Travis s'est débrouillé pour quitter cette Terre comme nous le devrions tous : maison payée, cartes de crédit au maximum du plafond autorisé.

À bien y réfléchir, pourquoi Edison serait-il resté en Iowa ? Pourquoi un musicien de New York y aurait-il emménagé, de toute façon ? Comment un hédoniste comme mon frère, enclin à un aveuglement chronique, pourrait-il perdre cent deux kilos en une seule année ?

JE SUIS DÉSOLÉE mais je ne peux plus continuer. Tout n'est que mensonge. Ou presque.

*

La vérité, la voici : Tanner a véritablement effectué un stage informel prolongé et assez édifiant chez son grand-père par alliance. Il est ensuite rentré en Iowa où il a terminé le lycée, même si après son diplôme il a bel et bien tiré profit d'un contact d'Edison. Il est désormais coursier pour HBO. J'ai véritablement appris à ne pas « anticiper la déception » à la place de mes enfants, quel que soit en apparence le degré d'inaccessibilité de leurs espoirs, et ce conseil je le tiens vraiment d'Edison. J'ai bel et bien fermé Baby Monotonous – et les sollicitations pour telle ou telle interview me manquent, alors que je les trouvais parfois si agaçantes ; ou plutôt, ce qui me manque est de ne plus pouvoir les trouver agaçantes. (Il est sans doute plus gratifiant de repousser les attentions du monde extérieur et de répéter à qui veut bien l'entendre qu'on a envie qu'on vous fiche la paix, plutôt qu'être celle à qui on fiche effectivement la paix. En d'autres termes : gagner est impossible.) Travis est bel et bien décédé d'une crise cardiaque. Mais en réalité Cody est toujours affreusement timide, et jamais elle ne se laisserait convaincre de jouer du piano devant une assemblée d'adultes. Sous le bref tutorat de son oncle, elle a quand même appris à improviser un peu, mais très vite elle a cessé de s'écarter des notes inscrites sur la partition.

Le reste est une histoire que je me raconte, et pas des plus convaincantes. Peut-être mon imagination a-t-elle fini par me faire défaut dans cette abondance d'ellipses, car c'est pure fantaisie que de penser que le citadin branché qu'était mon frère se serait enterré, anonyme, en pleine campagne, surtout après s'être enterré en lui-même, se cachant dans le périmètre de son énormité comme je me suis cachée entre les deux côtes de ce pays. Il n'a jamais été très discipliné, et selon toute probabilité il n'aurait pas pu suivre un régime draconien à base de sachets. Supposer comme je l'ai fait qu'il ait pu réaliser un tel sacrifice, ne serait-ce que pour me faire plaisir, revient à exagérer mon importance à ses yeux et à gonfler grossièrement mon influence (toujours dérisoire). En d'autres termes, je me flatte. Quant au changement de personnalité dont je me suis réjouie, ce n'était peut-être qu'un artifice pour expliquer ce qui m'énervait chez lui, ce que j'aurais aimé changer si je l'avais pu, ce qui ne s'est pas produit. Toute cette admiration de petite fille était assez proche de la réalité, mais le propre de l'admiration est de garder son objet à distance. Quand on admire quelqu'un, on devient aveugle à des données plus complexes ou moins glorieuses qui le font descendre de son piédestal, mais qui font aussi de lui une personne réelle. Je n'ai donc jamais très bien connu mon frère. Je suis restée à une distance respectueuse de lui. De près, il était souvent pénible, et c'est à petites doses que je préférais sa compagnie.

Soyez néanmoins assurés que, jusqu'à ce que je

rejoigne Edison dans la chambre d'amis alors qu'il faisait ses bagages, ce récit a été raconté avec sincérité. Bouffi littéralement au point d'être méconnaissable, mon frère a séjourné chez nous pendant deux très longs mois. Mais je ne l'ai jamais fait monter sur une balance industrielle, et cent soixante-quinze kilos n'est qu'une hypothèse au hasard. Fletcher et lui ne se sont pas entendus. Le soir précédent son vol de retour vers LaGuardia, j'ai effectivement été tentée de suivre mon impulsion et de lui proposer quelque chose – peut-être qu'on parte tous les deux quelque part, pour que je lui apprenne à perdre du poids et que je comprenne mieux comment il en était arrivé là. Or, je me suis tue. Je savais que Fletcher trouverait cette idée absurde et ne prendrait pas très bien cette désertion. Mon mariage était encore suffisamment récent pour que je ne veuille pas le mettre à l'épreuve, et je me suis dit aussi que j'avais adopté deux enfants, ils devaient être ma priorité. La vérité était moins glorieuse : cohabiter plus longtemps encore, et dans une plus grande intimité, avec ce frère difficile à vivre, endosser la fonction de général en chef dans la Guerre du sucré ? Je ne le voulais pas.

Plutôt que de dérouler mon plan grandiose et de proposer de louer ensemble un appartement, je suis descendue m'occuper du linge, et c'est là que j'ai trouvé ce jean, celui dont j'ai prétendu que nous l'avions utilisé pour notre bonhomme de neige et, plus tard, pour le décor second degré d'une Fête de la silhouette retrouvée apocryphe. Je l'ai remonté à l'étage pour qu'Edison puisse l'emporter, redoutant la perspective de tomber sur l'étendard de sa métamorphose, une fois qu'il serait parti. L'après-midi suivant, je l'ai conduit à l'aéroport, avec suffisamment de marge par rapport à l'heure de son avion. En rentrant chez moi, le fauteuil bordeaux, enfoncé et vide, au bout de la table était si dérangeant que j'ai demandé à Fletcher de l'emporter à la déchetterie pas plus tard que le lendemain.

Par la suite, j'ai gardé des contacts sporadiques avec Edison, par e-mail et au téléphone. Comme aucun moyen de communication ne me forçait à me confronter au spectacle qu'il était devenu, ces échanges ne me coûtaient pas beaucoup. J'ai financé sa couverture sociale, ce qui franchement était dans mon intérêt. Je lui envoyais de l'argent de temps en temps. J'aurais aimé lui en envoyer plus.

Dans les mois qui ont suivi son départ, j'ai, avec une discipline toute militaire, maigri de quelques kilos, les vingt-cinq kilos perdus par solidarité fraternelle étant tout aussi fictifs que la fonte d'Edison. J'ai fini par perdre sept « gros » kilos, non par le biais d'une diète liquide mais par une diminution plus conventionnelle des portions. Cette période a été très pénible pour toute la famille, et les résultats m'ont laissée indifférente. Comme il éprouvait la même rébellion face à la mortification de la chair que je m'infligeais que celle que j'avais ressentie à l'égard de son puritanisme, Fletcher, au moins, est devenu moins militant en matière de nourriture. Avec la résurrection miraculeuse des manicotti, Cody et même Tanner à son retour de L.A. ont cherché moins d'excuses pour éviter le repas familial.

Aujourd'hui, nous n'avons plus envie de nous prendre la tête sur ce qu'on devrait ou ne devrait pas manger, et grâce à des choix arbitraires pour composer des dîners en grande partie apathiques, nous avons conservé une alimentation variée et pas particulièrement abominable. Certes, quand Cody est rentrée à Noël dernier après son premier semestre à Reed, notre grande perche avait forci, mais c'est fréquent à l'âge des amitiés qui se nouent tard le soir autour d'assiettes de brownies, et je me suis abstenue de toute remarque. J'ai moi-même repris une partie du poids que j'avais perdu, et je m'en fiche. Je continue d'avoir un surpoids de près de dix kilos, et j'envisage de rester comme ça. J'échange volontiers une silhouette svelte contre la capacité à penser à autre chose. Je ne suis peut-être pas la femme la plus séduisante de cette partie de l'Iowa, mais je ne suis pas non plus un laideron.

*

Après la visite marathon d'Edison à New Holland, j'ai revu mon frère deux ans plus tard à L.A. pour l'enterrement de Travis. J'avais envoyé à mon frère un billet d'avion en classe business, dans l'espoir qu'un siège plus luxueux et un personnel de bord qui ferait semblant d'être aimable avec lui compenseraient le fait que, désormais, il trouvait l'avion dangereux. Fletcher, Cody et moi sommes arrivés avant lui et l'avons attendu à l'aéroport dans une spacieuse limousine. Nous nous sommes montrés d'une extrême patience face à la lenteur de son pas, et nous nous sommes donné beaucoup de mal pour qu'il n'ait pas l'impression qu'il nous donnait du mal. Il ne m'exaspérait plus, et n'exaspérait même plus Fletcher. Il m'inspirait plutôt une tendresse massive. Car, voyez-vous, il avait encore grossi. Du fait qu'il souffrait maintenant d'emphysème, il traînait une bouteille d'oxygène partout derrière lui comme un chien, et ne retirait l'arrivée d'air de son nez que pour allumer une autre cigarette.

Nous avons tous retrouvé Solstice à dîner ce soir-là, et elle était si bouleversée que nous avons dû demander des serviettes supplémentaires à notre serveur pour qu'elle puisse se moucher. Edison et moi nous étions toujours imaginé qu'elle avait grandi dans une famille différente, puisqu'elle avait manqué l'âge d'or de Travis en tant que vedette du petit écran, mais avec un frère et une sœur qui l'avaient rejetée pour être plus proches l'un de l'autre et une mère morte alors qu'elle n'avait que trois ans, elle avait plus ou moins grandi *sans* famille. Elle ne voulait pas entendre de choses négatives sur notre père, et je me suis alors rendu compte du trou béant que cet homme laissait derrière lui : ne pouvant plus débiner Travis, nous avions étonnamment peu de sujets de conversation.

Nous avons organisé la réception dans le restaurant mexicain préféré de notre père, où la pièce du fond pouvait être louée par des particuliers. Tanner a pris du temps sur ses tentatives pour décrocher un petit boulot à la télé afin de venir lui rendre un dernier hommage ; après tout, Rosita n'était qu'à vingt minutes de sa colocation grunge. Même les acteurs encore en vie de *Garde alternée* ont fait une apparition. Il avait été plus drôle pour Edison et moi de nous moquer de ces icônes et ennemis jurés derrière leur dos. Les acteurs que nous avions méprisés avaient été des enfants, et railler des quadragénaires ringards que nous reconnaissions à peine n'avait rien d'amusant. Preuve vivante de l'efficacité des antirétroviraux, Sinclair Vanpelt avait toujours le pied dans le milieu de la télé et faisait la promotion d'un pilote assez peu prometteur : une variante homo de *The Odd Couple*, alors que la série d'origine traitait déjà d'une relation quasi homosexuelle. Sinclair symbolisait ces acteurs de second ordre qui obtiennent le minimum vital de reconnaissance pour continuer à se heurter à des murs. En campagne pour ce qui allait se révéler une tentative infructueuse au Sénat, Floy Newport, de façon prévisible, s'est montrée chaleureuse, sa carrière d'enfant acteur se limitant à une curiosité dans son parcours. Retapée grâce aux Narcotiques anonymes, Tiffany Kite collectait désormais des fonds destinés à la construction de refuges pour femmes battues. Je me suis demandé si son histoire personnelle la liait à cette cause ou si elle souhaitait simplement que les gens en fassent l'hypothèse, ce qui collait mieux à ses ambitions de tragédienne.

Ce phénomène est peut-être plus marqué en Californie : tout en me déplaçant sous les piñatas colorées qui pendouillaient du plafond, j'ai été frappée par la façon dont *se jaugeaient* des personnes qui ne s'étaient pas vues depuis des années, et cette ridicule pesée mentale servait à évaluer au jugé nos degrés de réussite respectifs dans d'autres sphères. Sinclair, tout maigre, paraissait crispé, mais l'amincissement provoqué par le sida ne suscitait pas l'envie. Comme moi, Floy avait quelques rondeurs qui la faisaient paraître pragmatique, ce qui aurait pu être un avantage électoral. Tiffany était squelettique, et il émanait d'elle cette fragilité névrotique et snob qui m'a poussée à prendre une seconde quesadilla. Bien évidemment, côté bedaine, Edison battait tout le monde à plate couture. Pour la défense des amis du défunt, la compassion était réelle dans l'arrière-salle du restaurant Rosita : les amis et les anciens associés de Travis ont tous mis un point d'honneur à parler à Edison, même s'ils semblaient avoir les plus grandes peines du monde à le regarder dans les yeux.

Désireuses de protéger Edison de leur pitié, Cody et moi avons fait preuve de sollicitude à son égard, en lui trouvant un fauteuil confortable quand il était fatigué ou en prenant pour lui un autre burrito au crabe sur un plat qui passait. Vis-à-vis des inconnus, je faisais office d'interlocutrice, et j'ai ainsi expliqué que nous étions les enfants de Travis, avant de présenter, d'un ton de défi et sans complexe, mon frère, célèbre pianiste de jazz de New York. En raison peut-être du stress des deux dernières années ou de la mort de notre père, il était abattu. Ses fanfaronnades me manquaient. Je voulais qu'il me parle des tournées, des CD, des concerts et des musiciens célèbres avec qui il jouait, même s'il devait tout inventer.

*

427

Néanmoins, dans cette réalité alternative, pourquoi ai-je conclu ce conte par une disgrâce, amenée par ce Dump cake au chocolat (une vraie recette essayée une fois, mais trouvée trop lourde et un peu écœurante, et que je n'ai jamais retentée), plutôt que d'imaginer un véritable *happy end* ? Par exemple, un frère à la silhouette retrouvée, adepte convaincu du lait écrémé, coureur de marathons, qui tombe amoureux, engendre deux enfants non empruntés à sa sœur, continue à jouer du piano en tant qu'amateur passionné tout en ayant un emploi modeste lui permettant de payer ses factures – pourquoi pas commercial en semences ? –, membre de nombreuses associations dans son État adoptif…

J'imagine que c'est évident. Je me suis laissé emporter. *Tu vois ? Quelle que soit son ampleur, ton intervention n'aurait de toute façon pas marché. Ça ne marche jamais, tu sais bien. Même si tu y avais investi tout ton temps et risqué ton mariage, et à supposer qu'il se soit senti suffisamment concerné pour accepter, Edison aurait quand même maigri pour de mauvaises raisons, et combien tu paries qu'il aurait tout repris ?* Bien sûr, il existe quantité d'exceptions héroïques de gargantuas qui perdent des dizaines et des dizaines de kilos et n'en reprennent que trois, mais je n'ai jamais tenté de découvrir si mon frère pouvait être l'un d'eux.

Il y a un an, Edison Appaloosa est mort de complications entraînées par une insuffisance cardiaque congestive. Il est difficile d'affirmer que sa mort a été une conséquence directe de son poids. À proprement parler, il a été tué par l'une de ces infections contractées à l'hôpital. Néanmoins, un corps en surcharge affaiblit le système immunitaire, et l'insuffisance cardiaque elle-même a, sans le moindre doute, été causée par une circulation sanguine étranglée par des excédents de tissus.

Mon frère avait été hospitalisé plusieurs fois à cette époque, et son médecin à l'hôpital de St. Luke n'avait jamais décrit la situation comme très critique avant que les choses tournent mal pour Edison. Je faisais le nécessaire afin de prendre le premier vol pour New York quand j'ai reçu le coup de fil de Slack Muncie, qui m'informait que je pouvais désormais prendre mon temps. J'ai autorisé l'hôpital St. Luke à procéder à la crémation ; réputé pour sa prise en charge des patients obèses, l'hôpital disposait de l'incinérateur grande capacité nécessaire. Je ne leur ai pas demandé d'attendre pour que je puisse voir le corps, car je voulais préserver du mieux possible l'image de mon frère tel que je l'avais connu pendant la plus grande partie de ma vie.

J'ai quand même pris cet avion, et Slack a insisté pour venir me chercher à l'aéroport, bien que cela l'oblige à prendre le métro ainsi qu'un bus. Il m'a proposé de m'installer dans son appartement de Williamsburg. Une fois sur place, j'ai insisté pour prendre une chambre dans un hôtel afin de ne pas envahir son espace, et j'ai pu apprécier la générosité de celui qui avait été l'ami le plus constant d'Edison. Ce saxophoniste grand et maigre avait hébergé mon frère pendant des années dans un petit deux-pièces, Edison dormant dans le fauteuil inclinable du salon. Slack avait regroupé les quelques possessions de mon frère, au cas où j'aurais voulu des souvenirs : un vieux Mac, autrefois blanc mais dont la couleur avait aujourd'hui tourné au gris sous l'effet de doigts tachés de cendres. Le grand gilet noir informe troué par des brûlures de cigarettes. Un flacon de la sauce barbecue préférée de mon frère. Une boîte contenant des CD sur lesquels Edison avait joué mais qu'il n'avait jamais réussi à vendre. Une pile de lettres retenues par un gros élastique constituant la correspondance de mon frère avec le fisc, qui semble-t-il le harcelait, ainsi qu'un carnet à spirales rempli de colonnes de revenus et de dépenses s'étalant sur une dizaine d'années : des cachets de 22 et de

13,50 dollars pour des concerts payés aux entrées ; une dépense de 42 dollars pour un taxi. J'ai pleuré devant tout ce gâchis.

C'est Slack qui m'a appris comment Edison, désespéré, en était arrivé à se faire appeler « Caleb Fields » pendant quelque temps. Comment ses essais avec l'héroïne avaient poussé Sigrid, enceinte de son fils, à partir. Comment singer Travis en jouant les divas lui avait valu une mauvaise réputation. Comment il avait été contraint de vendre le Schimmel avant finalement de « bouffer » son piano. Comment son cachet avait été baissé parce qu'il s'était gavé au buffet du mariage où il avait été engagé pour jouer. Comment il avait perdu quasiment tout ce qu'il possédait quand il n'avait plus été en mesure de payer le loyer du garde-meubles. Comment ses amis lui avaient trouvé cette petite piaule au-dessus du Three Bars in Four-Four, pour finalement le voir tout ficher en l'air parce qu'il chapardait en cuisine après la fermeture. J'aurais pu me douter de quelque chose quand mon frère m'avait avoué qu'il n'y avait pas de tournée en Espagne et au Portugal, mais je n'avais pas voulu voir toute la détresse qui se cachait probablement derrière ce mensonge, et je n'avais rien su de tout cela.

Au lieu de conduire Edison à l'aéroport en novembre dernier, aurais-je dû lui proposer de s'installer à Prague Porches, un vrai lotissement à trois kilomètres d'ici, pour commencer un régime draconien ? Je n'aurai jamais aucune certitude. Quoi qu'il en soit, cet univers parallèle est devenu extrêmement vivant depuis le décès prématuré d'Edison à l'âge de quarante-neuf ans : lui et moi en train de décortiquer de minuscules queues de crevette pendant la Cène. De danser à notre Cétose Party. La colère puis la compréhension après avoir découvert le carton à pizza. Louer un piano pour lui et l'entendre s'aventurer dans *West Side Story* ou dans le répertoire de Lyle Lovett. Voir pour la première fois le soleil dessiner ses pommettes. Faire du vélo, de la randonnée, et passer des sacs de sable avec lui, en récitant, hilares, nos serments détournés, « Je jure de me détourner de la graisse qui ridiculise le tour de taille de l'Amérique », jusqu'à ce qu'il monte sur un pèse-personne devant une foule de témoins qui avaient appris à l'aimer et que cette aiguille s'arrête sur un 73 triomphant.

Bien sûr, je n'ai jamais organisé la venue en Iowa du fils d'Edison, quoique celui-ci ait effectivement rencontré son père peu avant la crise cardiaque de Travis. De sa propre initiative, Carson avait retrouvé son père au Three Bars in Four-Four, où Edison était connu pour y rejoindre ses amis. Mon frère m'avait appelé ce même soir – il nous avait réveillés, mais cela n'avait aucune importance. Il était euphorique, et pour une fois son euphorie était sincère ; elle n'avait rien à voir avec l'optimisme de façade qu'il affichait d'ordinaire. Il espérait pouvoir enfin nouer une relation avec son fils unique. Mais Carson n'avait pas repris contact, et l'adresse et le numéro qu'il avait donnés ce soir-là à son père s'étaient révélés faux. J'ai supposé qu'il avait été considérablement choqué. Edison sous sa forme élargie n'offrait pas l'image du père idéal.

À ma grande surprise, Carson est venu lors de la cérémonie commémorative, où il y avait beaucoup de monde, organisée au Three Bars. Grand, sous-alimenté, avec les mêmes ondulations que son père au même âge, il a présenté ses condoléances avec beaucoup de solennité. J'espérais qu'il souhaitait par sa présence compenser en partie le fait qu'il avait brisé le cœur de son père – tout comme, me suis-je rappelée, Edison devait avoir brisé celui de son fils. Privé de père, *de facto*, pendant la plus grande partie de sa vie, Carson avait beaucoup plus à pardonner à son père que son obésité. Après avoir abondamment remercié ce jeune homme d'être venu, j'étais prête à l'accueillir dans le giron de notre famille, quand Cody, qui n'est pas de nature cynique, m'a prise à part. « J'ai parlé à ce naze pendant vingt minutes, a-t-elle murmuré. Tout ce qu'il veut savoir, c'est de quelle marque est ta voiture, si nous avons une piscine et si ton entreprise a jamais figuré dans le Fortune 500. Il me fait flipper. »

Tanner, qui était vraiment très beau garçon à vingt-deux ans, mais qui s'était débarrassé de ses tendances narcissiques de lycéen, s'est glissé à côté de sa sœur. « Vous n'allez pas le croire. Ce type ? Mon *cousin par alliance* ? Je l'ai vu mettre trois bouteilles de vin dans son sac à dos. Qu'il les prenne, s'il n'y a que ça. Mais franchement, c'est minable. »

Et en effet, après une série de témoignages passionnés et émouvants de la part des collègues musiciens de mon frère, Carson a gâché le plaisir que je me faisais d'écouter la jam-session qui suivait en me débitant des flatteries obséquieuses sur Baby Monotonous – il jacassait par-dessus la musique, ce qu'Edison avait en horreur. Lorsque Fletcher a volé à mon secours, le jeune homme en était à formuler la supposition que je puisse avoir le projet de créer une « bourse » en l'honneur de son père, destinée à financer de jeunes musiciens de jazz.

J'avais supposé qu'à dix-neuf ans il avait cherché à retrouver son père pour les raisons habituelles : savoir d'où il venait, combler le gouffre de son enfance. Mais j'ai été forcée de me demander s'il ne cherchait pas surtout de l'argent, ce dont Edison manquait cruellement. Certes, son père devait signifier quelque chose pour lui, à moins que l'amour du jazz soit génétique. Et compte tenu de l'abandon dont s'était rendu coupable Edison, l'opportunisme complet d'un fils était un autre coup du sort que mon frère avait activement recherché.

Toute cette année, j'ai écouté les CD d'Edison avec la concentration que j'aurais pu y mettre au moment de leur

432

sortie. Je sais désormais que mon frère était un bon musicien. Quelle farce, car on se souviendra surtout de lui en raison de son obésité.

Si on m'avait dit plus jeune que mon frère deviendrait aussi gros, je ne l'aurais jamais cru. Pourtant, avec du recul, je me demande si toute cette histoire n'est pas d'une grande simplicité. La vie d'Edison a démarré sur une courbe ascendante et excitante, puis elle a commencé à tourner sur elle-même, et il s'est découragé. Il a recherché la gratification facile, à portée de main, en supposant qu'il n'avait rien à perdre, prophétie autoréalisatrice. C'est une histoire triste, mais qui n'a rien de mystérieux. Quant à l'enjeu social plus large que mon frère a involontairement incarné, je ne peux y apporter en définitive qu'une maigre contribution. J'ai beaucoup évoqué Baby Monotonous – la lassitude déconcertante de l'aisance, l'ennui réel suscité par cet excès d'attention très concret dont Edison se sentait tellement spolié. Le terme « déception » peine à les rendre. Même si les manques nous rongent, la satiété est pire encore. Et je vous livre ma réflexion : nous sommes destinés à avoir faim.

Il est impossible d'estimer ce qu'on doit aux autres. Aux autres en général, bien sûr, mais surtout aux membres de sa famille, car dès qu'on cherche à calculer tout ce qu'il nous faut donner – dès qu'on commence à comptabiliser, à diviser nos élans de bienveillance – on est fichu. *Quand on a donné le doigt, il faut donner la main.* Je n'aurais pas pu dire à mon frère : « Je vais t'aider à maigrir pendant trois mois, mais pas quatre. » Si j'avais assumé le rôle de gardien auprès de lui, ne pensez-vous pas que cela aurait été sans fin ? Et qui peut dire si une telle entreprise n'aurait pas ruiné mon mariage, faisant de moi la moitié d'un couple de frère et sœur, un couple sans sexualité ni enfants, dans un lotissement aride appartenant à un Tchèque en grand surpoids ? Même dans l'hypothèse douteuse que mon frère obèse et décadent ait pu trouver le courage de mener à bien un tel régime, qui peut dire si, avec le temps, il n'aurait pas repris tout le poids perdu ? Plutôt que de me livrer à des calculs émotionnels byzantins concernant ma responsabilité vis-à-vis de mon frère, j'ai trouvé plus simple de décréter que je n'en avais aucune. Cependant rien n'est gratuit ici-bas. Je me suis débrouillée pour éviter d'en assumer les conséquences alors qu'Edison était encore en vie, mais c'est maintenant que je paie. Et je paie tous les jours.

Collection « Littérature étrangère »

Composé par Nord Compo Multimédia
7, rue de Fives, 59650 Villeneuve-d'Ascq